유머로 배우는 한국어

français(프랑스어)
traduction(번역판)

• 유머 (nom) : humour, comédie
Comportement ou propos qui fait rire les autres.

• 로 : par, à
Particule indiquant la méthode ou la manière de faire quelque chose.

• 배우다 (verbe) : apprendre, étudier, s'initier à, s'instruire
Acquérir une nouvelle connaissance.

• -는 : Pas d'expression équivalente
Terminaison attribuant la fonction de déterminant à la proposition précédente, et pour indiquer que la situation ou l'action en question se réalise au présent.

• 한국어 (nom) : coréen, langue coréenne
Langue utilisée en Corée.

※ 이 책의 폰트는 '함초롬 바탕체'를 사용하였습니다.

< 저자(auteur) >

㈜한글2119연구소

- 연구개발전담부서
- ISO 9001 : 품질경영시스템 인증
- ISO 14001 : 환경경영시스템 인증
- 이메일(email) : gjh0675@naver.com

< 동영상(vidéo) 자료(matériaux) >

HANPUK_français(traduction)
https://www.youtube.com/@HANPUK_French

HANPUK

제 2024153361 호

연구개발전담부서 인정서

1. 전담부서명: 연구개발전담부서

[소속기업명: (주)한글2119연구소]

2. 소 재 지: 인천광역시 부평구 마장로264번길 33
상가동 제지하층 제2호 (산곡동, 뉴서울아파트)

3. 신고 연월일: 2024년 05월 02일

과학기술정보통신부

「기초연구진흥 및 기술개발지원에 관한 법률」 제14조의 2제1항 및 같은 법 시행령 제27조제1항에 따라 위와 같이 기업의 연구개발전담부서로 인정합니다.

2024년 5월 13일

한국산업기술진흥협회장

< 목차(table des matières) >

1 단원 깜짝 놀라서 티브이(TV) 전원을 꺼 버렸지. ---------------------- 1
2 단원 쫓아오던 게 강아지였나? -- 15
3 단원 이게 다 엄마 때문이야 --- 35
4 단원 아빠, 물 좀 갖다주세요. --- 51
5 단원 이해가 안 가네요. --- 75
6 단원 왜 아버지 직업을 수산업이라고 적었니? ------------------------ 96
7 단원 도대체 어디가 아픈지 잘 모르겠어요. --------------------------- 112
8 단원 소는 왜 안 보이니? -- 132
9 단원 가장 큰 장애 요소는 무엇일까요? ------------------------------ 153
10 단원 뭐, 없어진 물건이라도 있으세요? ----------------------------- 171
11 단원 새에 대한 논문을 쓰고 계시나 보죠? -------------------------- 191
12 단원 이 늦은 시간에 여기서 뭐 하고 계세요? ---------------------- 212
13 단원 엄마는 왜 흰머리가 있어? ------------------------------------- 237
14 단원 혹시 그 여자가 이 아이였습니까? ----------------------------- 255
15 단원 왜 아무런 응답이 없으신가요? -------------------------------- 282
16 단원 왜 먹지 못하지요? -- 301

● 부록(supplément)

숫자(chiffre) -- 320
시간(temps) -- 321
참고(prise en compte) 문헌(bibliographie) ------------------------ 327

< 1 단원(chapitre) >

제목 : 깜짝 놀라서 티브이(TV) 전원을 꺼 버렸지.

● 본문 (texte primitif)

할머니께서 드라마를 보시다가 갑자기 티브이(TV) 전원을 꺼 버렸습니다.

그리고 며칠 후 초등학교 동창회에 참석하셨습니다.

거기서 할머니는 가장 친한 친구에게 티브이(TV)를 갑자기 끈 이유를 말했습니다.

할머니 : 갑자기 배우 한 명이 기침을 하잖아.

깜짝 놀라서 티브이(TV) 전원을 꺼 버렸지.

할머니 친구 : 바보야, 티브이(TV)를 왜 꺼.

얼른 마스크를 쓰면 되지.

할머니 : 맞네.

그런 기막힌 방법이 있었네.

● 발음 (prononciation)

할머니께서 드라마를 보시다가 갑자기 티브이(TV) 전원을 꺼 버렸습니다.
할머니께서 드라마를 보시다가 갑짜기 티브이(TV) 저눠늘 꺼 버렫씀니다.
halmeonikkeseo deuramareul bosidaga gapjagi tibeui(TV) jeonwoneul kkeo beoryeotseumnida.

그리고 며칠 후 초등학교 동창회에 참석하셨습니다.
그리고 며칠 후 초등학꾜 동창회에 참서카셛씀니다.
geurigo myeochil hu chodeunghaggyo dongchanghoee chamseokasyeotseumnida.

거기서 할머니는 가장 친한 친구에게 티브이(TV)를 갑자기 끈 이유를 말했습니다.
거시서 할머니는 가장 친한 친구에게 티브이(TV)를 갑자기 끈 이유를 말핻씀니다.
geogiseo halmeonineun gajang chinhan chinguege tibeui(TV)reul gapjagi kkeun iyureul malhaetseumnida.

할머니 : 갑자기 배우 한 명이 기침을 하잖아.
할머니 : 갑짜기 배우 한 명이 기치믈 하자나.
halmeoni : gapjagi baeu han myeongi gichimeul hajana.

깜짝 놀라서 티브이(TV) 전원을 꺼 버렸지.
깜짝 놀라서 티브이(TV) 저눠늘 꺼 버렫찌.
kkamjjak nollaseo tibeui(TV) jeonwoneul kkeo beoryeotji.

할머니 친구 : 바보야, 티브이(TV)를 왜 꺼.
할머니 친구 : 바보야, 티브이(TV)를 왜 꺼.
halmeoni chingu : baboya, tibeui(TV)reul wae kkeo.

얼른 마스크를 쓰면 되지.
얼른 마스크를 쓰면 되지.
eolleun maseukeureul sseumyeon doeji.

할머니 : 맞네.
할머니 : 만네.
halmeoni : manne.

그런 기막힌 방법이 있었네.
그런 기마킨 방버비 이썬네.
geureon gimakin bangbeobi isseonne.

● 어휘 (vocabulaire) / 문법 (règle de grammaire)

할머니+께서 드라마+를 보+시+다가 갑자기 티브이(TV) 전원+을 끄(ㄲ)+어 버리+었+습니다.

그리고 며칠 후 초등학교 동창회+에 참석하+시+었+습니다.

거기+서 할머니+는 가장 친하+ㄴ 친구+에게 티브이(TV)+를 갑자기 끄+ㄴ 이유+를 말하+였+습니다.

할머니 : 갑자기 배우 한 명+이 기침+을 하+잖아.

깜짝 놀라+아서 티브이(TV) 전원+을 끄(ㄲ)+어 버리+었+지.

할머니 친구 : 바보+야, 티브이(TV)+를 왜 끄(ㄲ)+어.

얼른 마스크+를 쓰+면 되+지.

할머니 : 맞+네.

그런 기막히+ㄴ 방법+이 있+었+네.

할머니+께서 드라마+를 보+시+다가 갑자기 티브이(TV) 전원+을 끄(ㄲ)+[어 버리]+었+습니다.
꺼 버렸습니다

• **할머니 (Nom)** : 아버지의 어머니, 또는 어머니의 어머니를 이르거나 부르는 말.
grand-mère
Terme pour désigner ou s'adresser à la mère du père ou à celle de la mère.

• 께서 : (높임말로) 가. 이. 어떤 동작의 주체가 높여야 할 대상임을 나타내는 조사.
Pas d'expression équivalente
(forme honorifique) 가. 이. Particule indiquant que le sujet d'une action doit être traité avec déférence.

• **드라마 (Nom)** : 극장에서 공연되거나 텔레비전 등에서 방송되는 극.
feuilleton télévisé, dramatique, pièce dramatique, série télévisé
Pièce de théâtre représentée sur scène ou diffusée à la télévision.

• 를 : 동작이 직접적으로 영향을 미치는 대상을 나타내는 조사.
Pas d'expression équivalente
Particule indiquant un objet directement influencé par un mouvement.

• **보다 (Verbe)** : 눈으로 대상을 즐기거나 감상하다.
voir, apprécier, contempler
Prendre plaisir à regarder un objet ou l'apprécier visuellement.

• -시- : 어떤 동작이나 상태의 주체를 높이는 뜻을 나타내는 어미.
Pas d'expression équivalente
Terminaison signifiant le fait de montrer du respect à l'auteur d'une action ou d'un état.

• -다가 : 어떤 행동이나 상태 등이 중단되고 다른 행동이나 상태로 바뀜을 나타내는 연결 어미.
Pas d'expression équivalente
Terminaison connective indiquant que l'action, l'état, etc., du sujet prend fin et se transforme en une autre action ou en un autre état.

• **갑자기 (Adverbe)** : 미처 생각할 틈도 없이 빨리.
soudain, tout à coup, subitement, brusquement
Très rapidement, sans même avoir le temps de réfléchir.

• **티브이(TV) (Nom)** : 방송국에서 전파로 보내오는 영상과 소리를 받아서 보여 주는 기계.
télévision, TV
Appareil qui montre des images et des sons reçus sous forme d'ondes depuis une station d'émission.

• **전원 (Nom)** : 전기 콘센트 등과 같이 기계 등에 전류가 오는 원천.
alimentation électrique
Source, comme une prise électrique, d'où provient le courant délivré à un appareil.

• 을 : 동작이 직접적으로 영향을 미치는 대상을 나타내는 조사.
Pas d'expression équivalente
Particule indiquant un objet directement influencé par un mouvement.

• **끄다 (Verbe)** : 전기나 기계를 움직이는 힘이 통하는 길을 끊어 전기 제품 등을 작동하지 않게 하다.
éteindre, couper
Bloquer le passage de l'électricité ou d'une énergie qui fait marcher une machine, pour arrêter le fonctionnement d'un appareil électrique, etc.

• -어 버리다 : 앞의 말이 나타내는 행동이 완전히 끝났음을 나타내는 표현.
Pas d'expression équivalente
Expression indiquant qu'une action exprimée par les propos précédents s'est complètement terminée.

• -었- : 어떤 사건이 과거에 완료되었거나 그 사건의 결과가 현재까지 지속되는 상황을 나타내는 어미.
Pas d'expression équivalente
Terminaison indiquant qu'un évènement a été accompli dans le passé ou que le résultat de cet évènement perdure jusqu'à présent.

• -습니다 : (아주높임으로) 현재의 동작이나 상태, 사실을 정중하게 설명함을 나타내는 종결 어미.
Pas d'expression équivalente
(forme honorifique très marquée) Terminaison finale indiquant que l'on explique poliment l'action, l'état ou un fait présent.

그리고 며칠 후 초등학교 동창회+에 참석하+시+었+습니다.
참석하셨습니다

• **그리고 (Adverbe)** : 앞의 내용에 이어 뒤의 내용을 단순히 나열할 때 쓰는 말.
et
Terme utilisé lorsqu'on veut simplement énumérer une deuxième partie après la première.

• **며칠 (Nom)** : 몇 날.
quelques jours, un certain nombre de jours
Plusieurs jours.

• **후 (Nom)** : 얼마만큼 시간이 지나간 다음.
(n.) après
Après qu'une certaine durée est passée.

• **초등학교 (Nom)** : 학교 교육의 첫 번째 단계로 만 여섯 살에 입학하여 육 년 동안 기본 교육을 받는 학교.
école primaire
Établissement scolaire dans lequel l'élève entre à l'âge de six ans pour l'apprentissage de base durant six années, représentant la première étape de l'enseignement scolaire.

• **동창회 (Nom)** : 같은 학교를 졸업한 사람들의 모임.
association d'anciens élèves
Réunion de personnes sorties de la même école.

• 에 : 앞말이 어떤 장소나 자리임을 나타내는 조사.
à, dans, en, sur
Particule indiquant que la proposition précédente (en coréen) est un lieu ou un emplacement.

• **참석하다 (Verbe)** : 회의나 모임 등의 자리에 가서 함께하다.
assister
Se rendre à une réunion, à un rassemblement, etc., et être ensemble.

• -시- : 어떤 동작이나 상태의 주체를 높이는 뜻을 나타내는 어미.
Pas d'expression équivalente
Terminaison signifiant le fait de montrer du respect à l'auteur d'une action ou d'un état.

• -었- : 어떤 사건이 과거에 완료되었거나 그 사건의 결과가 현재까지 지속되는 상황을 나타내는 어미.
Pas d'expression équivalente
Terminaison indiquant qu'un évènement a été accompli dans le passé ou que le résultat de cet évènement perdure jusqu'à présent.

• -습니다 : (아주높임으로) 현재의 동작이나 상태, 사실을 정중하게 설명함을 나타내는 종결 어미.
Pas d'expression équivalente
(forme honorifique très marquée) Terminaison finale indiquant que l'on explique poliment l'action, l'état ou un fait présent.

거기+서 할머니+는 가장 친하+ㄴ 친구+에게 티브이(TV)+를 갑자기 끄+ㄴ 이유+를 말하+였+습니다.
친한 / 끈 / 말했습니다

• **거기 (Pronom)** : 앞에서 이미 이야기한 곳을 가리키는 말.
là, cet endroit-là
Pronom désignant un lieu déjà mentionné auparavant.

• 서 : 앞말이 행동이 이루어지고 있는 장소임을 나타내는 조사.
Pas d'expression équivalente
Particule indiquant que le mot précédent signifie l'endroit où a lieu une action.

• **할머니 (Nom)** : 아버지의 어머니, 또는 어머니의 어머니를 이르거나 부르는 말.
grand-mère
Terme pour désigner ou s'adresser à la mère du père ou à celle de la mère.

• 는 : 문장 속에서 어떤 대상이 화제임을 나타내는 조사.
Pas d'expression équivalente
Particule indiquant qu'un objet est le principal sujet d'une phrase.

• **가장 (Adverbe)** : 여럿 가운데에서 제일로.
le plus
Le plus + (adj.) parmi plusieurs.

• **친하다 (Adjectif)** : 가까이 사귀어 서로 잘 알고 정이 두텁다.
proche, familier, intime
Qui se connaissent bien et se chérissent beaucoup.

• -ㄴ : 앞의 말이 관형어의 기능을 하게 만들고 현재의 상태를 나타내는 어미.
Pas d'expression équivalente
Terminaison donnant la fonction de déterminant à la proposition précédente et exprimant l'état présent.

• **친구 (Nom)** : 사이가 가까워 서로 친하게 지내는 사람.
ami, amie, camarade, copain, copine, compagnon
Personne proche de nous et avec qui on entretient une relation intime.

• 에게 : 어떤 행동이 미치는 대상임을 나타내는 조사.
Pas d'expression équivalente
Particule indiquant l'objet affecté par une action.

• **티브이(TV) (Nom)** : 방송국에서 전파로 보내오는 영상과 소리를 받아서 보여 주는 기계.
télévision, TV
Appareil qui montre des images et des sons reçus sous forme d'ondes depuis une station d'émission.

• 를 : 동작이 직접적으로 영향을 미치는 대상을 나타내는 조사.
Pas d'expression équivalente
Particule indiquant un objet directement influencé par un mouvement.

• **갑자기 (Adverbe)** : 미처 생각할 틈도 없이 빨리.
soudain, tout à coup, subitement, brusquement
Très rapidement, sans même avoir le temps de réfléchir.

• **끄다 (Verbe)** : 전기나 기계를 움직이는 힘이 통하는 길을 끊어 전기 제품 등을 작동하지 않게 하다.
éteindre, couper
Bloquer le passage de l'électricité ou d'une énergie qui fait marcher une machine, pour arrêter le fonctionnement d'un appareil électrique, etc.

• -ㄴ : 앞의 말이 관형어의 기능을 하게 만들고 사건이나 동작이 과거에 일어났음을 나타내는 어미.
Pas d'expression équivalente
Terminaison donnant la fonction de déterminant à la proposition précédente et indiquant que l'événement ou l'action en question s'est déroulé dans le passé.

• **이유 (Nom)** : 어떠한 결과가 생기게 된 까닭이나 근거.
raison, cause
Motif ou fondement à l'origine d'un résultat.

• 를 : 동작이 직접적으로 영향을 미치는 대상을 나타내는 조사.
Pas d'expression équivalente
Particule indiquant un objet directement influencé par un mouvement.

• **말하다 (Verbe)** : 어떤 사실이나 자신의 생각 또는 느낌을 말로 나타내다.
parler, dire
Exprimer oralement un fait, sa pensée ou ses sentiments.

• -였- : 어떤 사건이 과거에 완료되었거나 그 사건의 결과가 현재까지 지속되는 상황을 나타내는 어미.
Pas d'expression équivalente
Terminaison indiquant qu'un évènement a été accompli dans le passé ou que le résultat de cet évènement perdure jusqu'à présent.

• -습니다 : (아주높임으로) 현재의 동작이나 상태, 사실을 정중하게 설명함을 나타내는 종결 어미.
Pas d'expression équivalente
(forme honorifique très marquée) Terminaison finale indiquant que l'on explique poliment l'action, l'état ou un fait présent.

할머니 : 갑자기 배우 한 명+이 기침+을 하+잖아.

• **갑자기 (Adverbe)** : 미처 생각할 틈도 없이 빨리.
soudain, tout à coup, subitement, brusquement
Très rapidement, sans même avoir le temps de réfléchir.

• **배우 (Nom)** : 영화나 연극, 드라마 등에 나오는 인물의 역할을 맡아서 연기하는 사람.
acteur(trice)
Personne qui interprète le rôle d'un personnage dans un film, une pièce de théâtre ou un feuilleton, etc.

• **한 (Déterminant)** : 하나의.
un
D'un.

• **명 (Nom)** : 사람의 수를 세는 단위.
Pas d'expression équivalente
Nom dépendant servant de quantificateur pour dénombrer les personnes.

• 이 : 어떤 상태나 상황의 대상이나 동작의 주체를 나타내는 조사.
Pas d'expression équivalente
Particule qui indique l'objet d'un état ou d'une situation, ou le sujet d'une action.

• **기침 (Nom)** : 폐에서 목구멍을 통해 공기가 거친 소리를 내며 갑자기 터져 나오는 일.
toux
Expiration brusque, avec un son rude, de l'air qui sort des poumons, en passant par la gorge.

• 을 : 동작이 직접적으로 영향을 미치는 대상을 나타내는 조사.
Pas d'expression équivalente
Particule indiquant un objet directement influencé par un mouvement.

• **하다 (Verbe)** : 어떤 행동이나 동작, 활동 등을 행하다.

faire, exécuter, effectuer, s'occuper de
Effectuer une action, un mouvement, une activité, etc.

• -잖아 : (두루낮춤으로) 어떤 상황에 대해 말하는 사람이 상대방에게 확인하거나 정정해 주듯이 말함을 나타내는 표현.
Pas d'expression équivalente
(forme non honorifique non formelle) Expression pour indiquer que le locuteur parle d'une situation en la vérifiant auprès de l'interlocuteur ou en corrigeant ce dernier.

할머니 : 깜짝 놀라+(아)서 티브이(TV) 전원+을 끄(ㄲ)+[어 버리]+었+지.
놀라서 / 꺼 버렸지

• **깜짝 (Adverbe)** : 갑자기 놀라는 모양.
Pas d'expression équivalente
Idéophone indiquant la manière dont quelqu'un a une brusque surprise.

• **놀라다 (Verbe)** : 뜻밖의 일을 당하거나 무서워서 순간적으로 긴장하거나 가슴이 뛰다.
s'étonner, être surpris, être étonné, être stupéfait
Se tendre ou avoir le coeur qui bat après avoir subi un choc ou par peur.

- -아서 : 이유나 근거를 나타내는 연결 어미.
  Pas d'expression équivalente
  Terminaison connective indiquant la raison ou la base.

- **티브이(TV) (Nom)** : 방송국에서 전파로 보내오는 영상과 소리를 받아서 보여 주는 기계.
  télévision, TV
  Appareil qui montre des images et des sons reçus sous forme d'ondes depuis une station d'émission.

- **전원 (Nom)** : 전기 콘센트 등과 같이 기계 등에 전류가 오는 원천.
  alimentation électrique
  Source, comme une prise électrique, d'où provient le courant délivré à un appareil.

- 을 : 동작이 직접적으로 영향을 미치는 대상을 나타내는 조사.
  Pas d'expression équivalente
  Particule indiquant un objet directement influencé par un mouvement.

- **끄다 (Verbe)** : 전기나 기계를 움직이는 힘이 통하는 길을 끊어 전기 제품 등을 작동하지 않게 하다.
  éteindre, couper
  Bloquer le passage de l'électricité ou d'une énergie qui fait marcher une machine, pour arrêter le fonctionnement d'un appareil électrique, etc.

- -어 버리다 : 앞의 말이 나타내는 행동이 완전히 끝났음을 나타내는 표현.
  Pas d'expression équivalente
  Expression indiquant qu'une action exprimée par les propos précédents s'est complètement terminée.

- -었- : 어떤 사건이 과거에 완료되었거나 그 사건의 결과가 현재까지 지속되는 상황을 나타내는 어미.
  Pas d'expression équivalente
  Terminaison indiquant qu'un évènement a été accompli dans le passé ou que le résultat de cet évènement perdure jusqu'à présent.

- -지 : (두루낮춤으로) 말하는 사람이 자신에 대한 이야기나 자신의 생각을 친근하게 말할 때 쓰는 종결 어미.
  Pas d'expression équivalente
  (forme non honorifique non formelle) Terminaison finale utilisée par le locuteur pour parler d'une chose qui le concerne, ou pour affirmer sa pensée sur un ton familier.

할머니 친구 : 바보+야, 티브이(TV)+를 왜 끄(ㄲ)+어.
꺼

• **바보 (Nom)** : (욕하는 말로) 어리석고 멍청하거나 못난 사람.
sot(te), imbécile, idiot(e), abruti(e)
(injurieux) Personne qui est stupide, idiote ou étriquée.

• 야 : 친구나 아랫사람, 동물 등을 부를 때 쓰는 조사.
Pas d'expression équivalente
Particule utilisée pour appeler un ami, un subalterne, un animal, etc.

• **티브이(TV) (Nom)** : 방송국에서 전파로 보내오는 영상과 소리를 받아서 보여 주는 기계.
télévision, TV
Appareil qui montre des images et des sons reçus sous forme d'ondes depuis une station d'émission.

• 를 : 동작이 직접적으로 영향을 미치는 대상을 나타내는 조사.
Pas d'expression équivalente
Particule indiquant un objet directement influencé par un mouvement.

• **왜 (Adverbe)** : 무슨 이유로. 또는 어째서.
pourquoi, dans quelle intention, à quelle fin
Pour quelle raison ; comment se fait-il que.

• **끄다 (Verbe)** : 전기나 기계를 움직이는 힘이 통하는 길을 끊어 전기 제품 등을 작동하지 않게 하다.
éteindre, couper
Bloquer le passage de l'électricité ou d'une énergie qui fait marcher une machine, pour arrêter le fonctionnement d'un appareil électrique, etc.

• -어 : (두루낮춤으로) 어떤 사실을 서술하거나 물음, 명령, 권유를 나타내는 종결 어미.
Pas d'expression équivalente
(forme non honorifique non formelle) Terminaison finale pour décrire un fait ou pour indiquer une question, un ordre, ou une recommandation.

할머니 친구 : 얼른 마스크+를 쓰+[면 되]+지.

• **얼른 (Adverbe)** : 시간을 오래 끌지 않고 바로.
vite, rapidement, promptement, immédiatement, bientôt, aussitôt, (adv.) avec célérité, sans perdre un instant, sans délai, sur-le-champ, à l'instant, sans tarder, sur le coup
Tout de suite, sans traîner.

• **마스크 (Nom)** : 병균이나 먼지, 찬 공기 등을 막기 위하여 입과 코를 가리는 물건.
masque
Objet couvrant la bouche et le nez pour se protéger soi-même ou autrui contre les germes infectieux, la poussière ou l'air froid.

• 를 : 동작이 직접적으로 영향을 미치는 대상을 나타내는 조사.
Pas d'expression équivalente
Particule indiquant un objet directement influencé par un mouvement.

• **쓰다 (Verbe)** : 얼굴에 어떤 물건을 걸거나 덮어쓰다.
porter, prendre, se masquer
Mettre sur le visage quelque chose ou le couvrir.

• -면 되다 : 조건이 되는 어떤 행동을 하거나 어떤 상태만 갖추어지면 문제가 없거나 충분함을 나타내는 표현.
Pas d'expression équivalente
Expression indiquant qu'il suffit qu'une action qui remplit une certaine condition soit effectuée ou qu'un certain état se produise pour être sans problème ou suffisant.

• -지 : (두루낮춤으로) 말하는 사람이 자신에 대한 이야기나 자신의 생각을 친근하게 말할 때 쓰는 종결 어미.
Pas d'expression équivalente
(forme non honorifique non formelle) Terminaison finale utilisée par le locuteur pour parler d'une chose qui le concerne, ou pour affirmer sa pensée sur un ton familier.

할머니 : 맞+네.

그런 기막히+ㄴ 방법+이 있+었+네.
기막힌

• **맞다 (Verbe)** : 그렇거나 옳다.
avoir raison
Être le cas ou correct.

• -네 : (아주낮춤으로) 지금 깨달은 일에 대하여 말함을 나타내는 종결 어미.
Pas d'expression équivalente
(forme non honorifique très marquée) Terminaison finale pour indiquer que le locuteur parle d'une chose dont il vient de se rendre compte.

• **그런 (Déterminant)** : 상태, 모양, 성질 등이 그러한.
(dét.) ce genre de, ce type de, un(e) tel(le)
(État, forme, caractère, etc.) Qui est comme cela.

• **기막히다 (Adjectif)** : 정도나 상태가 어떻다고 말할 수 없을 만큼 좋다.
splendide, magnifique, extrême, superbe
Qui est d'un haut degré de perfection ou à un état extraordinaire inexprimable par les mots.

• -ㄴ : 앞의 말이 관형어의 기능을 하게 만들고 현재의 상태를 나타내는 어미.
Pas d'expression équivalente
Terminaison donnant la fonction de déterminant à la proposition précédente et exprimant l'état présent.

• **방법 (Nom)** : 어떤 일을 해 나가기 위한 수단이나 방식.
méthode, moyen, procédé
Moyen ou façon de procéder utilisé(e) pour faire quelque chose.

• 이 : 어떤 상태나 상황의 대상이나 동작의 주체를 나타내는 조사.
Pas d'expression équivalente
Particule qui indique l'objet d'un état ou d'une situation, ou le sujet d'une action.

• **있다 (Adjectif)** : 사실이나 현상이 존재하다.
(adj.) il y a, (y) avoir
(Fait ou phénomène) Qui existe.

• -었- : 어떤 사건이 과거에 완료되었거나 그 사건의 결과가 현재까지 지속되는 상황을 나타내는 어미.
Pas d'expression équivalente
Terminaison indiquant qu'un évènement a été accompli dans le passé ou que le résultat de cet évènement perdure jusqu'à présent.

• -네 : (아주낮춤으로) 지금 깨달은 일에 대하여 말함을 나타내는 종결 어미.
Pas d'expression équivalente
(forme non honorifique très marquée) Terminaison finale pour indiquer que le locuteur parle d'une chose dont il vient de se rendre compte.

< 2 단원(chapitre) >

제목 : 쫓아오던 게 강아지였나?

● 본문 (texte primitif)

고양이 한 마리가 쥐를 열심히 쫓고 있었습니다.

쥐가 고양이에게 거의 잡힐 것 같았습니다.

하지만 아슬아슬한 찰나에 쥐가 쥐구멍으로 들어가 버렸습니다.

쥐구멍 앞에 서성이던 고양이가 쪼그려 앉았습니다.

그러더니 갑자기 고양이가 **"멍멍!"**하고 짖어 댔습니다.

이 소리를 듣고 쥐는 어리둥절했습니다.

쥐 : 뭐지?

쫓아오던 게 강아지였나?

쥐는 너무 궁금해서 머리를 살며시 구멍 밖으로 내밀었습니다.

이때 쥐가 고양이에게 잡히고 말았습니다.

의기양양하게 쥐를 물고 가면서 고양이가 이렇게 말했습니다.

고양이 : 요즘은 먹고살려면 적어도 이 개 국어는 해야 돼.

● 발음 (prononciation)

고양이 한 마리가 쥐를 열심히 쫓고 있었습니다.
고양이 한 마리가 쥐를 열씸히 쫃꼬 이썯씀니다.
goyangi han mariga jwireul yeolsimhi jjotgo isseotseumnida.

쥐가 고양이에게 거의 잡힐 것 같았습니다.
쥐가 고양이에게 거의 자필 껃 가탇씀니다.
jwiga goyangiege geoui japil geot gatatseumnida.

하지만 아슬아슬한 찰나에 쥐가 쥐구멍으로 들어가 버렸습니다.
하지만 아슬아슬한 찰라에 쥐가 쥐구멍으로 드러가 버렫씀니다.
hajiman aseuraseulhan challae jwiga jwigumeongeuro deureoga beoryeotseumnida.

쥐구멍 앞에 서성이던 고양이가 쪼그려 앉았습니다.
쥐구멍 아페 서성이던 고양이가 쪼그려 안잗씀니다.
jwigumeong ape seoseongideon goyangiga jjogeuryeo anjatseumnida.

그러더니 갑자기 고양이가 "멍멍!"하고 짖어 댔습니다.
그러더니 갑짜기 고양이가 "멍멍!"하고 지저 댇씀니다.
geureodeoni gapjagi goyangiga "meongmeong!"hago jijeo daetseumnida.

이 소리를 듣고 쥐는 어리둥절했습니다.
이 소리를 듣꼬 쥐는 어리둥절핻씀니다.
i sorireul deutgo jwineun eoridungjeolhaetseumnida.

쥐 : 뭐지?
쥐 : 뭐지?
jwi : mwoji?

쫓아오던 게 강아지였나?
쪼차오던 게 강아지연나?
jjochaodeon ge gangajiyeonna?

쥐는 너무 궁금해서 머리를 살며시 구멍 밖으로 내밀었습니다.
쥐는 너무 궁금해서 머리를 살며시 구멍 바끄로 내미럳씀니다.
jwineun neomu gunggeumhaeseo meorireul salmyeosi gumeong bakkeuro naemireotseumnida.

이때 쥐가 고양이에게 잡히고 말았습니다.
이때 쥐가 고양이에게 자피고 마랃씀니다.
ittae jwiga goyangiege japigo maratseumnida.

의기양양하게 쥐를 물고 가면서 고양이가 이렇게 말했습니다.
의기양양하게 쥐를 물고 가면서 고양이가 이러케 말핻씀니다.
uigiyangyanghage jwireul mulgo gamyeonseo goyangiga ireoke malhaetseumnida.

고양이 : 요즘은 먹고살려면 적어도 이 개 국어는 해야 돼.
고양이 : 요즈믄 먹꼬살려면 저거도 이 개 구거는 해야 돼.
goyangi : yojeumeun meokgosallyeomyeon jeogeodo i gae gugeoneun haeya dwae.

● 어휘 (vocabulaire) / 문법 (règle de grammaire)

고양이 한 마리+가 쥐+를 열심히 쫓+고 있+었+습니다.

쥐+가 고양이+에게 거의 잡히+ㄹ 것 같+았+습니다.

하지만 아슬아슬하+ㄴ 찰나+에 쥐+가 쥐구멍+으로 들어가+(아) 버리+었+습니다.

쥐구멍 앞+에 서성이+던 고양이+가 쪼그리+어 앉+았+습니다.

그러+더니 갑자기 고양이+가 **"멍멍!"** 하+고 짖+어 대+었+습니다.

이 소리+를 듣+고 쥐+는 어리둥절하+였+습니다.

쥐 : "뭐+(이)+지?"

"쫓아오+던 것(거)+이 강아지+이+었+나?"

쥐+는 너무 궁금하+여서 머리+를 살며시 구멍 밖+으로 내밀+었+습니다.

이때 쥐+가 고양이+에게 잡히+고 말+았+습니다.

의기양양하+게 쥐+를 물+고 가+면서 고양이+가 이렇+게 말하+였+습니다.

고양이 : 요즘+은 먹고살+려면 적어도 이 개 국어+는 하+여야 되+어.

고양이 한 마리+가 쥐+를 열심히 쫓+[고 있]+었+습니다.

• **고양이 (Nom)** : 어두운 곳에서도 사물을 잘 보고 쥐를 잘 잡으며 집 안에서 기르기도 하는 자그마한 동물.
chat
Petit animal discernant bien les objets et attrapant les souris et les rats, et que l'on peut domestiquer.

• **한 (Déterminant)** : 하나의.
un
D'un.

• **마리 (Nom)** : 짐승이나 물고기, 벌레 등을 세는 단위.
Pas d'expression équivalente
Nom dépendant servant de quantificateur pour dénombrer des animaux, des poissons, des insectes, etc.

• 가 : 어떤 상태나 상황에 놓인 대상이나 동작의 주체를 나타내는 조사.
Pas d'expression équivalente
Particule indiquant l'objet d'un état ou d'une situation, ou le sujet d'une action.

• **쥐 (Nom)** : 사람의 집 근처 어두운 곳에서 살며 몸은 진한 회색에 긴 꼬리를 가지고 있는 작은 동물.
rat, souris
Petit animal gris foncé ayant une longue queue et vivant dans des endroits obscurs situés aux alentours des habitations des hommes.

• 를 : 동작이 직접적으로 영향을 미치는 대상을 나타내는 조사.
Pas d'expression équivalente
Particule indiquant un objet directement influencé par un mouvement.

• **열심히 (Adverbe)** : 어떤 일에 온 정성을 다하여.
assidûment, passionément, ardemment, studieusement, (adv.) avec zèle, avec ardeur, avec ferveur, avec passion, avec application
Avec un soin tout particulier pour quelque chose.

• **쫓다 (Verbe)** : 앞선 것을 잡으려고 서둘러 뒤를 따르거나 자취를 따라가다.
poursuivre, courir après
Poursuivre à la hâte ou suivre des traces pour rattraper ce qui est devant.

• -고 있다 : 앞의 말이 나타내는 행동이 계속 진행됨을 나타내는 표현.
Pas d'expression équivalente
Expression pour indiquer que l'action de la proposition précédente est toujours en cours.

• -었- : 사건이 과거에 일어났음을 나타내는 어미.
Pas d'expression équivalente
Terminaison indiquant qu'un évènement s'est produit dans le passé.

• -습니다 : (아주높임으로) 현재의 동작이나 상태, 사실을 정중하게 설명함을 나타내는 종결 어미.
Pas d'expression équivalente
(forme honorifique très marquée) Terminaison finale indiquant que l'on explique poliment l'action, l'état ou un fait présent.

쥐+가 고양이+에게 거의 잡히+[ㄹ 것 같]+았+습니다.
잡힐 것 같았습니다

• **쥐 (Nom)** : 사람의 집 근처 어두운 곳에서 살며 몸은 진한 회색에 긴 꼬리를 가지고 있는 작은 동물.
rat, souris
Petit animal gris foncé ayant une longue queue et vivant dans des endroits obscurs situés aux alentours des habitations des hommes.

• 가 : 어떤 상태나 상황에 놓인 대상이나 동작의 주체를 나타내는 조사.
Pas d'expression équivalente
Particule indiquant l'objet d'un état ou d'une situation, ou le sujet d'une action.

• **고양이 (Nom)** : 어두운 곳에서도 사물을 잘 보고 쥐를 잘 잡으며 집 안에서 기르기도 하는 자그마한 동물.
chat
Petit animal discernant bien les objets et attrapant les souris et les rats, et que l'on peut domestiquer.

• 에게 : 어떤 행동의 주체이거나 비롯되는 대상임을 나타내는 조사.
Pas d'expression équivalente
Particule indiquant le sujet d'une action ou l'objet qui commence une action.

• **거의 (Adverbe)** : 어떤 상태나 한도에 매우 가깝게.
presque, à peu près, quasi, quasiment
De manière à être très proche d'un certain état ou d'une certaine limite.

• **잡히다 (Verbe)** : 도망가지 못하게 붙들리다.
être attrapé, se faire attraper, être arrêté, se faire arrêter, être pris, se faire prendre
Être retenu, de sorte à ne pas pouvoir s'échapper.

• -ㄹ 것 같다 : 추측을 나타내는 표현.
Pas d'expression équivalente
Expression indiquant une supposition.

• -았- : 사건이 과거에 일어났음을 나타내는 어미.
Pas d'expression équivalente
Terminaison indiquant qu'un évènement s'est produit dans le passé.

• -습니다 : (아주높임으로) 현재의 동작이나 상태, 사실을 정중하게 설명함을 나타내는 종결 어미.
Pas d'expression équivalente
(forme honorifique très marquée) Terminaison finale indiquant que l'on explique poliment l'action, l'état ou un fait présent.

하지만 아슬아슬하+ㄴ 찰나+에 쥐+가 쥐구멍+으로 들어가+[(아) 버리]+었+습니다.
아슬아슬한 **들어가 버렸습니다**

• **하지만 (Adverbe)** : 내용이 서로 반대인 두 개의 문장을 이어 줄 때 쓰는 말.
mais, cependant
Terme utilisé pour relier deux phrases contraires.

• **아슬아슬하다 (Adjectif)** : 일이 잘 안 될까 봐 무서워서 소름이 돋을 정도로 마음이 조마조마하다.
palpitant, tendu
Étant très impatient et anxieux au point d'avoir des frissons en craignant que quelque chose ne marche pas bien.

• -ㄴ : 앞의 말이 관형어의 기능을 하게 만들고 현재의 상태를 나타내는 어미.
Pas d'expression équivalente
Terminaison donnant la fonction de déterminant à la proposition précédente et exprimant l'état présent.

• **찰나 (Nom)** : 어떤 일이나 현상이 일어나는 바로 그때.
instant, moment, temps, heure
Moment précis où une chose ou un phénomène survient.

• 에 : 앞말이 시간이나 때임을 나타내는 조사.
à, en
Particule indiquant que la proposition précédente (en coréen) est l'heure ou le moment.

• **쥐 (Nom)** : 사람의 집 근처 어두운 곳에서 살며 몸은 진한 회색에 긴 꼬리를 가지고 있는 작은 동물.
rat, souris
Petit animal gris foncé ayant une longue queue et vivant dans des endroits obscurs situés aux alentours des habitations des hommes.

• 가 : 어떤 상태나 상황에 놓인 대상이나 동작의 주체를 나타내는 조사.
Pas d'expression équivalente
Particule indiquant l'objet d'un état ou d'une situation, ou le sujet d'une action.

• **쥐구멍 (Nom)** : 쥐가 들어가고 나오는 구멍.
trou à rat
Trou par lequel les rats entrent et sortent.

• 으로 : 움직임의 방향을 나타내는 조사.
à, vers, pour, en, à destination de, en direction de
Particule indiquant la direction d'un mouvement.

• **들어가다 (Verbe)** : 밖에서 안으로 향하여 가다.
entrer, pénétrer, arriver, s'engager, s'enfoncer
Passer de l'extérieur à l'intérieur d'un lieu.

• -아 버리다 : 앞의 말이 나타내는 행동이 완전히 끝났음을 나타내는 표현.
Pas d'expression équivalente
Expression indiquant qu'une action exprimée par les propos précédents s'est complètement terminée.

• -었- : 어떤 사건이 과거에 완료되었거나 그 사건의 결과가 현재까지 지속되는 상황을 나타내는 어미.
Pas d'expression équivalente
Terminaison indiquant qu'un évènement a été accompli dans le passé ou que le résultat de cet évènement perdure jusqu'à présent.

• -습니다 : (아주높임으로) 현재의 동작이나 상태, 사실을 정중하게 설명함을 나타내는 종결 어미.
Pas d'expression équivalente
(forme honorifique très marquée) Terminaison finale indiquant que l'on explique poliment l'action, l'état ou un fait présent.

쥐구멍 앞+에 서성이+던 고양이+가 쪼그리+어 앉+았+습니다. 쪼그려

• **쥐구멍 (Nom)** : 쥐가 들어가고 나오는 구멍.
trou à rat
Trou par lequel les rats entrent et sortent.

• **앞 (Nom)** : 향하고 있는 쪽이나 곳.
l'avant, le devant
Direction ou lieu vers lequel (laquelle) se dirige quelqu'un ou quelque chose.

• 에 : 앞말이 어떤 장소나 자리임을 나타내는 조사.
à, dans, en, sur
Particule indiquant que la proposition précédente (en coréen) est un lieu ou un emplacement.

• **서성이다 (Verbe)** : 한곳에 서 있지 않고 주위를 왔다 갔다 하다.
aller et venir, marcher en long et en large, rôder
Tourner en rond autour d'un lieu sans rester calmement dans un endroit.

• -던 : 앞의 말이 관형어의 기능을 하게 만들고 사건이나 동작이 과거에 완료되지 않고 중단되었음을 나타내는 어미.
Pas d'expression équivalente
Terminaison donnant la fonction de déterminant à ce qui précède et indiquant qu'un événement ou une action ne s'est pas accompli dans le passé mais s'est interrompu.

• **고양이 (Nom)** : 어두운 곳에서도 사물을 잘 보고 쥐를 잘 잡으며 집 안에서 기르기도 하는 자그마한 동물.
chat
Petit animal discernant bien les objets et attrapant les souris et les rats, et que l'on peut domestiquer.

• 가 : 어떤 상태나 상황에 놓인 대상이나 동작의 주체를 나타내는 조사.
Pas d'expression équivalente
Particule indiquant l'objet d'un état ou d'une situation, ou le sujet d'une action.

• **쪼그리다 (Verbe)** : 팔다리를 접거나 모아서 몸을 작게 옴츠리다.
se blottir, se recroqueviller, se ratatiner
Se faire plus petit en pliant ou en rentrant les membres de son corps.

• -어 : 앞의 말이 뒤의 말보다 먼저 일어났거나 뒤의 말에 대한 방법이나 수단이 됨을 나타내는 연결 어미.
Pas d'expression équivalente
Terminaison connective indiquant que la proposition précédente s'est réalisée avant la suivante, ou qu'elle constitue une méthode ou un moyen pour accomplir ce qui est dans la proposition suivante.

• **앉다 (Verbe)** : 윗몸을 바로 한 상태에서 엉덩이에 몸무게를 실어 다른 물건이나 바닥에 몸을 올려놓다.
s'asseoir
Poser son corps sur un objet ou sur le sol en mettant son poids au niveau de ses fesses, en gardant son buste droit.

• -았- : 어떤 사건이 과거에 완료되었거나 그 사건의 결과가 현재까지 지속되는 상황을 나타내는 어미.
Pas d'expression équivalente
Terminaison indiquant qu'un évènement a été accompli dans le passé ou que le résultat de cet évènement perdure jusqu'à présent.

• -습니다 : (아주높임으로) 현재의 동작이나 상태, 사실을 정중하게 설명함을 나타내는 종결 어미.
Pas d'expression équivalente
(forme honorifique très marquée) Terminaison finale indiquant que l'on explique poliment l'action, l'état ou un fait présent.

그러+더니 갑자기 고양이+가 "멍멍!" 하+고 짖+[어 대]+었+습니다.
짖어 댔습니다

• **그러다 (Verbe)** : 앞에서 일어난 일이나 말한 것과 같이 그렇게 하다.
faire ainsi, faire comme cela
Faire quelque chose de la même manière que ce qui s'est précédemment passé ou selon ce qui a été précédemment dit.

• -더니 : 과거에 경험하여 알게 된 사실과 다른 새로운 사실이 있음을 나타내는 연결 어미.
Pas d'expression équivalente
Terminaison connective indiquant qu'il existe un nouveau fait, différent d'un fait passé qu'on a appris pour la première fois en en faisant l'expérience.

• **갑자기 (Adverbe)** : 미처 생각할 틈도 없이 빨리.
soudain, tout à coup, subitement, brusquement
Très rapidement, sans même avoir le temps de réfléchir.

• **고양이 (Nom)** : 어두운 곳에서도 사물을 잘 보고 쥐를 잘 잡으며 집 안에서 기르기도 하는 자그마한 동물.
chat
Petit animal discernant bien les objets et attrapant les souris et les rats, et que l'on peut domestiquer.

• 가 : 어떤 상태나 상황에 놓인 대상이나 동작의 주체를 나타내는 조사.
Pas d'expression équivalente
Particule indiquant l'objet d'un état ou d'une situation, ou le sujet d'une action.

• **멍멍 (Adverbe)** : 개가 짖는 소리.
ouaf ouaf
Onomatopée illustrant l'aboiement d'un chien.

• **하다 (Verbe)** : 그런 소리가 나다. 또는 그런 소리를 내다.
retentir, se faire entendre, émettre, chanter, hurler, aboyer
(Tel bruit) Se produire ; produire un tel bruit.

• -고 : 앞의 말과 뒤의 말이 차례대로 일어남을 나타내는 연결 어미.
Pas d'expression équivalente
Terminaison connective indiquant que les propos précédents et les propos suivants se succèdent tour à tour.

• **짖다 (Verbe)** : 개가 크게 소리를 내다.
pousser des aboiements, aboyer, japper, glapir
(Chien) Faire un grand bruit.

• -어 대다 : 앞의 말이 나타내는 행동을 반복하거나 그 반복되는 행동의 정도가 심함을 나타내는 표현.
Pas d'expression équivalente
Expression indiquant le fait de répéter une action exprimée par les propos précédents ou que le degré d'une action répétée est excessif.

• -었- : 사건이 과거에 일어났음을 나타내는 어미.
Pas d'expression équivalente
Terminaison indiquant qu'un évènement s'est produit dans le passé.

• -습니다 : (아주높임으로) 현재의 동작이나 상태, 사실을 정중하게 설명함을 나타내는 종결 어미.
Pas d'expression équivalente
(forme honorifique très marquée) Terminaison finale indiquant que l'on explique poliment l'action, l'état ou un fait présent.

이 소리+를 듣+고 쥐+는 어리둥절하+였+습니다.
어리둥절했습니다

• **이 (Déterminant)** : 바로 앞에서 이야기한 대상을 가리킬 때 쓰는 말.
ce (cet, cette, ces)
Terme utilisé pour indiquer l'objet venant d'être énoncé.

• **소리 (Nom)** : 물체가 진동하여 생긴 음파가 귀에 들리는 것.
son, bruit, éclat, ton
Onde sonore provoquée par la vibration d'un corps et perçue par l'ouïe.

• 를 : 동작이 직접적으로 영향을 미치는 대상을 나타내는 조사.
Pas d'expression équivalente
Particule indiquant un objet directement influencé par un mouvement.

• **듣다 (Verbe)** : 귀로 소리를 알아차리다.
entendre, écouter, ouïr
Reconnaître un son par l'ouïe.

• -고 : 앞의 말과 뒤의 말이 차례대로 일어남을 나타내는 연결 어미.
Pas d'expression équivalente
Terminaison connective indiquant que les propos précédents et les propos suivants se succèdent tour à tour.

• **쥐 (Nom)** : 사람의 집 근처 어두운 곳에서 살며 몸은 진한 회색에 긴 꼬리를 가지고 있는 작은 동물.
rat, souris
Petit animal gris foncé ayant une longue queue et vivant dans des endroits obscurs situés aux alentours des habitations des hommes.

• 는 : 문장 속에서 어떤 대상이 화제임을 나타내는 조사.
Pas d'expression équivalente
Particule indiquant qu'un objet est le principal sujet d'une phrase.

• **어리둥절하다 (Adjectif)** : 일이 돌아가는 상황을 잘 알지 못해서 정신이 얼떨떨하다.
perplexe, gêné, embarrassé, déconcerté, confus, confondu, troublé, perturbé, décontenancé, désorienté, dérouté, déstabilisé, désarçonné, stupéfait, interdit, hébété
(Esprit) Qui est confus et ne comprenant pas bien comment l'évènement en question se déroule.

• -였- : 사건이 과거에 일어났음을 나타내는 어미.
Pas d'expression équivalente
Terminaison indiquant qu'un évènement s'est produit dans le passé.

• -습니다 : (아주높임으로) 현재의 동작이나 상태, 사실을 정중하게 설명함을 나타내는 종결 어미.
Pas d'expression équivalente
(forme honorifique très marquée) Terminaison finale indiquant que l'on explique poliment l'action, l'état ou un fait présent.

뭐 : 뭐+(이)+지?
뭐지

• **뭐 (pronom)** : 모르는 사실이나 사물을 가리키는 말.
que, quoi, quelque chose
Terme désignant un fait ou un objet inconnu.

• 이다 : 주어가 지시하는 대상의 속성이나 부류를 지정하는 뜻을 나타내는 서술격 조사.
Pas d'expression équivalente
Particule du cas prédicatif pour indiquer la caractéristique ou la catégorie d'un objet qui se rapporte au sujet d'une phrase.

• -지 : (두루낮춤으로) 말하는 사람이 듣는 사람에게 친근함을 나타내며 물을 때 쓰는 종결 어미.
Pas d'expression équivalente
(forme non honorifique non formelle) Terminaison finale utilisée par le locuteur pour interroger amicalement un interlocuteur.

쥐 : 쫓아오+던 것(거)+이 강아지+이+었+나?
게 강아지였나

• **쫓아오다 (Verbe)** : 어떤 사람이나 물체의 뒤를 급히 따라오다.
suivre
accompagner quelqu'un ou quelque chose avec hâte dans ses déplacements.

• -던 : 앞의 말이 관형어의 기능을 하게 만들고 사건이나 동작이 과거에 완료되지 않고 중단되었음을 나타내는 어미.
Pas d'expression équivalente
Terminaison donnant la fonction de déterminant à ce qui précède et indiquant qu'un événement ou une action ne s'est pas accompli dans le passé mais s'est interrompu.

• **것 (Nom)** : 정확히 가리키는 대상이 정해지지 않은 사물이나 사실.
Pas d'expression équivalente
Nom dépendant indiquant quelque chose ou un fait qui n'est pas déterminé exactement.

• 이 : 어떤 상태나 상황의 대상이나 동작의 주체를 나타내는 조사.
Pas d'expression équivalente
Particule indiquant l'objet d'un état ou d'une situation, ou le sujet d'une action.

• **강아지 (Nom)** : 개의 새끼.
chiot
Petit du chien.

• 이다 : 주어가 지시하는 대상의 속성이나 부류를 지정하는 뜻을 나타내는 서술격 조사.
Pas d'expression équivalente
Particule du cas prédicatif pour indiquer la caractéristique ou la catégorie d'un objet qui se rapporte au sujet d'une phrase.

• -었- : 사건이 과거에 일어났음을 나타내는 어미.
Pas d'expression équivalente
Terminaison indiquant qu'un évènement s'est produit dans le passé.

• -나 : (두루낮춤으로) 물음이나 추측을 나타내는 종결 어미.
Pas d'expression équivalente
(forme non honorifique non formelle) Terminaison finale marquant une interrogation ou une supposition.

쥐+는 너무 궁금하+여서 머리+를 살며시 구멍 밖+으로 내밀+었+습니다. 궁금해서

• **쥐 (Nom)** : 사람의 집 근처 어두운 곳에서 살며 몸은 진한 회색에 긴 꼬리를 가지고 있는 작은 동물.
rat, souris
Petit animal gris foncé ayant une longue queue et vivant dans des endroits obscurs situés aux alentours des habitations des hommes.

• 는 : 문장 속에서 어떤 대상이 화제임을 나타내는 조사.
Pas d'expression équivalente
Particule indiquant qu'un objet est le principal sujet d'une phrase.

• **너무 (Adverbe)** : 일정한 정도나 한계를 훨씬 넘어선 상태로.
trop, excessivement, à l'excès, avec excès, outre mesure, démesurément
De manière à dépasser de loin un certain niveau ou une limite.

• **궁금하다 (Adjectif)** : 무엇이 무척 알고 싶다.
curieux, intéressé
Qui est désireux d'apprendre quelque chose.

• -여서 : 이유나 근거를 나타내는 연결 어미.
Pas d'expression équivalente
Terminaison connective indiquant la raison ou la base.

• **머리 (Nom)** : 사람이나 동물의 몸에서 얼굴과 머리털이 있는 부분을 모두 포함한 목 위의 부분.
tête, crâne, chef
Dans le corps humain ou animal, partie supérieure du cou comprenant le visage et la partie où les cheveux poussent.

• 를 : 동작이 직접적으로 영향을 미치는 대상을 나타내는 조사.
Pas d'expression équivalente
Particule indiquant un objet directement influencé par un mouvement.

• **살며시 (Adverbe)** : 남이 모르도록 조용히 조심스럽게.
secrètement, furtivement, clandestinement, (adv.) en secret, en cachette
Silencieusement, avec précaution tel que personne ne le sache.

• **구멍 (Nom)** : 뚫어지거나 파낸 자리.
trou, creux, cavité
Enfoncement fait sur une surface par un creusement ou un forage.

• **밖 (Nom)** : 선이나 경계를 넘어선 쪽.
dehors, au-delà
Côté dépassant une certaine ligne ou une certaine limite.

• 으로 : 움직임의 방향을 나타내는 조사.
à, vers, pour, en, à destination de, en direction de
Particule indiquant la direction d'un mouvement.

• **내밀다 (Verbe)** : 몸이나 물체의 일부분이 밖이나 앞으로 나가게 하다.
avancer, tendre
Faire sortir ou faire s'avancer une partie du corps ou d'un objet.

• -었- : 사건이 과거에 일어났음을 나타내는 어미.
Pas d'expression équivalente
Terminaison indiquant qu'un évènement s'est produit dans le passé.

• -습니다 : (아주높임으로) 현재의 동작이나 상태, 사실을 정중하게 설명함을 나타내는 종결 어미.
Pas d'expression équivalente
(forme honorifique très marquée) Terminaison finale indiquant que l'on explique poliment l'action, l'état ou un fait présent.

이때 쥐+가 고양이+에게 잡히+[고 말]+았+습니다.

• **이때 (Nom)** : 바로 지금. 또는 바로 앞에서 이야기한 때.
maintenant, ce moment(-là)
Moment présent ; moment dont on vient juste de parler.

• **쥐 (Nom)** : 사람의 집 근처 어두운 곳에서 살며 몸은 진한 회색에 긴 꼬리를 가지고 있는 작은 동물.
rat, souris
Petit animal gris foncé ayant une longue queue et vivant dans des endroits obscurs situés aux alentours des habitations des hommes.

• 가 : 어떤 상태나 상황에 놓인 대상이나 동작의 주체를 나타내는 조사.
Pas d'expression équivalente
Particule indiquant l'objet d'un état ou d'une situation, ou le sujet d'une action.

• **고양이 (Nom)** : 어두운 곳에서도 사물을 잘 보고 쥐를 잘 잡으며 집 안에서 기르기도 하는 자그마한 동물.
chat
Petit animal discernant bien les objets et attrapant les souris et les rats, et que l'on peut domestiquer.

• 에게 : 어떤 행동의 주체이거나 비롯되는 대상임을 나타내는 조사.
Pas d'expression équivalente
Particule indiquant le sujet d'une action ou l'objet qui commence une action.

• **잡히다 (Verbe)** : 도망가지 못하게 붙들리다.
être attrapé, se faire attraper, être arrêté, se faire arrêter, être pris, se faire prendre
Être retenu, de sorte à ne pas pouvoir s'échapper.

• -고 말다 : 앞에 오는 말이 가리키는 행동이 안타깝게도 끝내 일어났음을 나타내는 표현.
Pas d'expression équivalente
Expression pour indiquer que l'action de la proposition précédente a malheureusement fini par se réaliser.

• -았- : 어떤 사건이 과거에 완료되었거나 그 사건의 결과가 현재까지 지속되는 상황을 나타내는 어미.
Pas d'expression équivalente
Terminaison indiquant qu'un évènement a été accompli dans le passé ou que le résultat de cet évènement perdure jusqu'à présent.

• -습니다 : (아주높임으로) 현재의 동작이나 상태, 사실을 정중하게 설명함을 나타내는 종결 어미.
Pas d'expression équivalente
(forme honorifique très marquée) Terminaison finale indiquant que l'on explique poliment l'action, l'état ou un fait présent.

의기양양하+게 쥐+를 물+고 가+면서 고양이+가 이렇+게 말하+였+습니다. **말했습니다**

• **의기양양하다 (Adjectif)** : 원하던 일을 이루어 만족스럽고 자랑스러운 마음이 얼굴에 나타난 상태이다.
être plein d'entrain, être plein d'ardeur, être triomphant, être exultant
Adjectif indiquant l'état dans lequel le sentiment de satisfaction et de fierté se manifeste sur son visage après avoir accompli ce qu'on voulait.

• -게 : 앞의 말이 뒤에서 가리키는 일의 목적이나 결과, 방식, 정도 등이 됨을 나타내는 연결 어미.
Pas d'expression équivalente
Terminaison connective indiquant que les propos précédents constituent l'objectif, le résultat, la méthode ou le degré des propos qui suivent.

• **쥐 (Nom)** : 사람의 집 근처 어두운 곳에서 살며 몸은 진한 회색에 긴 꼬리를 가지고 있는 작은 동물.
rat, souris
Petit animal gris foncé ayant une longue queue et vivant dans des endroits obscurs situés aux alentours des habitations des hommes.

• 를 : 동작이 직접적으로 영향을 미치는 대상을 나타내는 조사.
Pas d'expression équivalente
Particule indiquant un objet directement influencé par un mouvement.

• **물다 (Verbe)** : 윗니와 아랫니 사이에 어떤 것을 끼워 넣고 벌어진 두 이를 다물어 상처가 날 만큼 아주 세게 누르다.
Pas d'expression équivalente
Insérer quelque chose entre les dents du haut et les dents du bas, les joindre et l'écraser très fort jusqu'à l'entailler.

• -고 : 앞의 말이 나타내는 행동이나 그 결과가 뒤에 오는 행동이 일어나는 동안에 그대로 지속됨을 나타내는 연결 어미.
Pas d'expression équivalente
Terminaison connective indiquant que l'action exprimée par les propos précédents ou le résultat de cette action continuent pendant que se déroule l'action suivante.

• **가다 (Verbe)** : 한 곳에서 다른 곳으로 장소를 이동하다.
aller, se rendre, s'en aller, passer, partir
Se déplacer d'un endroit à un autre.

• -면서 : 두 가지 이상의 동작이나 상태가 함께 일어남을 나타내는 연결 어미.
Pas d'expression équivalente
Terminaison connective indiquant que plus de deux actions ou états surviennent en même temps.

• **고양이 (Nom)** : 어두운 곳에서도 사물을 잘 보고 쥐를 잘 잡으며 집 안에서 기르기도 하는 자그마한 동물.
chat
Petit animal discernant bien les objets et attrapant les souris et les rats, et que l'on peut domestiquer.

• 가 : 어떤 상태나 상황에 놓인 대상이나 동작의 주체를 나타내는 조사.
Pas d'expression équivalente
Particule indiquant l'objet d'un état ou d'une situation, ou le sujet d'une action.

• **이렇다 (Adjectif)** : 상태, 모양, 성질 등이 이와 같다.
tel
(État, forme, nature, etc.) Qui est semblable à cela.

• -게 : 앞의 말이 뒤에서 가리키는 일의 목적이나 결과, 방식, 정도 등이 됨을 나타내는 연결 어미.
Pas d'expression équivalente
Terminaison connective indiquant que les propos précédents constituent l'objectif, le résultat, la méthode ou le degré des propos qui suivent.

• **말하다 (Verbe)** : 어떤 사실이나 자신의 생각 또는 느낌을 말로 나타내다.
parler, dire
Exprimer oralement un fait, sa pensée ou ses sentiments.

• -였- : 사건이 과거에 일어났음을 나타내는 어미.
Pas d'expression équivalente
Terminaison indiquant qu'un évènement s'est produit dans le passé.

• -습니다 : (아주높임으로) 현재의 동작이나 상태, 사실을 정중하게 설명함을 나타내는 종결 어미.
Pas d'expression équivalente
(forme honorifique très marquée) Terminaison finale indiquant que l'on explique poliment l'action, l'état ou un fait présent.

고양이 : 요즘+은 먹고살+려면 적어도 이 개 국어+는 하+[여야 되]+어.
해야 돼

• **요즘 (Nom)** : 아주 가까운 과거부터 지금까지의 사이.
aujourd'hui, maintenant
Période entre le passé très proche et le présent.

• 은 : 문장 속에서 어떤 대상이 화제임을 나타내는 조사.
Pas d'expression équivalente
Particule indiquant qu'un objet est le principal sujet (de conversation) d'une phrase.

• **먹고살다 (Verbe)** : 생계를 유지하다.
gagner sa vie
Assurer sa subsistance.

• -려면 : 어떤 행동을 할 의도나 의향이 있는 경우를 가정할 때 쓰는 연결 어미.
Pas d'expression équivalente
Terminaison connective utilisée pour supposer un cas où il y a l'intention ou la volonté d'effectuer une action.

• **적어도 (Adverbe)** : 아무리 적게 잡아도.
au minimum
Quel que soit le plus petit.

• **이 (Déterminant)** : 둘의.
Pas d'expression équivalente
(De) deux.

• **개 (Nom)** : 낱으로 떨어진 물건을 세는 단위.
Pas d'expression équivalente
Nom dépendant, quantificateur d'objets séparés en unités distinctes.

• **국어 (Nom)** : 한 나라의 국민들이 사용하는 말.
langue nationale
Langue parlée par le peuple d'un pays.

• 는 : 강조의 뜻을 나타내는 조사.
Pas d'expression équivalente
Particule servant à insister.

• **하다 (verbe)** : 어떤 행동이나 동작, 활동 등을 행하다.
faire, exécuter, effectuer, s'occuper de
Effectuer une action, un mouvement, une activité, etc.

• -여야 되다 : 반드시 그럴 필요나 의무가 있음을 나타내는 표현.
Pas d'expression équivalente
Expression indiquant qu'il y a nécessité ou obligation absolue d'effectuer cette action.

• -어 : (두루낮춤으로) 어떤 사실을 서술하거나 물음, 명령, 권유를 나타내는 종결 어미.
Pas d'expression équivalente
(forme non honorifique non formelle) Terminaison finale pour décrire un fait ou pour indiquer une question, un ordre, ou une recommandation.

< 3 단원(chapitre) >

제목 : 이게 다 엄마 때문이야.

● 본문 (texte primitif)

유치원에 들어간 아이는 치아가 너무 못생겨서 친구들에게 많은 놀림을 받았다.

견디다 못한 아이는 엄마에게 투정을 부렸다.

아이 : 엄마, 이빨이 이상하다고 친구들이 자꾸만 놀려요.

치과에 가서 이빨 교정 좀 해 주세요.

엄마 : 야, 그게 얼마나 비싼데.

아이 : 몰라, 이게 다 엄마 때문이야.

엄마가 날 이렇게 낳았잖아.

그러자 엄마가 하는 한마디.

엄마 : 너 낳았을 때 이빨 없었거든, 이것아!

● 발음 (prononciation)

유치원에 들어간 아이는 치아가 너무 못생겨서 친구들에게 많은 놀림을 받았다.
유치워네 드러간 아이는 치아가 너무 몯쌩겨서 친구드레게 마는 놀리믈 바닫따.
yuchiwone deureogan aineun chiaga neomu motsaenggyeoseo chingudeurege maneun nollimeul badatda.

견디다 못한 아이는 엄마에게 투정을 부렸다.
견디다 모탄 아이는 엄마에게 투정을 부렫따.
gyeondida motan aineun eommaege tujeongeul buryeotda.

아이 : 엄마, 이빨이 이상하다고 친구들이 자꾸만 놀려요.
아이 : 엄마, 이빠리 이상하다고 친구드리 자꾸만 놀려요.
ai : eomma, ippari isanghadago chingudeuri jakkuman nollyeoyo.

치과에 가서 이빨 교정 좀 해 주세요.
치꽈에 가서 이빨 교정 좀 해 주세요.
chigwae gaseo ippal gyojeong jom hae juseyo.

엄마 : 야, 그게 얼마나 비싼데.
엄마 : 야, 그게 얼마나 비싼데.
eomma : ya, geuge eolmana bissande.

아이 : 몰라, 이게 다 엄마 때문이야.
아이 : 몰라, 이게 다 엄마 때무니야.
ai : molla, ige da eomma ttaemuniya.

엄마가 날 이렇게 낳았잖아.
엄마가 날 이러케 나알짜나.
eommaga nal ireoke naatjana.

그러자 엄마가 하는 한마디.
그러자 엄마가 하는 한마디.
geureoja eommaga haneun hanmadi.

엄마 : 너 낳았을 때 이빨 없었거든, 이것아!

엄마 : 너 나아쓸 때 이빨 업썯꺼든, 이거사!

eomma : neo naasseul ttae ippal eopseotgeodeun, igeosa!

● 어휘 (vocabulaire) / 문법 (règle de grammaire)

유치원+에 들어가+ㄴ 아이+는 치아+가 너무 못생기+어서 친구+들+에게 많+은 놀림+을 받+았+다.

견디+다 못하+ㄴ 아이+는 엄마+에게 투정+을 부리+었+다.

아이 : 엄마, 이빨+이 이상하+다고 친구+들+이 자꾸만 놀리+어요.

치과+에 가+(아)서 이빨 교정 좀 하+여 주+세요.

엄마 : 야, 그것(그거)+이 얼마나 비싸+ㄴ데.

아이 : 모르(몰ㄹ)+아, 이것(이거)+이 다 엄마 때문+이+야.

엄마+가 나+를 이렇+게 낳+았+잖아.

그리하+자 엄마+가 하+는 한마디.

엄마 : 너 낳+았+을 때 이빨 없+었+거든, 이것+아!

유치원+에 들어가+ㄴ 아이+는 치아+가 너무 못생기+어서 친구+들+에게 많+은 놀림+을 받+았+다. 들어간 못생겨서

• **유치원 (Nom)** : 초등학교 입학 이전의 어린이들을 교육하는 기관 및 시설.
maternelle, école maternelle
Organe et installations où sont éduqués des enfants avant d'entrer à l'école primaire.

• 에 : 앞말이 어떤 장소나 자리임을 나타내는 조사.
à, dans, en, sur
Particule indiquant que la proposition précédente (en coréen) est un lieu ou un emplacement.

• **들어가다 (Verbe)** : 어떤 단체의 구성원이 되다.
entrer, s'inscrire à, adhérer à, s'engager dans
Devenir membre d'un groupe.

• -ㄴ : 앞의 말이 관형어의 기능을 하게 만들고 사건이나 동작이 완료되어 그 상태가 유지되고 있음을 나타내는 어미.
Pas d'expression équivalente
Terminaison donnant la fonction de déterminant à la proposition précédente et indiquant que l'événement ou l'action en question est achevé et que cet état est maintenu.

• **아이 (Nom)** : 나이가 어린 사람.
enfant, petit, gamin, même, garçon, fillette
Jeune personne

• 는 : 문장 속에서 어떤 대상이 화제임을 나타내는 조사.
Pas d'expression équivalente
Particule indiquant qu'un objet est le principal sujet d'une phrase.

• **치아 (Nom)** : 음식물을 씹는 일을 하는 기관.
dent
Organe servant à la mastication de la nourriture.

• 가 : 어떤 상태나 상황에 놓인 대상이나 동작의 주체를 나타내는 조사.
Pas d'expression équivalente
Particule indiquant l'objet d'un état ou d'une situation, ou le sujet d'une action.

• **너무 (Adverbe)** : 일정한 정도나 한계를 훨씬 넘어선 상태로.
trop, excessivement, à l'excès, avec excès, outre mesure, démesurément
De manière à dépasser de loin un certain niveau ou une limite.

• **못생기다 (Verbe)** : 생김새가 보통보다 못하다.
laid, disgracieux
Dont la physionomie est inférieure à la normalité (sur le plan esthétique).

• -어서 : 이유나 근거를 나타내는 연결 어미.
Pas d'expression équivalente
Terminaison connective indiquant une raison ou une base.

• **친구 (Nom)** : 사이가 가까워 서로 친하게 지내는 사람.
ami, amie, camarade, copain, copine, compagnon
Personne proche de nous et avec qui on entretient une relation intime.

• 들 : '복수'의 뜻을 더하는 접미사.
Pas d'expression équivalente
Suffixe signifiant « pluriel ».

• 에게 : 어떤 행동의 주체이거나 비롯되는 대상임을 나타내는 조사.
Pas d'expression équivalente
Particule indiquant le sujet d'une action ou l'objet qui commence une action.

• **많다 (Adjectif)** : 수나 양, 정도 등이 일정한 기준을 넘다.
nombreux, abondant, riche, plein, rempli
(Nombre, quantité, degré, etc.) Qui est au-delà d'un critère donné.

• -은 : 앞의 말이 관형어의 기능을 하게 만들고 현재의 상태를 나타내는 어미.
Pas d'expression équivalente
Terminaison faisant fonctionner le mot précédent comme un déterminant et exprimant l'état présent.

• **놀림 (Nom)** : 남의 실수나 약점을 잡아 웃음거리로 만드는 일.
moquerie, raillerie, dérision, risée
Action de ridiculiser une faute ou un point faible d'autrui.

• 을 : 동작이 직접적으로 영향을 미치는 대상을 나타내는 조사.
Pas d'expression équivalente
Particule indiquant un objet directement influencé par un acte.

• **받다 (Verbe)** : 다른 사람이 하는 행동, 심리적인 작용 등을 당하거나 입다.
se faire
Subir l'influence physique ou psychologique, etc. de quelqu'un.

• -았- : 사건이 과거에 일어났음을 나타내는 어미.
Pas d'expression équivalente
Terminaison indiquant qu'un évènement s'est produit dans le passé.

• -다 : 어떤 사건이나 사실, 상태를 서술함을 나타내는 종결 어미.
Pas d'expression équivalente
Terminaison finale employée pour décrire un événement, un fait ou un état.

견디+[다 못하]+ㄴ 아이+는 엄마+에게 투정+을 부리+었+다.
견디다 못한 부렸다

• **견디다 (Verbe)** : 힘들거나 어려운 것을 참고 버티어 살아 나가다.
supporter, endurer, souffrir, subir, tolérer
Vivre en acceptant avec résignation quelque chose de pénible ou difficile.

• -다 못하다 : 앞의 말이 나타내는 행동을 더 이상 계속할 수 없음을 나타내는 표현.
Pas d'expression équivalente
Expression indiquant le fait de ne plus pouvoir continuer à faire l'action exprimée par les propos précédents.

• -ㄴ : 앞의 말이 관형어의 기능을 하게 만들고 사건이나 동작이 과거에 일어났음을 나타내는 어미.
Pas d'expression équivalente
Terminaison donnant la fonction de déterminant à la proposition précédente et indiquant que l'événement ou l'action en question s'est déroulé dans le passé.

• **아이 (Nom)** : 나이가 어린 사람.
enfant, petit, gamin, même, garçon, fillette
Jeune personne

• 는 : 문장 속에서 어떤 대상이 화제임을 나타내는 조사.
Pas d'expression équivalente
Particule indiquant qu'un objet est le principal sujet d'une phrase.

• **엄마 (Nom)** : 격식을 갖추지 않아도 되는 상황에서 어머니를 이르거나 부르는 말.
maman
Terme pour désigner ou s'adresser à sa mère dans une situation informelle.

• 에게 : 어떤 행동이 미치는 대상임을 나타내는 조사.
Pas d'expression équivalente
Particule indiquant l'objet affecté par une action.

• **투정 (Nom)** : 무엇이 모자라거나 마음에 들지 않아 떼를 쓰며 조르는 일.
plainte
Fait de geindre et de réclamer quelque chose à quelqu'un parce qu'on le trouve insuffisant ou insatisfaisant.

• 을 : 동작이 직접적으로 영향을 미치는 대상을 나타내는 조사.
Pas d'expression équivalente
Particule indiquant un objet directement influencé par un acte.

• **부리다 (Verbe)** : 바람직하지 못한 행동이나 성질을 계속 드러내거나 보이다.
s'obstiner, s'attacher à
Révéler ou montrer sans cesse un acte ou un tempérament discutable.

• -었- : 사건이 과거에 일어났음을 나타내는 어미.
Pas d'expression équivalente
Terminaison indiquant qu'un évènement s'est produit dans le passé.

• -다 : 어떤 사건이나 사실, 상태를 서술함을 나타내는 종결 어미.
Pas d'expression équivalente
Terminaison finale employée pour décrire un événement, un fait ou un état.

아이 : 엄마, 이빨+이 이상하+다고 친구+들+이 자꾸만 놀리+어요. 놀려요

• **엄마 (Nom)** : 격식을 갖추지 않아도 되는 상황에서 어머니를 이르거나 부르는 말.
maman
Terme pour désigner ou s'adresser à sa mère dans une situation informelle.

• **이빨 (Nom)** : (낮잡아 이르는 말로) 사람이나 동물의 입 안에 있으며, 무엇을 물거나 씹는 데 쓰는 기관.
dent
(péjoratif) Organe se trouvant dans la bouche des êtres humains ou des animaux et utilisé pour mordre dans quelque chose ou pour le mâcher.

• 이 : 어떤 상태나 상황의 대상이나 동작의 주체를 나타내는 조사.
Pas d'expression équivalente
Particule indiquant l'objet d'un état ou d'une situation, ou le sujet d'une action.

• **이상하다 (Adjectif)** : 정상적인 것과 다르다.
anormal, extraordinaire
Qui est différent du normal.

• -다고 : 어떤 행위의 목적, 의도를 나타내거나 어떤 상황의 이유, 원인을 나타내는 연결 어미.
Pas d'expression équivalente
Terminaison connective indiquant l'objectif ou l'intention derrière une action, la raison ou la cause d'une situation.

• **친구 (Nom)** : 사이가 가까워 서로 친하게 지내는 사람.
ami, amie, camarade, copain, copine, compagnon
Personne proche de nous et avec qui on entretient une relation intime.

• 들 : '복수'의 뜻을 더하는 접미사.
Pas d'expression équivalente
Suffixe signifiant « pluriel ».

• 이 : 어떤 상태나 상황의 대상이나 동작의 주체를 나타내는 조사.
Pas d'expression équivalente
Particule indiquant l'objet d'un état ou d'une situation, ou le sujet d'une action.

• **자꾸만 (Adverbe)** : (강조하는 말로) 자꾸.
souvent, de manière répétée, encore et encore, (adv.) ne pas arrêter de
(emphatique) Plusieurs fois, en continu.
자꾸 (Adverbe) : 여러 번 계속하여.
souvent, de manière répétée, encore et encore, (adv.) ne pas arrêter de, constamment
Plusieurs fois, en continu.

• **놀리다 (Verbe)** : 실수나 약점을 잡아 웃음거리로 만들다.
tourner en dérision, se moquer de, ridiculiser, taquiner
Faire passer son temps de manière amusante et joyeuse en jouant, etc.

• -어요 : (두루높임으로) 어떤 사실을 서술하거나 질문, 명령, 권유함을 나타내는 종결 어미.
Pas d'expression équivalente
(forme honorifique non formelle) Terminaison finale pour décrire un fait ou pour indiquer une question, un ordre ou une recommandation.

아이 : 치과+에 가+(아)서 이빨 교정 좀 하+[여 주]+세요.
가서　　　　　　　　해 주세요

• **치과 (Nom)** : 이와 더불어 잇몸 등의 지지 조직, 구강 등의 질병을 치료하는 의학 분야. 또는 그 분야의 병원.
odontologie, service d'odontologie
Domaine de la médecine qui soigne les maladies des dents, des tissus de soutien comme les gencives, la bouche, etc. ; département hospitalier spécialisé dans ce domaine.

• 에 : 앞말이 목적지이거나 어떤 행위의 진행 방향임을 나타내는 조사.
à, en, sur, dans
Particule indiquant que la proposition précédente (en coréen) est la destination ou la direction de progression d'une action.

• **가다 (Verbe)** : 어떤 목적을 가지고 일정한 곳으로 움직이다.
aller, se rendre, partir, partir pour
Se déplacer pour aller à un certain endroit en ayant un certain objectif.

• -아서 : 앞의 말과 뒤의 말이 순차적으로 일어남을 나타내는 연결 어미.
Pas d'expression équivalente
Terminaison connective indiquant que les propos précédents et les propos suivants se succèdent.

• **이빨 (Nom)** : (낮잡아 이르는 말로) 사람이나 동물의 입 안에 있으며, 무엇을 물거나 씹는 데 쓰는 기관.
dent
(péjoratif) Organe se trouvant dans la bouche des êtres humains ou des animaux et utilisé pour mordre dans quelque chose ou pour le mâcher.

• **교정 (Nom)** : 고르지 못하거나 틀어지거나 잘못된 것을 바로잡음.
correction, rectification
Fait de réparer ce qui est irrégulier, anormal ou faux.

• **좀 (Adverbe)** : 주로 부탁이나 동의를 구할 때 부드러운 느낌을 주기 위해 넣는 말.
s'il vous plaît, s'il te plaît
Terme utilisé pour demander quelque chose à quelqu'un gentiment ou pour en obtenir un accord.

• **하다 (Verbe)** : 어떤 행동이나 동작, 활동 등을 행하다.
faire, exécuter, effectuer, s'occuper de
Effectuer une action, un mouvement, une activité, etc.

• -여 주다 : 남을 위해 앞의 말이 나타내는 행동을 함을 나타내는 표현.
Pas d'expression équivalente
Expression indiquant le fait d'effectuer l'action exprimée par les propos précédents pour autrui.

• -세요 : (두루높임으로) 설명, 의문, 명령, 요청의 뜻을 나타내는 종결 어미.
Pas d'expression équivalente
(forme honorifique non formelle) Terminaison finale pour indiquer une explication, une interrogation, un ordre ou une demande.

엄마 : 야, 그것(그거)+이 얼마나 비싸+ㄴ데.
그게 비싼데

• 야 (Outil exclamatif) : 놀라거나 반가울 때 내는 소리.
hé, ouais, youpi, nooon
Exclamation reproduisant le son émis quand on est surpris ou heureux.

• 그것 (Pronom) : 앞에서 이미 이야기한 대상을 가리키는 말.
il, elle
Terme désignant un objet précédemment évoqué.

• 이 : 앞의 말을 강조하는 뜻을 나타내는 조사.
Pas d'expression équivalente
Particule qui met l'accent sur la proposition précédente.

• 얼마나 (Adverbe) : 상태나 느낌 등의 정도가 매우 크고 대단하게.
(adv.) à quel point, comme
(Niveau d'un état ou d'un sentiment) Très important et fort.

• 비싸다 (Adjectif) : 물건값이나 어떤 일을 하는 데 드는 비용이 보통보다 높다.
cher, coûteux, onéreux
(Prix d'un objet ou coût pour faire quelque chose) Être plus élevé que la normale.

• -ㄴ데 : (두루낮춤으로) 듣는 사람의 반응을 기대하며 어떤 일에 대해 감탄함을 나타내는 종결 어미.
Pas d'expression équivalente
(forme non honorifique non formelle) Terminaison finale indiquant l'admiration devant un fait en s'attendant à une réaction de la part de l'interlocuteur.

아이 : 모르(몰ㄹ)+아, 이것(이거)+이 다 엄마 때문+이+야.
몰라 이게

• 모르다 (Verbe) : 사람이나 사물, 사실 등을 알지 못하거나 이해하지 못하다.
ignorer, ne pas savoir, ne pas connaître
Ne pas connaître ou comprendre une personne, un objet, un fait, etc.

• -아 : (두루낮춤으로) 어떤 사실을 서술하거나 물음, 명령, 권유를 나타내는 종결 어미.
Pas d'expression équivalente
(forme non honorifique non formelle) Terminaison finale pour décrire un fait ou pour indiquer une question, un ordre, ou une recommandation.

• **이것 (Pronom)** : 바로 앞에서 이야기한 대상을 가리키는 말.
ce, cela
Terme indiquant l'objet venant d'être énoncé.

• 이 : 어떤 상태나 상황의 대상이나 동작의 주체를 나타내는 조사.
Pas d'expression équivalente
Particule indiquant l'objet d'un état ou d'une situation, ou le sujet d'une action.

• **다 (Adverbe)** : 남거나 빠진 것이 없이 모두.
tout, toute, tous, toutes, complètement, parfaitement, vraiment, même, dans son intégralité
Tout sans que rien ne reste ou ne soit ôté.

• **엄마 (Nom)** : 격식을 갖추지 않아도 되는 상황에서 어머니를 이르거나 부르는 말.
maman
Terme pour désigner ou s'adresser à sa mère dans une situation informelle.

• **때문 (Nom)** : 어떤 일의 원인이나 이유.
à cause de, comme, car
Nom dépendant indiquant la raison ou la cause de quelque chose.

• 이다 : 주어가 지시하는 대상의 속성이나 부류를 지정하는 뜻을 나타내는 서술격 조사.
Pas d'expression équivalente
Particule du cas prédicatif pour indiquer la caractéristique ou la catégorie d'un objet qui se rapporte au sujet d'une phrase.

• -야 : (두루낮춤으로) 어떤 사실에 대하여 서술하거나 물음을 나타내는 종결 어미.
Pas d'expression équivalente
(forme non honorifique non formelle) Terminaison finale indiquant une description ou une interrogation sur un fait.

아이 : 엄마+가 나+를 이렇+게 낳+았+잖아.
날

• **엄마 (Nom)** : 격식을 갖추지 않아도 되는 상황에서 어머니를 이르거나 부르는 말.
maman
Terme pour désigner ou s'adresser à sa mère dans une situation informelle.

• 가 : 어떤 상태나 상황에 놓인 대상이나 동작의 주체를 나타내는 조사.
Pas d'expression équivalente
Particule indiquant l'objet d'un état ou d'une situation, ou le sujet d'une action.

• **나 (Pronom)** : 말하는 사람이 친구나 아랫사람에게 자기를 가리키는 말.
je, moi, me
Terme employé par le locuteur pour se désigner, lorsqu'il s'adresse à une personne du même âge ou plus jeune.

• 를 : 동작이 간접적인 영향을 미치는 대상이나 목적임을 나타내는 조사.
Pas d'expression équivalente
Particule indiquant un objet ou un but indirectement influencé par une action.

• **이렇다 (Adjectif)** : 상태, 모양, 성질 등이 이와 같다.
ainsi, comme celui-ci
(État, forme, caractère, etc.) Qui est comme cela.

• -게 : 앞의 말이 뒤에서 가리키는 일의 목적이나 결과, 방식, 정도 등이 됨을 나타내는 연결 어미.
Pas d'expression équivalente
Terminaison connective indiquant que les propos précédents constituent l'objectif, le résultat, la méthode ou le degré des propos qui suivent.

• **낳다 (Verbe)** : 배 속의 아이, 새끼, 알을 몸 밖으로 내보내다.
accoucher, enfanter, engendrer, donner naissance, mettre au monde, faire des petits, mettre bas
Faire sortir du corps un enfant, un petit ou un oeuf se trouvant dans le ventre.

• -았- : 사건이 과거에 일어났음을 나타내는 어미.
Pas d'expression équivalente
Terminaison indiquant qu'un évènement s'est produit dans le passé.

• -잖아 : (두루낮춤으로) 어떤 상황에 대해 말하는 사람이 상대방에게 확인하거나 정정해 주듯이 말함을 나타내는 표현.
Pas d'expression équivalente
(forme non honorifique non formelle) Expression pour indiquer que le locuteur parle d'une situation en la vérifiant auprès de l'interlocuteur ou en corrigeant ce dernier.

그리하+자 엄마+가 하+는 한마디. 그러자

• **그리하다 (verbe)** : 앞에서 일어난 일이나 말한 것과 같이 그렇게 하다.
rendre ainsi, faire devenir ainsi
Faire comme il a été fait ou dit avant.

• -자 : 앞의 말이 나타내는 동작이 끝난 뒤 곧 뒤의 말이 나타내는 동작이 잇따라 일어남을 나타내는 연결 어미.
Pas d'expression équivalente
Terminaison connective indiquant que l'action suivante se réalise juste après la précédente.

• **엄마 (Nom)** : 격식을 갖추지 않아도 되는 상황에서 어머니를 이르거나 부르는 말.
maman
Terme pour désigner ou s'adresser à sa mère dans une situation informelle.

• 가 : 어떤 상태나 상황에 놓인 대상이나 동작의 주체를 나타내는 조사.
Pas d'expression équivalente
Particule indiquant l'objet d'un état ou d'une situation, ou le sujet d'une action.

• **하다 (Verbe)** : 다른 사람의 말이나 생각 등을 나타내는 문장을 받아 뒤에 오는 단어를 꾸미는 말.
dire, mentionner
Terme utilisé pour qualifier le mot qui suit et qui succéde à une phrase contenant les propos ou les pensées de quelqu'un.

• -는 : 앞의 말이 관형어의 기능을 하게 만들고 사건이나 동작이 현재 일어남을 나타내는 어미.
Pas d'expression équivalente
Terminaison attribuant la fonction de déterminant à la proposition précédente, et pour indiquer que la situation ou l'action en question se réalise au présent.

• **한마디 (Nom)** : 짧고 간단한 말.
un mot
Propos court et simple.

엄마 : 너 낳+았+[을 때] 이빨 없+었+거든, 이것+아!

• **너 (Pronom)** : 듣는 사람이 친구나 아랫사람일 때, 그 사람을 가리키는 말.
tu, toi
Terme designant l'interlocuteur, quand celui-ci est un ami ou une personne de rang inférieur.

• **낳다 (Verbe)** : 배 속의 아이, 새끼, 알을 몸 밖으로 내보내다.
accoucher, enfanter, engendrer, donner naissance, mettre au monde, faire des petits, mettre bas
Faire sortir du corps un enfant, un petit ou un oeuf se trouvant dans le ventre.

• -았- : 사건이 과거에 일어났음을 나타내는 어미.
Pas d'expression équivalente
Terminaison indiquant qu'un évènement s'est produit dans le passé.

• -을 때 : 어떤 행동이나 상황이 일어나는 동안이나 그 시기 또는 그러한 일이 일어난 경우를 나타내는 표현.

Pas d'expression équivalente

Expression utilisée pour indiquer le moment, la période ou le cas où une action est effectuée ou où il se passe quelque chose.

• **이빨 (Nom)** : (낮잡아 이르는 말로) 사람이나 동물의 입 안에 있으며, 무엇을 물거나 씹는 데 쓰는 기관.

dent

(péjoratif) Organe se trouvant dans la bouche des êtres humains ou des animaux et utilisé pour mordre dans quelque chose ou pour le mâcher.

• **없다 (Adjectif)** : 사람, 사물, 현상 등이 어떤 곳에 자리나 공간을 차지하고 존재하지 않는 상태이다.

Pas d'expression équivalente

(Quelqu'un, objet, phénomène, etc.) Qui n'existe pas puisque n'étant présent nulle part.

• -었- : 사건이 과거에 일어났음을 나타내는 어미.

Pas d'expression équivalente

Terminaison indiquant qu'un évènement s'est produit dans le passé.

• -거든 : (두루낮춤으로) 앞의 내용에 대해 말하는 사람이 생각한 이유나 원인, 근거를 나타내는 종결 어미.

Pas d'expression équivalente

(forme non honorifique non formelle) Terminaison finale indiquant la raison, la cause ou le fondement de ce que pense le locuteur sur le contenu précédent.

• **이것 (Pronom)** : (귀엽게 이르는 말로) 이 아이.

Pas d'expression équivalente

(aimable) Cet enfant.

• 아 : 친구나 아랫사람, 동물 등을 부를 때 쓰는 조사.

Pas d'expression équivalente

Particule employée pour appeler un ami, une personne plus jeune ou inférieure, un animal, etc.

< 4 단원(chapitre) >

제목 : 아빠, 물 좀 갖다주세요.

● 본문 (texte primitif)

늦은 오후 방에 늘어져 있던 아들은 시원한 물 한 잔이 먹고 싶어졌다.

그러나 꼼짝하기도 싫은 아들은 거실에서 텔레비전을 보고 계시던 아빠에게 큰 소리로 말했다.

아들 : 아빠, 물 좀 갖다주세요.

아빠 : 냉장고에 있으니까 네가 꺼내 먹어.

십 분 후

아들 : 아빠, 물 좀 갖다주세요.

아빠 : 네가 직접 가서 마시라니까.

아빠의 목소리는 점점 짜증이 섞이면서 톤이 높아지고 있었다.

그러나 이에 굴하지 않고 아들은 또 다시 외쳤다.

아들 : 아빠, 물 좀 갖다주세요.

아빠 : 네가 갖다 먹으라고.

한 번만 더 부르면 혼내 주러 간다.

아빠는 이제 단단히 화가 나셨다.

하지만 아들은 지칠 줄 모르고 다시 십 분 후에 이렇게 말했다.

아들 : 아빠, 저 혼내러 오실 때 물 좀 갖다주세요.

● 발음 (prononciation)

늦은 오후 방에 늘어져 있던 아들은 시원한 물 한 잔이 먹고 싶어졌다.
느즌 오후 방에 느러저 읻떤 아드른 시원한 물 한 자니 먹꼬 시퍼젇따.
neujeun ohu bange neureojeo itdeon adeureun siwonhan mul han jani meokgo sipeojeotda.

그러나 꼼짝하기도 싫은 아들은 거실에서 텔레비전을 보고 계시던 아빠에게 큰 소리로 말했다.
그러나 꼼짜카기도 시른 아드른 거시레서 텔레비저늘 보고 계시던 아빠에게 큰 소리로 말핻따.
geureona kkomjjakagido sireun adeureun geosireseo tellebijeoneul bogo gyesideon appaege keun soriro malhaetda.

아들 : 아빠, 물 좀 갖다주세요.
아들 : 아빠, 물 좀 갇따주세요.
adeul : appa, mul jom gatdajuseyo.

아빠 : 냉장고에 있으니까 네가 꺼내 먹어.
아빠 : 냉장고에 이쓰니까 네가 꺼내 머거.
appa : naengjanggoe isseunikka nega kkeonae meogeo.

십 분 후
십 분 후
sip bun hu

아들 : 아빠, 물 좀 갖다주세요.
아들 : 아빠, 물 좀 갇따주세요.
adeul : appa, mul jom gatdajuseyo.

아빠 : 네가 직접 가서 마시라니까.
아빠 : 네가 직쩝 가서 마시라니까.
appa : nega jikjeop gaseo masiranikka.

아빠의 목소리는 점점 짜증이 섞이면서 톤이 높아지고 있었다.
아빠의 목쏘리는 점점 짜증이 서끼면서 토니 노파지고 이썯따.
appaui moksorineun jeomjeom jjajeungi seokkimyeonseo toni nopajigo isseotda.

그러나 이에 굴하지 않고 아들은 또 다시 외쳤다.
그러나 이에 굴하지 안코 아드른 또 다시 외쳗따.
geureona ie gulhaji anko adeureun tto dasi oecheotda.

아들 : 아빠, 물 좀 갖다주세요.
아들 : 아빠, 물 좀 갇따주세요.
adeul : appa, mul jom gatdajuseyo.

아빠 : 네가 갖다 먹으라고.
아빠 : 네가 갇따 머그라고.
appa : nega gatda meogeurago.

한 번만 더 부르면 혼내 주러 간다.
한 번만 더 부르면 혼내 주러 간다.
han beonman deo bureumyeon honnae jureo ganda.

아빠는 이제 단단히 화가 나셨다.
아빠는 이제 단단히 화가 나셛따.
appaneun ije dandanhi hwaga nasyeotda.

하지만 아들은 지칠 줄 모르고 다시 십 분 후에 이렇게 말했다.
하지만 아드른 지칠 쭐 모르고 다시 십 분 후에 이러케 말핻따.
hajiman adeureun jichil jul moreugo dasi sip bun hue ireoke malhaetda.

아들 : 아빠, 저 혼내러 오실 때 물 좀 갖다주세요.
아들 : 아빠, 저 혼내러 오실 때 물 좀 갇따주세요.
adeul : appa, jeo honnaereo osil ttae mul jom gatdajuseyo.

● 어휘 (vocabulaire) / 문법 (règle de grammaire)

늦+은 오후 방+에 늘어지+어 있+던 아들+은 시원하+ㄴ 물 한 잔+이 먹+고 싶+어지+었+다.

그러나 꼼짝하+기+도 싫+은 아들+은 거실+에서 텔레비전+을 보+고 계시+던 아빠+에게 크+ㄴ 소리+로 말하+였+다.

아들 : 아빠, 물 좀 갖다주+세요.

아빠 : 냉장고+에 있+으니까 네+가 꺼내+(어) 먹+어.

십 분 후

아들 : 아빠, 물 좀 갖다주+세요.

아빠 : 네+가 직접 가+(아)서 마시+라니까.

아빠+의 목소리+는 점점 짜증+이 섞이+면서 톤+이 높아지+고 있+었+다.

그러나 이에 굴하+지 않+고 아들+은 또 다시 외치+었+다.

아들 : 아빠, 물 좀 갖다주+세요.

아빠 : 네+가 갖+다 먹+으라고.

한 번+만 더 부르+면 혼내+(어) 주+러 가+ㄴ다.

아빠+는 이제 단단히 화+가 나+시+었+다.

하지만 아들+은 지치+ㄹ 줄 모르+고 다시 십 분 후+에 이렇+게 말하+였+다.

아들 : 아빠, 저 혼내+러 오+시+ㄹ 때 물 좀 갖다주+세요.

늦+은 오후 방+에 늘어지+[어 있]+던 아들+은 시원하+ㄴ 물 한 잔+이 먹+[고 싶]+[어지]+었+다.
늘어져 있던 시원한 먹고 싶어졌다

• **늦다 (Adjectif)** : 적당한 때를 지나 있다. 또는 시기가 한창인 때를 지나 있다.
tard
Qui se situe après le moment convenable ; (période) qui se trouve après.

• -은 : 앞의 말이 관형어의 기능을 하게 만들고 현재의 상태를 나타내는 어미.
Pas d'expression équivalente
Terminaison faisant fonctionner le mot précédent comme un déterminant et exprimant l'état présent.

• **오후 (Nom)** : 정오부터 해가 질 때까지의 동안.
après-midi
Partie du jour comprise entre midi et le coucher du jour.

• **방 (Nom)** : 사람이 살거나 일을 하기 위해 벽을 둘러서 막은 공간.
pièce, chambre, piaule, salle
Espace délimité par des murs, pour y vivre ou pour y travailler.

• 에 : 앞말이 어떤 장소나 자리임을 나타내는 조사.
à, dans, en, sur
Particule indiquant que la proposition précédente (en coréen) est un lieu ou un emplacement.

• **늘어지다 (Verbe)** : 몸을 마음껏 펴거나 근심 걱정 없이 쉬다.
Pas d'expression équivalente
Étirer son corps autant qu'on le souhaite ou se reposer sans souci.

• -어 있다 : 앞의 말이 나타내는 상태가 계속됨을 나타내는 표현.
Pas d'expression équivalente
Expression indiquant le maintien de l'état exprimé par les propos précédents.

• -던 : 앞의 말이 관형어의 기능을 하게 만들고 사건이나 동작이 과거에 완료되지 않고 중단되었음을 나타내는 어미.
Pas d'expression équivalente
Terminaison donnant la fonction de déterminant à ce qui précède et indiquant qu'un événement ou une action ne s'est pas accompli dans le passé mais s'est interrompu.

• **아들 (Nom)** : 남자인 자식.
fils
Enfant de sexe masculin.

• 은 : 문장 속에서 어떤 대상이 화제임을 나타내는 조사.
Pas d'expression équivalente
Particule indiquant qu'un objet est le principal sujet (de conversation) d'une phrase.

• **시원하다 (Adjectif)** : 음식이 먹기 좋을 정도로 차고 산뜻하거나, 속이 후련할 정도로 뜨겁다.
(se sentir) léger, frais
(Aliment) Froid ou rafraîchissant au point d'être agréable à manger ou chaud au point de se sentir à l'aise.

• -ㄴ : 앞의 말이 관형어의 기능을 하게 만들고 현재의 상태를 나타내는 어미.
Pas d'expression équivalente
Terminaison faisant fonctionner le mot précédent comme un déterminant et exprimant l'état présent.

• **물 (Nom)** : 강, 호수, 바다, 지하수 등에 있으며 순수한 것은 빛깔, 냄새, 맛이 없고 투명한 액체.
eau, liquide
Liquide n'ayant ni couleur, ni odeur, ni saveur, et étant limpide, et pur. On le trouve dans les fleuves, les lacs, les mers, les cours d'eau souterrain, etc.

• **한 (Déterminant)** : 하나의.
un
D'un.

• **잔 (Nom)** : 음료나 술 등을 담은 그릇을 기준으로 그 분량을 세는 단위.
Pas d'expression équivalente
Unité de calcul pour une quantité de boisson, d'alcool, etc. basée sur le récipient servant à en contenir.

• 이 : 어떤 상태나 상황의 대상이나 동작의 주체를 나타내는 조사.
Pas d'expression équivalente
Particule qui indique l'objet d'un état ou d'une situation, ou le sujet d'une action.

• **먹다 (Verbe)** : 액체로 된 것을 마시다.
boire
Boire quelque chose de liquide.

• -고 싶다 : 앞의 말이 나타내는 행동을 하기를 원함을 나타내는 표현.
Pas d'expression équivalente
Expression utilisée pour montrer le désir à vouloir faire l'action de la proposition précédente.

• -어지다 : 앞에 오는 말이 나타내는 대로 행동하게 되거나 그 상태로 됨을 나타내는 표현.
Pas d'expression équivalente
Expression indiquant que l'on est amené à agir comme indiqué dans le propos précédent, ou qu'un tel état survient.

• -었- : 어떤 사건이 과거에 완료되었거나 그 사건의 결과가 현재까지 지속되는 상황을 나타내는 어미.
Pas d'expression équivalente
Terminaison indiquant qu'un évènement a été accompli dans le passé ou que le résultat de cet évènement perdure jusqu'à présent.

• -다 : 어떤 사건이나 사실, 상태를 서술함을 나타내는 종결 어미.
Pas d'expression équivalente
Terminaison finale employée pour décrire un événement, un fait ou un état.

그러나 꼼짝하+기+도 싫+은 아들+은 거실+에서 텔레비전+을 보+[고 계시]+던 아빠+에게 크+ㄴ (큰) 소리+로 말하+였+다. (말했다)

• **그러나 (Adverbe)** : 앞의 내용과 뒤의 내용이 서로 반대될 때 쓰는 말.
mais, cependant, pourtant, toutefois
Terme qui marque une opposition avec ce qui a été énoncé avant.

• **꼼짝하다 (Verbe)** : 몸이 느리게 조금씩 움직이다. 또는 몸을 느리게 조금씩 움직이다.
gigoter, remuer
(Corps) Bouger légèrement et lentement ; bouger le corps légèrement et lentement.

• -기 : 앞의 말이 명사의 기능을 하게 하는 어미.
Pas d'expression équivalente
Terminaison attribuant la fonction de nom à la proposition précédente.

• 도 : 극단적인 경우를 들어 다른 경우는 말할 것도 없음을 나타내는 조사.
Pas d'expression équivalente
Particule indiquant qu'il ne sert à rien de considérer tout autre cas en évoquant une situation extrême.

• **싫다 (Adjectif)** : 어떤 일을 하고 싶지 않다.
réticent
(Chose) Qu'on n'a pas envie de faire.

• -은 : 앞의 말이 관형어의 기능을 하게 만들고 현재의 상태를 나타내는 어미.
Pas d'expression équivalente
Terminaison faisant fonctionner le mot précédent comme un déterminant et exprimant l'état présent.

• **아들 (Nom)** : 남자인 자식.
fils
Enfant de sexe masculin.

• 은 : 문장 속에서 어떤 대상이 화제임을 나타내는 조사.
Pas d'expression équivalente
Particule indiquant qu'un objet est le principal sujet (de conversation) d'une phrase.

• **거실 (Nom)** : 서양식 집에서, 가족이 모여서 생활하거나 손님을 맞는 중심 공간.
salon, salle de séjour
Pièce centrale d'une maison occidentale où la famille passe du temps ensemble ou qui est destinée à recevoir des invités.

• 에서 : 앞말이 행동이 이루어지고 있는 장소임을 나타내는 조사.
à, dans, en, chez
Particule indiquant que la proposition précédente est le lieu où se passe une action.

• **텔레비전 (Nom)** : 방송국에서 전파로 보내오는 영상과 소리를 받아서 보여 주는 기계.
télévision, TV
Appareil qui montre des images et des sons reçus sous forme d'ondes depuis une station d'émission.

• 을 : 동작이 직접적으로 영향을 미치는 대상을 나타내는 조사.
Pas d'expression équivalente
Particule indiquant un objet directement influencé par un acte.

• **보다 (Verbe)** : 눈으로 대상을 즐기거나 감상하다.
voir, apprécier, contempler
Prendre plaisir à regarder un objet ou l'apprécier visuellement.

• -고 계시다 : (높임말로) 앞의 말이 나타내는 행동이 계속 진행됨을 나타내는 표현.
Pas d'expression équivalente
(forme honorifique) Expression pour indiquer que l'action de la proposition précédente est en cours.

• -던 : 앞의 말이 관형어의 기능을 하게 만들고 사건이나 동작이 과거에 완료되지 않고 중단되었음을 나타내는 어미.
Pas d'expression équivalente
Terminaison donnant la fonction de déterminant à ce qui précède et indiquant qu'un événement ou une action ne s'est pas accompli dans le passé mais s'est interrompu.

• **아빠 (Nom)** : 격식을 갖추지 않아도 되는 상황에서 아버지를 이르거나 부르는 말.
papa
Terme pour désigner ou s'adresser au père dans une situation informelle.

• 에게 : 어떤 행동이 미치는 대상임을 나타내는 조사.
Pas d'expression équivalente
Particule indiquant l'objet affecté par une action.

• **크다 (Adjectif)** : 소리의 세기가 강하다.
fort
Qui est fort, en parlant d'un son.

• -ㄴ : 앞의 말이 관형어의 기능을 하게 만들고 현재의 상태를 나타내는 어미.
Pas d'expression équivalente
Terminaison faisant fonctionner le mot précédent comme un déterminant et exprimant l'état présent.

• **소리 (Nom)** : 사람의 목에서 나는 목소리.
voix, cri
Voix qui sort de la gorge de l'homme.

• 로 : 어떤 일의 방법이나 방식을 나타내는 조사.
par, à
Particule indiquant la méthode ou la manière de faire quelque chose.

• **말하다 (Verbe)** : 어떤 사실이나 자신의 생각 또는 느낌을 말로 나타내다.
parler, dire
Exprimer oralement un fait, sa pensée ou ses sentiments.

• -였- : 어떤 사건이 과거에 완료되었거나 그 사건의 결과가 현재까지 지속되는 상황을 나타내는 어미.
Pas d'expression équivalente
Terminaison indiquant qu'un évènement a été accompli dans le passé ou que le résultat de cet évènement perdure jusqu'à présent.

• -다 : 어떤 사건이나 사실, 상태를 서술함을 나타내는 종결 어미.
Pas d'expression équivalente
Terminaison finale employée pour décrire un événement, un fait ou un état.

아들 : 아빠, 물 좀 갖다주+세요.

• **아빠 (Nom)** : 격식을 갖추지 않아도 되는 상황에서 아버지를 이르거나 부르는 말.
papa
Terme pour désigner ou s'adresser au père dans une situation informelle.

• **물 (Nom)** : 강, 호수, 바다, 지하수 등에 있으며 순수한 것은 빛깔, 냄새, 맛이 없고 투명한 액체.
eau, liquide
Liquide n'ayant ni couleur, ni odeur, ni saveur, et étant limpide, et pur. On le trouve dans les fleuves, les lacs, les mers, les cours d'eau souterrain, etc.

• **좀 (Adverbe)** : 주로 부탁이나 동의를 구할 때 부드러운 느낌을 주기 위해 넣는 말.
s'il vous plaît, s'il te plaît
Terme utilisé pour demander quelque chose à quelqu'un gentiment ou pour en obtenir un accord.

• **갖다주다 (Verbe)** : 무엇을 가지고 와서 주다.
apporter, délivrer
Prendre et apporter quelque chose.

• -세요 : (두루높임으로) 설명, 의문, 명령, 요청의 뜻을 나타내는 종결 어미.
Pas d'expression équivalente
(forme honorifique non formelle) Terminaison finale pour indiquer une explication, une interrogation, un ordre ou une demande.

아빠 : 냉장고+에 있+으니까 네+가 꺼내+(어) 먹+어. **꺼내**

• **냉장고 (Nom)** : 음식을 상하지 않게 하거나 차갑게 하려고 낮은 온도에서 보관하는 상자 모양의 기계.
réfrigérateur, frigidaire
Machine en forme d'une boîte utilisée pour conserver des aliments à basses températures pour empêcher leur altération ou pour les refroidir.

• 에 : 앞말이 어떤 장소나 자리임을 나타내는 조사.
à, dans, en, sur
Particule indiquant que la proposition précédente (en coréen) est un lieu ou un emplacement.

• **있다 (Adjectif)** : 무엇이 어떤 곳에 자리나 공간을 차지하고 존재하는 상태이다.
(adj.) il y a, y avoir
(Chose) Qui occupe une place ou un espace, et qui existe.

• -으니까 : 뒤에 오는 말에 대하여 앞에 오는 말이 원인이나 근거, 전제가 됨을 강조하여 나타내는 연결 어미.
Pas d'expression équivalente
Terminaison connective pour souligner que les propos précédents constituent la cause, le fondement ou un prérequis des propos suivants.

• **네 (Pronom)** : '너'에 조사 '가'가 붙을 때의 형태.
toi, tu
Forme issue de l'ajout de la particule '가' au pronom '너'.
너 (Pronom) : 듣는 사람이 친구나 아랫사람일 때, 그 사람을 가리키는 말.
tu, toi
Terme designant l'interlocuteur, quand celui-ci est un ami ou une personne de rang inférieur.

• 가 : 어떤 상태나 상황에 놓인 대상이나 동작의 주체를 나타내는 조사.
Pas d'expression équivalente
Particule qui indique l'objet d'un état ou d'une situation, ou le sujet d'une action.

• **꺼내다 (Verbe)** : 안에 있는 물건을 밖으로 나오게 하다.
retirer, sortir, enlever, extraire, ôter
Prendre un objet à l'intérieur de quelque chose, et le placer dehors.

• -어 : 앞의 말이 뒤의 말보다 먼저 일어났거나 뒤의 말에 대한 방법이나 수단이 됨을 나타내는 연결 어미.
Pas d'expression équivalente
Terminaison connective indiquant que la proposition précédente s'est réalisée avant la suivante, ou qu'elle constitue une méthode ou un moyen pour accomplir ce qui est dans la proposition suivante.

• **먹다 (Verbe)** : 액체로 된 것을 마시다.
boire
Boire quelque chose de liquide.

• -어 : (두루낮춤으로) 어떤 사실을 서술하거나 물음, 명령, 권유를 나타내는 종결 어미.
Pas d'expression équivalente
(forme non honorifique non formelle) Terminaison finale pour décrire un fait ou pour indiquer une question, un ordre, ou une recommandation.

십 분 후

• **십 (Déterminant)** : 열의.
dix
De dix.

• **분 (Nom)** : 한 시간의 60분의 1을 나타내는 시간의 단위.
minute
Nom dépendant, unité pour représenter un soixantième d'heure.

• **후 (Nom)** : 얼마만큼 시간이 지나간 다음.
(n.) après
Après qu'une certaine durée est passée.

아들 : 아빠, 물 좀 갖다주+세요.

• **아빠 (Nom)** : 격식을 갖추지 않아도 되는 상황에서 아버지를 이르거나 부르는 말.
papa
Terme pour désigner ou s'adresser au père dans une situation informelle.

• **물 (Nom)** : 강, 호수, 바다, 지하수 등에 있으며 순수한 것은 빛깔, 냄새, 맛이 없고 투명한 액체.
eau, liquide
Liquide n'ayant ni couleur, ni odeur, ni saveur, et étant limpide, et pur. On le trouve dans les fleuves, les lacs, les mers, les cours d'eau souterrain, etc.

• **좀 (Adverbe)** : 주로 부탁이나 동의를 구할 때 부드러운 느낌을 주기 위해 넣는 말.
s'il vous plaît, s'il te plaît
Terme utilisé pour demander quelque chose à quelqu'un gentiment ou pour en obtenir un accord.

• **갖다주다 (Verbe)** : 무엇을 가지고 와서 주다.
apporter, délivrer
Prendre et apporter quelque chose.

• -세요 : (두루높임으로) 설명, 의문, 명령, 요청의 뜻을 나타내는 종결 어미.
Pas d'expression équivalente
(forme honorifique non formelle) Terminaison finale pour indiquer une explication, une interrogation, un ordre ou une demande.

아빠 : 네+가 직접 가+(아)서 마시+라니까. **가서**

• **네 (Pronom)** : '너'에 조사 '가'가 붙을 때의 형태.
toi, tu
Forme issue de l'ajout de la particule '가' au pronom '너'.
너 (Pronom) : 듣는 사람이 친구나 아랫사람일 때, 그 사람을 가리키는 말.
tu, toi
Terme designant l'interlocuteur, quand celui-ci est un ami ou une personne de rang inférieur.

• 가 : 어떤 상태나 상황에 놓인 대상이나 동작의 주체를 나타내는 조사.
Pas d'expression équivalente
Particule qui indique l'objet d'un état ou d'une situation, ou le sujet d'une action.

• **직접 (Adverbe)** : 중간에 다른 사람이나 물건 등이 끼어들지 않고 바로.
directement, sans intermédiaire, en personne
De manière directe, sans l'intermédiaire d'une personne ni d'un objet.

• **가다 (Verbe)** : 한 곳에서 다른 곳으로 장소를 이동하다.
aller, se rendre, s'en aller, passer, partir
Se déplacer d'un endroit à un autre.

• -아서 : 앞의 말과 뒤의 말이 순차적으로 일어남을 나타내는 연결 어미.
Pas d'expression équivalente
Terminaison connective indiquant que les propos précédents et les propos suivants se succèdent.

• **마시다 (Verbe)** : 물 등의 액체를 목구멍으로 넘어가게 하다.
boire, prendre une boisson
Absorber un liquide tel que de l'eau par la gorge.

• -라니까 : (아주낮춤으로) 가볍게 꾸짖으면서 반복해서 명령하는 뜻을 나타내는 종결 어미.
Pas d'expression équivalente
(forme non honorifique très marquée) Terminaison finale pour répéter un ordre, de manière légèrement réprobatrice.

아빠+의 **목소리**+는 **점점 짜증**+이 **섞이**+면서 **톤**+이 **높아지**+[고 있]+었+다.

• **아빠 (Nom)** : 격식을 갖추지 않아도 되는 상황에서 아버지를 이르거나 부르는 말.
papa
Terme pour désigner ou s'adresser au père dans une situation informelle.

• 의 : 앞의 말이 뒤의 말에 대하여 소유, 소속, 소재, 관계, 기원, 주체의 관계를 가짐을 나타내는 조사.
Pas d'expression équivalente
Particule pour indiquer que la proposition précédente prend une relation de possession, d'appartenance, d'emplacement, de relation, d'origine ou de sujet d'action par rapport à la proposition suivante.

• **목소리 (Nom)** : 사람의 목구멍에서 나는 소리.
voix, ton, ton de la voix
Son sortant de la gorge de l'homme.

• 는 : 문장 속에서 어떤 대상이 화제임을 나타내는 조사.
Pas d'expression équivalente
Particule indiquant qu'un objet est le principal sujet (de conversation) d'une phrase.

• **점점 (Adverbe)** : 시간이 지남에 따라 정도가 조금씩 더.
de plus en plus, par degrés, progressivement, de manière progressive, graduellement, petit à petit
(Niveau) De manière à croître peu à peu avec le temps.

• **짜증 (Nom)** : 마음에 들지 않아서 화를 내거나 싫은 느낌을 겉으로 드러내는 일. 또는 그런 성미.
énervement, agacement, incommodité
Fait d'exprimer sa colère suite à une insatisfaction ou de laisser paraître son mécontentement ; un tel tempérament.

• 이 : 어떤 상태나 상황의 대상이나 동작의 주체를 나타내는 조사.
Pas d'expression équivalente
Particule qui indique l'objet d'un état ou d'une situation, ou le sujet d'une action.

• **섞이다 (Verbe)** : 어떤 말이나 행동에 다른 말이나 행동이 함께 나타나다.
être mélé, être accompagné
(Autre parole, comportement) Être exprimé dans un discours ou une attitude.

• -면서 : 두 가지 이상의 동작이나 상태가 함께 일어남을 나타내는 연결 어미.
Pas d'expression équivalente
Terminaison connective indiquant que plus de deux actions ou états surviennent en même temps.

• **톤 (Nom)** : 전체적으로 느껴지는 분위기나 말투.
ton
Ambiance ou façon de parler général qui se fait ressentir.

• 이 : 어떤 상태나 상황의 대상이나 동작의 주체를 나타내는 조사.
Pas d'expression équivalente
Particule qui indique l'objet d'un état ou d'une situation, ou le sujet d'une action.

• **높아지다 (Verbe)** : 이전보다 더 높은 정도나 수준, 지위에 이르다.
augmenter, redoubler, se multiplier, s'intensifier, gonfler, grossir, monter
Atteindre un degré, un niveau ou une position plus élevé qu'auparavant.

• -고 있다 : 앞의 말이 나타내는 행동이 계속 진행됨을 나타내는 표현.
Pas d'expression équivalente
Expression pour indiquer que l'action de la proposition précédente est toujours en cours.

• -었- : 어떤 사건이 과거에 완료되었거나 그 사건의 결과가 현재까지 지속되는 상황을 나타내는 어미.
Pas d'expression équivalente
Terminaison indiquant qu'un évènement a été accompli dans le passé ou que le résultat de cet évènement perdure jusqu'à présent.

• -다 : 어떤 사건이나 사실, 상태를 서술함을 나타내는 종결 어미.
Pas d'expression équivalente
Terminaison finale employée pour décrire un événement, un fait ou un état.

그러나 이에 굴하+[지 않]+고 아들+은 또 다시 외치+었+다.
외쳤다

• **그러나 (Adverbe)** : 앞의 내용과 뒤의 내용이 서로 반대될 때 쓰는 말.
mais, cependant, pourtant, toutefois
Terme qui marque une opposition avec ce qui a été énoncé avant.

• **이에 (Adverbe)** : 이러한 내용에 곧.
et donc, ainsi, sur ce, sur quoi, après quoi, pour cette raison
Suite à ce contenu.

• **굴하다 (Verbe)** : 어떤 힘이나 어려움 앞에서 자신의 의지를 굽히다.
céder à quelque chose
Abandonner sa volonté face à un pouvoir ou à une difficulté.

• -지 않다 : 앞의 말이 나타내는 행위나 상태를 부정하는 뜻을 나타내는 표현.
Pas d'expression équivalente
Expression pour indiquer la négation d'une action ou d'un état précisé dans la proposition précédente.

• -고 : 앞의 말이 나타내는 행동이나 그 결과가 뒤에 오는 행동이 일어나는 동안에 그대로 지속됨을 나타내는 연결 어미.
Pas d'expression équivalente
Terminaison connective indiquant que l'action exprimée par les propos précédents ou le résultat de cette action continuent pendant que se déroule l'action suivante.

• **아들 (Nom)** : 남자인 자식.
fils
Enfant de sexe masculin.

• 은 : 문장 속에서 어떤 대상이 화제임을 나타내는 조사.
Pas d'expression équivalente
Particule indiquant qu'un objet est le principal sujet (de conversation) d'une phrase.

• **또 (Adverbe)** : 어떤 일이나 행동이 다시.
encore
(Chose ou action) À nouveau.

• **다시 (Adverbe)** : 같은 말이나 행동을 반복해서 또.
encore, de nouveau, à nouveau, encore une fois, une fois de plus, derechef
Encore, en répétant le même propos ou la même action.

• **외치다 (Verbe)** : 큰 소리를 지르다.
crier, pousser, hurler
Crier fort.

• -었- : 어떤 사건이 과거에 완료되었거나 그 사건의 결과가 현재까지 지속되는 상황을 나타내는 어미.
Pas d'expression équivalente
Terminaison indiquant qu'un évènement a été accompli dans le passé ou que le résultat de cet évènement perdure jusqu'à présent.

• -다 : 어떤 사건이나 사실, 상태를 서술함을 나타내는 종결 어미.
Pas d'expression équivalente
Terminaison finale employée pour décrire un événement, un fait ou un état.

아들 : 아빠, 물 좀 갖다주+세요.

• **아빠 (Nom)** : 격식을 갖추지 않아도 되는 상황에서 아버지를 이르거나 부르는 말.
papa
Terme pour désigner ou s'adresser au père dans une situation informelle.

• **물 (Nom)** : 강, 호수, 바다, 지하수 등에 있으며 순수한 것은 빛깔, 냄새, 맛이 없고 투명한 액체.
eau, liquide
Liquide n'ayant ni couleur, ni odeur, ni saveur, et étant limpide, et pur. On le trouve dans les fleuves, les lacs, les mers, les cours d'eau souterrain, etc.

• **좀 (Adverbe)** : 주로 부탁이나 동의를 구할 때 부드러운 느낌을 주기 위해 넣는 말.
s'il vous plaît, s'il te plaît
Terme utilisé pour demander quelque chose à quelqu'un gentiment ou pour en obtenir un accord.

• **갖다주다 (Verbe)** : 무엇을 가지고 와서 주다.
apporter, délivrer
Prendre et apporter quelque chose.

• -세요 : (두루높임으로) 설명, 의문, 명령, 요청의 뜻을 나타내는 종결 어미.
Pas d'expression équivalente
(forme honorifique non formelle) Terminaison finale pour indiquer une explication, une interrogation, un ordre ou une demande.

아빠 : 네+가 갖+다 먹+으라고.

• **네 (Pronom)** : '너'에 조사 '가'가 붙을 때의 형태.
toi, tu
Forme issue de l'ajout de la particule '가' au pronom '너'.
너 (Pronom) : 듣는 사람이 친구나 아랫사람일 때, 그 사람을 가리키는 말.
tu, toi
Terme designant l'interlocuteur, quand celui-ci est un ami ou une personne de rang inférieur.

• 가 : 어떤 상태나 상황에 놓인 대상이나 동작의 주체를 나타내는 조사.
Pas d'expression équivalente
Particule qui indique l'objet d'un état ou d'une situation, ou le sujet d'une action.

• **갖다 (Verbe)** : 무엇을 손에 쥐거나 몸에 지니다.
avoir, porter, tenir
Tenir quelque chose dans ses mains ou le porter sur le corps.

• -다 : 어떤 행동이 진행되는 중에 다른 행동이 나타남을 나타내는 연결 어미.
Pas d'expression équivalente
Terminaison connective indiquant qu'une action survient alors qu'une autre est en cours.

• **먹다 (Verbe)** : 액체로 된 것을 마시다.
boire
Boire quelque chose de liquide.

• -으라고 : (두루낮춤으로) 말하는 사람의 생각이나 주장을 듣는 사람에게 강조하여 말함을 나타내는 종결 어미.
Pas d'expression équivalente
(forme non honorifique non formelle) Terminaison finale pour exprimer avec insistance ses pensées ou son argument à son interlocuteur.

아빠 : 한 번+만 더 부르+면 혼내+[(어) 주]+러 가+ㄴ다.
혼내 주러 간다

• **한 (Déterminant)** : 하나의.
un
D'un.

• **번 (Nom)** : 일의 횟수를 세는 단위.
Pas d'expression équivalente
Nom dépendant, quantificateur pour compter le nombre de fois.

• 만 : 앞의 말이 어떤 것에 대한 조건임을 나타내는 조사.
Pas d'expression équivalente
Particule indiquant que le mot précédent est la condition d'un autre.

• **더 (Adverbe)** : 보태어 계속해서.
plus, davantage, encore plus, mieux, de plus
En continuation, en additionnant.

• **부르다 (Verbe)** : 말이나 행동으로 다른 사람을 오라고 하거나 주의를 끌다.
appeler, héler, interpeller
Demander à quelqu'un de venir ou attirer son attention en parlant ou en agissant.

• -면 : 뒤에 오는 말에 대한 근거나 조건이 됨을 나타내는 연결 어미.
Pas d'expression équivalente
Terminaison connective indiquant une chose qui constitue le fondement ou la condition des propos suivants.

• **혼내다 (Verbe)** : 심하게 꾸지람을 하거나 벌을 주다.
donner le bal à, réprimander, corriger, châtier
Réprimander sévèrement ou imposer une punition.

• -어 주다 : 남을 위해 앞의 말이 나타내는 행동을 함을 나타내는 표현.
Pas d'expression équivalente
Expression indiquant le fait d'effectuer pour autrui une action exprimée par les propos précédents.

• -러 : 가거나 오거나 하는 동작의 목적을 나타내는 연결 어미.
Pas d'expression équivalente
Terminaison connective indiquant le but d'un mouvement.

• **가다 (Verbe)** : 어떤 목적을 가지고 일정한 곳으로 움직이다.
aller, se rendre, partir, partir pour
Se déplacer pour aller à un certain endroit en ayant un certain objectif.

• -ㄴ다 : (아주낮춤으로) 현재 사건이나 사실을 서술함을 나타내는 종결 어미.
Pas d'expression équivalente
(forme non honorifique très marquée) Terminaison finale pour décrire un évènement ou un fait présent.

아빠+는 이제 단단히 화+가 나+시+었+다. 나셨다

• **아빠 (Nom)** : 격식을 갖추지 않아도 되는 상황에서 아버지를 이르거나 부르는 말.
papa
Terme pour désigner ou s'adresser au père dans une situation informelle.

• 는 : 문장 속에서 어떤 대상이 화제임을 나타내는 조사.
Pas d'expression équivalente
Particule indiquant qu'un objet est le principal sujet (de conversation) d'une phrase.

• **이제 (Adverbe)** : 말하고 있는 바로 이때에.
maintenant, à présent
Au moment présent où je parle.

• **단단히 (Adverbe)** : 보통보다 더 심하게.
très, vraiment
De manière plus grave que la moyenne.

• **화 (Nom)** : 몹시 못마땅하거나 노여워하는 감정.
irritation, colère, rage, ire
Sentiment de grand insatisfaction ou de colère.

• 가 : 어떤 상태나 상황에 놓인 대상이나 동작의 주체를 나타내는 조사.
Pas d'expression équivalente
Particule qui indique l'objet d'un état ou d'une situation, ou le sujet d'une action.

• **나다 (Verbe)** : 어떤 감정이나 느낌이 생기다.
Pas d'expression équivalente
(Sentiment, impression, etc.) Surgir.

• -시- : 높이고자 하는 인물과 관계된 소유물이나 신체의 일부가 문장의 주어일 때 그 인물을 높이는 뜻을 나타내는 어미.
Pas d'expression équivalente
Terminaison signifiant le fait de montrer du respect à un personnage lorsqu'une possession liée à ce personnage à qui on veut montrer du respect ou une partie du corps est le sujet de la phrase en question.

• -었- : 어떤 사건이 과거에 완료되었거나 그 사건의 결과가 현재까지 지속되는 상황을 나타내는 어미.
Pas d'expression équivalente
Terminaison indiquant qu'un évènement a été accompli dans le passé ou que le résultat de cet évènement perdure jusqu'à présent.

• -다 : 어떤 사건이나 사실, 상태를 서술함을 나타내는 종결 어미.
Pas d'expression équivalente
Terminaison finale employée pour décrire un événement, un fait ou un état.

하지만 아들+은 지치+[ㄹ 줄] 모르+고 다시 십 분 후+에 이렇+게 말하+였+다. 지칠 줄 말했다

• **하지만 (Adverbe)** : 내용이 서로 반대인 두 개의 문장을 이어 줄 때 쓰는 말.
mais, cependant
Terme utilisé pour relier deux phrases contraires.

• **아들 (Nom)** : 남자인 자식.
fils
Enfant de sexe masculin.

• 은 : 문장 속에서 어떤 대상이 화제임을 나타내는 조사.
Pas d'expression équivalente
Particule indiquant qu'un objet est le principal sujet (de conversation) d'une phrase.

• **지치다 (Verbe)** : 힘든 일을 하거나 어떤 일에 시달려서 힘이 없다.
être fatigué
Ne plus avoir de force après avoir effectué un travail dur ou être épuisé par une tâche.

• -ㄹ 줄 : 어떤 사실이나 상태에 대해 알고 있거나 모르고 있음을 나타내는 표현.
Pas d'expression équivalente
Expression indiquant le fait d'être au courant ou non d'un fait ou d'un état.

• **모르다 (Verbe)** : 느끼지 않다.
Pas d'expression équivalente
Ne pas ressentir quelque chose.

• -고 : 앞의 말이 나타내는 행동이나 그 결과가 뒤에 오는 행동이 일어나는 동안에 그대로 지속됨을 나타내는 연결 어미.
Pas d'expression équivalente
Terminaison connective indiquant que l'action exprimée par les propos précédents ou le résultat de cette action continuent pendant que se déroule l'action suivante.

• **다시 (Adverbe)** : 같은 말이나 행동을 반복해서 또.
encore, de nouveau, à nouveau, encore une fois, une fois de plus, derechef
Encore, en répétant le même propos ou la même action.

• **십 (Déterminant)** : 열의.
dix
De dix.

• **분 (Nom)** : 한 시간의 60분의 1을 나타내는 시간의 단위.
minute
Nom dépendant, unité pour représenter un soixantième d'heure.

• **후 (Nom)** : 얼마만큼 시간이 지나간 다음.
(n.) après
Après qu'une certaine durée est passée.

• 에 : 앞말이 시간이나 때임을 나타내는 조사.
à, en
Particule indiquant que la proposition précédente (en coréen) est l'heure ou le moment.

• **이렇다 (Adjectif)** : 상태, 모양, 성질 등이 이와 같다.
ainsi, comme celui-ci
(État, forme, caractère, etc.) Qui est comme cela.

• -게 : 앞의 말이 뒤에서 가리키는 일의 목적이나 결과, 방식, 정도 등이 됨을 나타내는 연결 어미.
Pas d'expression équivalente
Terminaison connective indiquant que les propos précédents constituent l'objectif, le résultat, la méthode ou le degré des propos qui suivent.

• **말하다 (Verbe)** : 어떤 사실이나 자신의 생각 또는 느낌을 말로 나타내다.
parler, dire
Exprimer oralement un fait, sa pensée ou ses sentiments.

• -였- : 어떤 사건이 과거에 완료되었거나 그 사건의 결과가 현재까지 지속되는 상황을 나타내는 어미.
Pas d'expression équivalente
Terminaison indiquant qu'un évènement a été accompli dans le passé ou que le résultat de cet évènement perdure jusqu'à présent.

• -다 : 어떤 사건이나 사실, 상태를 서술함을 나타내는 종결 어미.
Pas d'expression équivalente
Terminaison finale employée pour décrire un événement, un fait ou un état.

아들 : 아빠, 저 혼내+러 오+시+[ㄹ 때] 물 좀 갖다주+세요.
오실 때

• **아빠 (Nom)** : 격식을 갖추지 않아도 되는 상황에서 아버지를 이르거나 부르는 말.
papa
Terme pour désigner ou s'adresser au père dans une situation informelle.

• **저 (Pronom)** : 말하는 사람이 듣는 사람에게 자신을 낮추어 가리키는 말.
moi, je
Terme utilisé par le locuteur pour se désigner en s'abaissant.

• **혼내다 (Verbe)** : 심하게 꾸지람을 하거나 벌을 주다.
donner le bal à, réprimander, corriger, châtier
Réprimander sévèrement ou imposer une punition.

• -러 : 가거나 오거나 하는 동작의 목적을 나타내는 연결 어미.
Pas d'expression équivalente
Terminaison connective indiquant le but d'un mouvement.

• **오다 (Verbe)** : 무엇이 다른 곳에서 이곳으로 움직이다.
venir, arriver, apparaître
(Quelque chose) Bouger d'un lieu à celui où l'on se trouve.

• -시- : 어떤 동작이나 상태의 주체를 높이는 뜻을 나타내는 어미.
Pas d'expression équivalente
Terminaison signifiant le fait de montrer du respect à l'auteur d'une action ou d'un état.

• -ㄹ 때 : 어떤 행동이나 상황이 일어나는 동안이나 그 시기 또는 그러한 일이 일어난 경우를 나타내는 표현.
Pas d'expression équivalente
Expression indiquant le moment pendant lequel une action a lieu ou une situation se produit, ou cette période, ou le cas où une telle chose arrive.

• **물 (Nom)** : 강, 호수, 바다, 지하수 등에 있으며 순수한 것은 빛깔, 냄새, 맛이 없고 투명한 액체.
eau, liquide
Liquide n'ayant ni couleur, ni odeur, ni saveur, et étant limpide, et pur. On le trouve dans les fleuves, les lacs, les mers, les cours d'eau souterrain, etc.

• **좀 (Adverbe)** : 주로 부탁이나 동의를 구할 때 부드러운 느낌을 주기 위해 넣는 말.
s'il vous plaît, s'il te plaît
Terme utilisé pour demander quelque chose à quelqu'un gentiment ou pour en obtenir un accord.

• **갖다주다 (Verbe)** : 무엇을 가지고 와서 주다.
apporter, délivrer
Prendre et apporter quelque chose.

• -세요 : (두루높임으로) 설명, 의문, 명령, 요청의 뜻을 나타내는 종결 어미.
Pas d'expression équivalente
(forme honorifique non formelle) Terminaison finale pour indiquer une explication, une interrogation, un ordre ou une demande.

< 5 단원(chapitre) >

제목 : 이해가 안 가네요.

● 본문 (texte primitif)

화창한 오후, 앞을 못 보는 시각 장애인이 자신을 안전하게 인도해 줄 개와 함께 지하철역으로 향하고 있었다.

그런데 한참 길을 걷다가 개가 한쪽 다리를 들더니 맹인의 바지에 오줌을 싸는 것이었다.

그러자 그 맹인이 갑자기 주머니에서 과자를 꺼내더니 개에게 주려고 했다.

이때 지나가던 행인이 그 광경을 지켜보다 맹인에게 한마디 했다.

행인 : 저기요, 선생님 잠깐만요.

맹인 : 무슨 일이시죠?

행인 : 아니, 방금 개가 당신 바지에 오줌을 쌌는데 왜 과자를 줍니까?

저 같으면 개 머리를 한 대 때렸을 텐데 이해가 안 가네요.

맹인 : 개한테 과자를 줘야 머리가 어디 있는지 알 수 있잖아요.

● 발음 (prononciation)

화창한 오후, 앞을 못 보는 시각 장애인이 자신을 안전하게 인도해 줄 개와 함께 지하철역으로 향하고
화창한 오후, 아플 몯 보는 시각 장애이니 자시늘 안전하게 인도해 줄 개와 함께 지하철려그로 향하고
hwachanghan ohu, apeul mot boneun sigak jangaeini jasineul anjeonhage indohae jul gaewa hamkke jihacheollyeogeuro hyanghago

있었다.
이썯따.
isseotda.

그런데 한참 길을 걷다가 개가 한쪽 다리를 들더니 맹인의 바지에 오줌을 싸는 것이었다.
그런데 한참 기를 걷따가 개가 한쪽 다리를 들더니 맹인의 바지에 오주믈 싸는 거시얻따.
geureonde hancham gireul geotdaga gaega hanjjok darireul deuldeoni maenginui bajie ojumeul ssaneun geosieotda.

그러자 그 맹인이 갑자기 주머니에서 과자를 꺼내더니 개에게 주려고 했다.
그러자 그 맹이니 갑짜기 주머니에서 과자를 꺼내더니 개에게 주려고 핻따.
geureoja geu maengini gapjagi jumeonieseo gwajareul kkeonaedeoni gaeege juryeogo haetda.

이때 지나가던 행인이 그 광경을 지켜보다 맹인에게 한마디 했다.
이때 지나가던 행이니 그 광경을 지켜보다 맹이네게 한마디 핻따.
ittae jinagadeon haengini geu gwanggyeongeul jikyeoboda maenginege hanmadi haetda.

행인 : 저기요, 선생님 잠깐만요.
행인 : 저기요, 선생님 잠깐마뇨.
haengin : jeogiyo, seonsaengnim jamkkanmanyo.

맹인 : 무슨 일이시죠?
맹인 : 무슨 이리시죠?
maengin : museun irisijyo?

행인 : 아니, 방금 개가 당신 바지에 오줌을 쌌는데 왜 과자를 줍니까?
행인 : 아니, 방금 개가 당신 바지에 오주믈 싼는데 왜 과자를 줌니까?
haengin : ani, banggeum gaega dangsin bajie ojumeul ssanneunde wae gwajareul jumnikka?

저 같으면 개 머리를 한 대 때렸을 텐데 이해가 안 가네요.
저 가트면 개 머리를 한 대 때려쓸 텐데 이해가 안 가네요.
jeo gateumyeon gae meorireul han dae ttaeryeosseul tende ihaega an ganeyo.

맹인 : 개한테 과자를 줘야 머리가 어디 있는지 알 수 있잖아요.
맹인 : 개한테 과자를 줘야 머리가 어디 인는지 알 쑤 읻짜나요.
maengin : gaehante gwajareul jwoya meoriga eodi inneunji al su itjanayo.

● 어휘 (vocabulaire) / 문법 (règle de grammaire)

화창하+ㄴ 오후, 앞+을 못 보+는 시각 장애인+이 자신+을 안전하+게 인도하+여 주+ㄹ 개+와 함께 지하철역+으로 향하+고 있+었+다.

그런데 한참 길+을 걷+다가 개+가 한쪽 다리+를 들+더니 맹인+의 바지+에 오줌+을 싸+는 것+이+었+다.

그리하+자 그 맹인+이 갑자기 주머니+에서 과자+를 꺼내+더니 개+에게 주+려고 하+였+다.

이때 지나가+던 행인+이 그 광경+을 지켜보+다 맹인+에게 한마디 하+였+다.

행인 : 저기, 선생님 잠깐+만+요.

맹인 : 무슨 일+이+시+죠?

행인 : 아니, 방금 개+가 선생님 바지+에 오줌+을 싸+았+는데 왜 과자+를 주+ㅂ니까?

저 같+으면 개 머리+를 한 대 때리+었+을 텐데 이해+가 안 가+네요.

맹인 : 개+한테 과자+를 주+어야 머리+가 어디 있+는지 알(아)+ㄹ 수 있+잖아요.

화창하+ㄴ 오후, 앞+을 못 보+는 시각 장애인+이 자신+을 안전하+게 인도하+[여 주]+ㄹ 개+와 함께
화창한 인도해 줄

지하철역+으로 향하+[고 있]+었+다.

• **화창하다 (Adjectif)** : 날씨가 맑고 따뜻하며 바람이 부드럽다.
beau, doux, tempéré
(Météo) Qui est clair et doux avec un vent tempéré.

• -ㄴ : 앞의 말이 관형어의 기능을 하게 만들고 현재의 상태를 나타내는 어미.
Pas d'expression équivalente
Terminaison donnant la fonction de déterminant à la proposition précédente et exprimant l'état présent.

• **오후 (Nom)** : 정오부터 해가 질 때까지의 동안.
après-midi
Partie du jour comprise entre midi et le coucher du jour.

• **앞 (Nom)** : 향하고 있는 쪽이나 곳.
l'avant, le devant
Direction ou lieu vers lequel (laquelle) se dirige quelqu'un ou quelque chose.

• 을 : 동작이 직접적으로 영향을 미치는 대상을 나타내는 조사.
Pas d'expression équivalente
Particule indiquant un objet directement influencé par un acte.

• **못 (Adverbe)** : 동사가 나타내는 동작을 할 수 없게.
Pas d'expression équivalente
De façon à ce que l'action exprimée par le verbe ne puisse pas s'effectuer.

• **보다 (Verbe)** : 눈으로 대상의 존재나 겉모습을 알다.
voir, regarder, distinguer, apercevoir, percevoir, remarquer, repérer, constater
Reconnaître visuellement l'existence, l'apparence d'un objet.

• -는 : 앞의 말이 관형어의 기능을 하게 만들고 사건이나 동작이 현재 일어남을 나타내는 어미.
Pas d'expression équivalente
Terminaison attribuant la fonction de déterminant à la proposition précédente, et pour indiquer que la situation ou l'action en question se réalise au présent.

- **시각 장애인 (Nom)** : 눈이 멀어서 앞을 보지 못하는 사람.
  personne atteinte d'un handicap visuel, aveugle, non-voyant(e), malvoyant(e)
  Personne qui ne peut plus voir, ayant perdu la vue.
  시각 (Nom) : 물체의 모양이나 움직임, 빛깔 등을 보는 눈의 감각.
  vue, vision
  Sens de l'œil qui distingue la forme, le mouvement ou la couleur, etc. d'un objet.
  장애인 (Nom) : 몸에 장애가 있거나 정신적으로 부족한 점이 있어 일상생활이나 사회생활이 어려운 사람.
  handicapé(e), infirme
  Personne qui rencontre des difficultés dans la vie quotidienne ou professionnelle en raison d'un handicap physique ou d'une déficience mentale.

- 이 : 어떤 상태나 상황의 대상이나 동작의 주체를 나타내는 조사.
  Pas d'expression équivalente
  Particule qui indique l'objet d'un état ou d'une situation, ou le sujet d'une action.

- **자신 (Nom)** : 바로 그 사람.
  Pas d'expression équivalente
  La personne en question.

- 을 : 동작이 간접적인 영향을 미치는 대상이나 목적임을 나타내는 조사.
  Pas d'expression équivalente
  Particule indiquant un objet indirectement influencé par un acte.

- **안전하다 (Adjectif)** : 위험이 생기거나 사고가 날 염려가 없다.
  sûr
  N'ayant pas à s'inquiéter de l'arrivée d'un danger ou d'un accident.

- -게 : 앞의 말이 뒤에서 가리키는 일의 목적이나 결과, 방식, 정도 등이 됨을 나타내는 연결 어미.
  Pas d'expression équivalente
  Terminaison connective indiquant que les propos précédents constituent l'objectif, le résultat, la méthode ou le degré des propos qui suivent.

- **인도하다 (Verbe)** : 길이나 장소를 안내하다.
  guider
  Indiquer un chemin ou un endroit.

- -여 주다 : 남을 위해 앞의 말이 나타내는 행동을 함을 나타내는 표현.
  Pas d'expression équivalente
  Expression indiquant le fait d'effectuer l'action exprimée par les propos précédents pour autrui.

• -ㄹ : 앞의 말이 관형어의 기능을 하게 만들고 추측, 예정, 의지, 가능성 등을 나타내는 어미.
Pas d'expression équivalente
Terminaison faisant fonctionner le mot précédent comme un déterminant et indiquant une supposition, prévision, volonté, possibilité, etc.

• **개 (Nom)** : 냄새를 잘 맡고 귀가 매우 밝으며 영리하고 사람을 잘 따라 사냥이나 애완 등의 목적으로 기르는 동물.
chien
Animal intelligent, ayant un bon nez et l'ouïe fine, se prenant facilement d'affection pour l'homme et étant élevé pour la chasse, la domestication, etc.

• 와 : 어떤 일을 함께 하는 대상임을 나타내는 조사.
avec
Particule indiquant que le mot est l'objet avec qui l'on fait quelque chose.

• **함께 (Adverbe)** : 여럿이서 한꺼번에 같이.
ensemble
De manière à faire quelque chose en même temps à plusieurs.

• **지하철역 (Nom)** : 지하철을 타고 내리는 곳.
station de métro
Lieu où l'on monte ou descend du métro.

• 으로 : 움직임의 방향을 나타내는 조사.
à, vers, pour, en, à destination de, en direction de
Particule indiquant la direction d'un mouvement.

• **향하다 (Verbe)** : 어떤 목적이나 목표로 나아가다.
se diriger vers
Avancer vers un objectif ou un but.

• -고 있다 : 앞의 말이 나타내는 행동이 계속 진행됨을 나타내는 표현.
Pas d'expression équivalente
Expression pour indiquer que l'action de la proposition précédente est toujours en cours.

• -었- : 사건이 과거에 일어났음을 나타내는 어미.
Pas d'expression équivalente
Terminaison indiquant qu'un évènement s'est produit dans le passé.

• -다 : 어떤 사건이나 사실, 상태를 서술함을 나타내는 종결 어미.
Pas d'expression équivalente
(forme non honorifique très marquée) Terminaison finale employée pour décrire un événement, un fait ou un état.

그런데 한참 길+을 걷+다가 개+가 한쪽 다리+를 들+더니 맹인+의 바지+에 오줌+을

싸+[는 것]+이+었+다.

• **그런데 (Adverbe)** : 이야기를 앞의 내용과 관련시키면서 다른 방향으로 바꿀 때 쓰는 말.
en fait, alors
Terme employé pour changer la direction d'une conversation, en la reliant aux éléments énoncés auparavant.

• **한참 (Nom)** : 시간이 꽤 지나는 동안.
longtemps, un bon moment
Durée de temps assez longue.

• **길 (Nom)** : 사람이나 차 등이 지나다닐 수 있게 땅 위에 일정한 너비로 길게 이어져 있는 공간.
voie, route, chaussée, rue, chemin, sentier, passage
Espace que l'on emprunte pour atteindre une destination.

• 을 : 동작이 직접적으로 영향을 미치는 대상을 나타내는 조사.
Pas d'expression équivalente
Particule indiquant un objet directement influencé par un acte.

• **걷다 (Verbe)** : 바닥에서 발을 번갈아 떼어 옮기면서 움직여 위치를 옮기다.
marcher
Se déplacer au moyen de pas alternés.

• -다가 : 어떤 행동이나 상태 등이 중단되고 다른 행동이나 상태로 바뀜을 나타내는 연결 어미.
Pas d'expression équivalente
Terminaison connective indiquant que l'action, l'état, etc., du sujet prend fin et se transforme en une autre action ou en un autre état.

• **개 (Nom)** : 냄새를 잘 맡고 귀가 매우 밝으며 영리하고 사람을 잘 따라 사냥이나 애완 등의 목적으로 기르는 동물.
chien
Animal intelligent, ayant un bon nez et l'ouïe fine, se prenant facilement d'affection pour l'homme et étant élevé pour la chasse, la domestication, etc.

• 가 : 어떤 상태나 상황에 놓인 대상이나 동작의 주체를 나타내는 조사.
Pas d'expression équivalente
Particule qui indique l'objet d'un état ou d'une situation, ou le sujet d'une action.

• **한쪽 (Nom)** : 어느 한 부분이나 방향.
un côté
Une certaine partie ou direction.

• **다리 (Nom)** : 사람이나 동물의 몸통 아래에 붙어, 서고 걷고 뛰는 일을 하는 신체 부위.
jambe, patte
Partie du corps attachée au bas du corps humain ou animal servant à se lever, marcher et courir.

• 를 : 동작이 직접적으로 영향을 미치는 대상을 나타내는 조사.
Pas d'expression équivalente
Particule indiquant un objet directement influencé par un acte.

• **들다 (Verbe)** : 아래에 있는 것을 위로 올리다.
porter, tenir
Monter quelque chose

• -더니 : 과거의 사실이나 상황에 뒤이어 어떤 사실이나 상황이 일어남을 나타내는 연결 어미.
Pas d'expression équivalente
Terminaison connective indiquant qu'un fait ou une situation succède à un fait ou une situation passé(e).

• **맹인 (Nom)** : 눈이 먼 사람.
aveugle, non-voyant(e)
Personne aveugle.

• 의 : 앞의 말이 뒤의 말에 대하여 소유, 소속, 소재, 관계, 기원, 주체의 관계를 가짐을 나타내는 조사.
Pas d'expression équivalente
Particule pour indiquer que la proposition précédente prend une relation de possession, d'appartenance, d'emplacement, de relation, d'origine ou de sujet d'action par rapport à la proposition suivante.

• **바지 (Nom)** : 위는 통으로 되고 아래는 두 다리를 넣을 수 있게 갈라진, 몸의 아랫부분에 입는 옷.
pantalon
Vêtement que l'on porte sur les membres inférieurs du corps, formé d'un tronc vers le haut, et de deux parties divisées vers le bas où l'on peut insérer les deux jambes.

• 에 : 앞말이 어떤 행위나 작용이 미치는 대상임을 나타내는 조사.
à, dans, sur, en
Particule indiquant que la proposition précédente (en coréen) est l'objet influencé par une action ou un effet.

• **오줌 (Nom)** : 혈액 속의 노폐물과 수분이 요도를 통하여 몸 밖으로 배출되는, 누렇고 지린내가 나는 액체.
urine, pipi
Liquide jaune ambrée avec une odeur désagréable, dont la fonction est l'élimination des déchets et de la partie aqueuse du sang qui sont évacués vers l'extérieur du corps par les voies urinaires.

• 을 : 동작이 직접적으로 영향을 미치는 대상을 나타내는 조사.
Pas d'expression équivalente
Particule indiquant un objet directement influencé par un acte.

• **싸다 (Verbe)** : 똥이나 오줌을 누다.
faire (ses besoins)
Déféquer ou uriner.

• -는 것 : 명사가 아닌 것을 문장에서 명사처럼 쓰이게 하거나 '이다' 앞에 쓰일 수 있게 할 때 쓰는 표현.
Pas d'expression équivalente
Expression permettant d'utiliser un groupe non nominal comme un nom dans une phrase ou de l'utiliser avec '이다'.

• 이다 : 주어가 지시하는 대상의 속성이나 부류를 지정하는 뜻을 나타내는 서술격 조사.
Pas d'expression équivalente
Particule du cas prédicatif pour indiquer la caractéristique ou la catégorie d'un objet qui se rapporte au sujet d'une phrase.

• -었- : 사건이 과거에 일어났음을 나타내는 어미.
Pas d'expression équivalente
Terminaison indiquant qu'un évènement s'est produit dans le passé.

• -다 : 어떤 사건이나 사실, 상태를 서술함을 나타내는 종결 어미.
Pas d'expression équivalente
(forme non honorifique très marquée) Terminaison finale employée pour décrire un événement, un fait ou un état.

그리하+자 그 맹인+이 갑자기 주머니+에서 과자+를 꺼내+더니 개+에게 주+[려고 하]+였+다. 그러자 주려고 했다

• **그리하다 (verbe)** : 앞에서 일어난 일이나 말한 것과 같이 그렇게 하다.
rendre ainsi, faire devenir ainsi
Faire comme il a été fait ou dit avant.

• -자 : 앞의 말이 나타내는 동작이 끝난 뒤 곧 뒤의 말이 나타내는 동작이 잇따라 일어남을 나타내는 연결 어미.
Pas d'expression équivalente
Terminaison connective indiquant que l'action suivante se réalise juste après la précédente.

• **그 (Déterminant)** : 앞에서 이미 이야기한 대상을 가리킬 때 쓰는 말.
ce, cette, ces
Terme désignant un objet précédemment évoqué.

• **맹인 (Nom)** : 눈이 먼 사람.
aveugle, non-voyant(e)
Personne aveugle.

• 이 : 어떤 상태나 상황의 대상이나 동작의 주체를 나타내는 조사.
Pas d'expression équivalente
Particule qui indique l'objet d'un état ou d'une situation, ou le sujet d'une action.

• **갑자기 (Adverbe)** : 미처 생각할 틈도 없이 빨리.
soudain, tout à coup, subitement, brusquement
Très rapidement, sans même avoir le temps de réfléchir.

• **주머니 (Nom)** : 옷에 천 등을 덧대어 돈이나 물건 등을 넣을 수 있도록 만든 부분.
poche
Partie realisee en attachant un tissu, etc. à un vêtement pour y mettre de l'argent, un objet, etc.

• 에서 : 앞말이 어떤 일의 출처임을 나타내는 조사.
de, en provenance de
Particule qui indique que la proposition précédente est la source de quelque chose.

• **과자 (Nom)** : 밀가루나 쌀가루 등에 우유, 설탕 등을 넣고 반죽하여 굽거나 튀긴 간식.
biscuit, gâteau, pâtisserie, petit gâteau, coupe faim, collation, snack
Collation frite ou cuite faite avec un mélange de farine de blé ou de farine de riz, de lait, de sucre, etc.

• 를 : 동작이 직접적으로 영향을 미치는 대상을 나타내는 조사.
Pas d'expression équivalente
Particule indiquant un objet directement influencé par un acte.

• **꺼내다 (Verbe)** : 안에 있는 물건을 밖으로 나오게 하다.
retirer, sortir, enlever, extraire, ôter
Prendre un objet à l'intérieur de quelque chose, et le placer dehors.

• -더니 : 과거의 사실이나 상황에 뒤이어 어떤 사실이나 상황이 일어남을 나타내는 연결 어미.
Pas d'expression équivalente
Terminaison connective indiquant qu'un fait ou une situation succède à un fait ou une situation passé(e).

• **개 (Nom)** : 냄새를 잘 맡고 귀가 매우 밝으며 영리하고 사람을 잘 따라 사냥이나 애완 등의 목적으로 기르는 동물.
chien
Animal intelligent, ayant un bon nez et l'ouïe fine, se prenant facilement d'affection pour l'homme et étant élevé pour la chasse, la domestication, etc.

• 에게 : 어떤 행동이 미치는 대상임을 나타내는 조사.
Pas d'expression équivalente
Particule indiquant l'objet affecté par une action.

• **주다 (Verbe)** : 물건 등을 남에게 건네어 가지거나 쓰게 하다.
donner, offrir, allouer
Passer un objet ou autre à autrui pour qu'il le possède ou l'utilise.

• -려고 하다 : 앞의 말이 나타내는 일이 곧 일어날 것 같거나 시작될 것임을 나타내는 표현.
Pas d'expression équivalente
Expression indiquant que l'événement exprimé par les propos précédents semble se produire ou débuter immédiatement.

• -였- : 사건이 과거에 일어났음을 나타내는 어미.
Pas d'expression équivalente
Terminaison indiquant qu'un évènement s'est produit dans le passé.

• -다 : 어떤 사건이나 사실, 상태를 서술함을 나타내는 종결 어미.
Pas d'expression équivalente
(forme non honorifique très marquée) Terminaison finale employée pour décrire un événement, un fait ou un état.

이때 지나가+던 행인+이 그 광경+을 지켜보+다 맹인+에게 한마디 하+였+다. 했다

• **이때 (Nom)** : 바로 지금. 또는 바로 앞에서 이야기한 때.
maintenant, ce moment(-là)
Moment présent ; moment dont on vient juste de parler.

• **지나가다 (Verbe)** : 어떤 대상의 주위를 지나쳐 가다.
passer
Aller en passant aux environs de quelque chose.

• -던 : 앞의 말이 관형어의 기능을 하게 만들고 사건이나 동작이 과거에 완료되지 않고 중단되었음을 나타내는 어미.
Pas d'expression équivalente
Terminaison donnant la fonction de déterminant à ce qui précède et indiquant qu'un événement ou une action ne s'est pas accompli dans le passé mais s'est interrompu.

• **행인 (Nom)** : 길을 가는 사람.
passant, piéton
Personne passant dans la rue.

• 이 : 어떤 상태나 상황의 대상이나 동작의 주체를 나타내는 조사.
Pas d'expression équivalente
Particule qui indique l'objet d'un état ou d'une situation, ou le sujet d'une action.

• **그 (Déterminant)** : 앞에서 이미 이야기한 대상을 가리킬 때 쓰는 말.
ce, cette, ces
Terme désignant un objet précédemment évoqué.

• **광경 (Nom)** : 어떤 일이나 현상이 벌어지는 장면 또는 모양.
scène
Scène où se déroule un événement, une représentation.

• 을 : 동작이 직접적으로 영향을 미치는 대상을 나타내는 조사.
Pas d'expression équivalente
Particule indiquant un objet directement influencé par un acte.

• **지켜보다 (Verbe)** : 사물이나 모습 등을 주의를 기울여 보다.
regarder de près, surveiller
Regarder attentivement un objet ou l'aspect de quelque chose.

• -다 : 어떤 행동이 진행되는 중에 다른 행동이 나타남을 나타내는 연결 어미.
Pas d'expression équivalente
Terminaison connective indiquant qu'une action survient alors qu'une autre est en cours.

• **맹인 (Nom)** : 눈이 먼 사람.
aveugle, non-voyant(e)
Personne aveugle.

• 에게 : 어떤 행동이 미치는 대상임을 나타내는 조사.
Pas d'expression équivalente
Particule indiquant l'objet affecté par une action.

• **한마디 (Nom)** : 짧고 간단한 말.
un mot
Propos court et simple.

• **하다 (Verbe)** : 어떤 행동이나 동작, 활동 등을 행하다.
faire, exécuter, effectuer, s'occuper de
Effectuer une action, un mouvement, une activité, etc.

• -였- : 사건이 과거에 일어났음을 나타내는 어미.
Pas d'expression équivalente
Terminaison indiquant qu'un évènement s'est produit dans le passé.

• -다 : 어떤 사건이나 사실, 상태를 서술함을 나타내는 종결 어미.
Pas d'expression équivalente
(forme non honorifique très marquée) Terminaison finale employée pour décrire un événement, un fait ou un état.

행인 : 저기, 선생님 잠깐+만+요.

• **저기 (Outil exclamatif)** : 말을 꺼내기 어색하고 편하지 않을 때에 쓰는 말.
Euh...!, Ben!, Eh bien!
Expression utilisée lorsqu'on se sent gêné ou mal à l'aise à aborder un sujet.

• **선생님 (Nom)** : (높이는 말로) 나이가 어지간히 든 사람을 대접하여 이르는 말.
Monsieur, Madame
(forme honorifique) Terme pour désigner un adulte d'un âge assez avancé avec respect.

• **잠깐 (Nom)** : 아주 짧은 시간 동안.
un instant
Pendant un temps très court.

• 만 : 무엇을 강조하는 뜻을 나타내는 조사.
Pas d'expression équivalente
Particule utilisée pour souligner la signification de quelque chose.

• 요 : 높임의 대상인 상대방에게 존대의 뜻을 나타내는 조사.
Pas d'expression équivalente
Particule utilisée pour marquer la forme honorifique envers l'interlocuteur qui est un objet de respect.

행인 : 무슨 일+이+시+죠?

• **무슨 (Déterminant)** : 확실하지 않거나 잘 모르는 일, 대상, 물건 등을 물을 때 쓰는 말.
Pas d'expression équivalente
Terme utilisé pour souligner ce qui est insatisfasant contre toute attente.

• **일 (Nom)** : 해결하거나 처리해야 할 문제나 사항.
problème, chose, à faire
Question ou fait qu'il faut résoudre ou traiter.

• 이다 : 주어가 지시하는 대상의 속성이나 부류를 지정하는 뜻을 나타내는 서술격 조사.
Pas d'expression équivalente
Particule du cas prédicatif pour indiquer la caractéristique ou la catégorie d'un objet qui se rapporte au sujet d'une phrase.

• -시- : 어떤 동작이나 상태의 주체를 높이는 뜻을 나타내는 어미.
Pas d'expression équivalente
Terminaison signifiant le fait de montrer du respect à l'auteur d'une action ou d'un état.

• -죠 : (두루높임으로) 말하는 사람이 듣는 사람에게 친근함을 나타내며 물을 때 쓰는 종결 어미.
Pas d'expression équivalente
(forme honorifique non formelle) Terminaison finale utilisée par le locuteur pour s'adresser à un interlocuteur sur un ton de sympathie.

행인 : 아니, 방금 개+가 선생님 바지+에 오줌+을 싸+았+는데 왜 과자+를 주+ㅂ니까?
싸았는데 → 쌌는데　　주ㅂ니까 → 줍니까

• **아니 (Outil exclamatif)** : 놀라거나 감탄스러울 때, 또는 의심스럽고 이상할 때 하는 말.
hein ?, quoi ?
Exclamation utilisée quand on est surpris ou saisi d'admiration, ou quand quelque chose est douteux et étrange.

• **방금 (Adverbe)** : 말하고 있는 시점보다 바로 조금 전에.
(adv.) tout à l'heure, il y a un instant, juste
Juste avant le moment où on parle.

• **개 (Nom)** : 냄새를 잘 맡고 귀가 매우 밝으며 영리하고 사람을 잘 따라 사냥이나 애완 등의 목적으로 기르는 동물.
chien
Animal intelligent, ayant un bon nez et l'ouïe fine, se prenant facilement d'affection pour l'homme et étant élevé pour la chasse, la domestication, etc.

• 가 : 어떤 상태나 상황에 놓인 대상이나 동작의 주체를 나타내는 조사.
Pas d'expression équivalente
Particule qui indique l'objet d'un état ou d'une situation, ou le sujet d'une action.

• **선생님 (Nom)** : (높이는 말로) 나이가 어지간히 든 사람을 대접하여 이르는 말.
Monsieur, Madame
(forme honorifique) Terme pour désigner un adulte d'un âge assez avancé avec respect.

• **바지 (Nom)** : 위는 통으로 되고 아래는 두 다리를 넣을 수 있게 갈라진, 몸의 아랫부분에 입는 옷.
pantalon
Vêtement que l'on porte sur les membres inférieurs du corps, formé d'un tronc vers le haut, et de deux parties divisées vers le bas où l'on peut insérer les deux jambes.

• 에 : 앞말이 어떤 행위나 작용이 미치는 대상임을 나타내는 조사.
à, dans, sur, en
Particule indiquant que la proposition précédente (en coréen) est l'objet influencé par une action ou un effet.

• **오줌 (Nom)** : 혈액 속의 노폐물과 수분이 요도를 통하여 몸 밖으로 배출되는, 누렇고 지린내가 나는 액체.
urine, pipi
Liquide jaune ambrée avec une odeur désagréable, dont la fonction est l'élimination des déchets et de la partie aqueuse du sang qui sont évacués vers l'extérieur du corps par les voies urinaires.

• 을 : 동작이 직접적으로 영향을 미치는 대상을 나타내는 조사.
Pas d'expression équivalente
Particule indiquant un objet directement influencé par un acte.

• **싸다 (Verbe)** : 똥이나 오줌을 누다.
faire (ses besoins)
Déféquer ou uriner.

• -았- : 어떤 사건이 과거에 완료되었거나 그 사건의 결과가 현재까지 지속되는 상황을 나타내는 어미.
Pas d'expression équivalente
Terminaison indiquant qu'un évènement a été accompli dans le passé ou que le résultat de cet évènement perdure jusqu'à présent.

• -는데 : 뒤의 말을 하기 위하여 그 대상과 관련이 있는 상황을 미리 말함을 나타내는 연결 어미.
Pas d'expression équivalente
Terminaison connective indiquant le fait de parler à l'avance d'une situation en rapport avec l'objet des propos suivants.

• **왜 (Adverbe)** : 무슨 이유로. 또는 어째서.
pourquoi, dans quelle intention, à quelle fin
Pour quelle raison ; comment se fait-il que.

• **과자 (Nom)** : 밀가루나 쌀가루 등에 우유, 설탕 등을 넣고 반죽하여 굽거나 튀긴 간식.
biscuit, gâteau, pâtisserie, petit gâteau, coupe faim, collation, snack
Collation frite ou cuite faite avec un mélange de farine de blé ou de farine de riz, de lait, de sucre, etc.

• 를 : 동작이 직접적으로 영향을 미치는 대상을 나타내는 조사.
Pas d'expression équivalente
Particule indiquant un objet directement influencé par un acte.

• **주다 (Adverbe)** : 물건 등을 남에게 건네어 가지거나 쓰게 하다.
donner, offrir, allouer
Passer un objet ou autre à autrui pour qu'il le possède ou l'utilise.

• -ㅂ니까 : (아주높임으로) 말하는 사람이 듣는 사람에게 정중하게 물음을 나타내는 종결 어미.
Pas d'expression équivalente
(forme honorifique très marquée) Terminaison finale indiquant que le locuteur pose poliment une question à un interlocuteur.

행인 : 저 같+으면 개 머리+를 한 대 때리+었+[을 텐데] 이해+가 안 가+네요. **때렸을 텐데**

• **저 (Pronom)** : 말하는 사람이 듣는 사람에게 자신을 낮추어 가리키는 말.
moi, je
Terme utilisé par le locuteur pour se désigner en s'abaissant.

• **같다 (Adjectif)** : '어떤 상황이나 조건이라면'의 뜻을 나타내는 말.
Pas d'expression équivalente
Terme signifiant
« Si la situation en question est telle ou si une certaine condition s'impose ».

• -으면 : 뒤에 오는 말에 대한 근거나 조건이 됨을 나타내는 연결 어미.
Pas d'expression équivalente
Terminaison connective indiquant une chose qui constitue le fondement ou la condition des propos suivants.

• **개 (Nom)** : 냄새를 잘 맡고 귀가 매우 밝으며 영리하고 사람을 잘 따라 사냥이나 애완 등의 목적으로 기르는 동물.
chien
Animal intelligent, ayant un bon nez et l'ouïe fine, se prenant facilement d'affection pour l'homme et étant élevé pour la chasse, la domestication, etc.

• **머리 (Nom)** : 사람이나 동물의 몸에서 얼굴과 머리털이 있는 부분을 모두 포함한 목 위의 부분.
tête, crâne, chef
Dans le corps humain ou animal, partie supérieure du cou comprenant le visage et la partie où les cheveux poussent.

• 를 : 동작이 직접적으로 영향을 미치는 대상을 나타내는 조사.
Pas d'expression équivalente
Particule indiquant un objet directement influencé par un acte.

• **한 (Déterminant)** : 하나의.
un
D'un.

• **대 (Nom)** : 때리는 횟수를 세는 단위.
Pas d'expression équivalente
Nom dépendant, quantificateur pour compter le nombre de coups (assénés).

• **때리다 (Verbe)** : 손이나 손에 든 물건으로 아프게 치다.
battre, donner, asséner, frapper, taper, cogner, rouer,infliger, assommer, gifler, fustiger, claquer, flageller, fouetter
Frapper quelqu'un avec les mains ou avec un objet qu'on tient dans les mains, en le faisant souffrir.

• -었- : 사건이 과거에 일어났음을 나타내는 어미.
Pas d'expression équivalente
Terminaison indiquant qu'un évènement s'est produit dans le passé.

• -을 텐데 : 앞에 오는 말에 대하여 말하는 사람의 강한 추측을 나타내면서 그와 관련되는 내용을 이어 말할 때 쓰는 표현.
Pas d'expression équivalente
Expression indiquant une forte supposition du locuteur quant aux propos précédents, tout en poursuivant sur un sujet qui leur est lié.

• **이해 (Nom)** : 무엇이 어떤 것인지를 앎. 또는 무엇이 어떤 것이라고 받아들임.
compréhension, connaissance
Fait de savoir ce qu'est une chose ; fait d'accepter une chose comme telle.

• 가 : 어떤 상태나 상황에 놓인 대상이나 동작의 주체를 나타내는 조사.
Pas d'expression équivalente
Particule qui indique l'objet d'un état ou d'une situation, ou le sujet d'une action.

• **안 (adverbe)** : 부정이나 반대의 뜻을 나타내는 말.
Pas d'expression équivalente
Terme désignant une négation ou une opposition.

• **가다 (Verbe)** : 어떤 것에 대해 생각이나 이해가 되다.
deviner, prévoir, supposer, évaluer, estimer, mesurer, comprendre, arriver à se faire un jugement.
Parvenir à penser à quelque chose ou à le comprendre.

• -네요 : (두루높임으로) 말하는 사람이 직접 경험하여 새롭게 알게 된 사실에 대해 감탄함을 나타낼 때 쓰는 표현.

Pas d'expression équivalente

(forme honorifique non formelle) Expression pour indiquer que le locuteur parle d'une chose nouvelle dont il a fait l'expérience lui-même, sur un ton d'exclamation.

맹인 : 개+한테 과자+를 주+어야 머리+가 어디 있+는지 알(아)+[ㄹ 수 있]+잖아요.
쥐야　　　　　　　　　　알 수 있잖아요

• **개 (Nom)** : 냄새를 잘 맡고 귀가 매우 밝으며 영리하고 사람을 잘 따라 사냥이나 애완 등의 목적으로 기르는 동물.

chien

Animal intelligent, ayant un bon nez et l'ouïe fine, se prenant facilement d'affection pour l'homme et étant élevé pour la chasse, la domestication, etc.

• 한테 : 어떤 행동이 미치는 대상임을 나타내는 조사.

à quelqu'un

Particule exprimant que le mot précédent est l'objet d'une action.

• **과자 (Nom)** : 밀가루나 쌀가루 등에 우유, 설탕 등을 넣고 반죽하여 굽거나 튀긴 간식.

biscuit, gâteau, pâtisserie, petit gâteau, coupe faim, collation, snack

Collation frite ou cuite faite avec un mélange de farine de blé ou de farine de riz, de lait, de sucre, etc.

• 를 : 동작이 직접적으로 영향을 미치는 대상을 나타내는 조사.

Pas d'expression équivalente

Particule indiquant un objet directement influencé par un acte.

• **주다 (Verbe)** : 물건 등을 남에게 건네어 가지거나 쓰게 하다.

donner, offrir, allouer

Passer un objet ou autre à autrui pour qu'il le possède ou l'utilise.

• -어야 : 앞에 오는 말이 뒤에 오는 말에 대한 필수적인 조건임을 나타내는 연결 어미.

Pas d'expression équivalente

Terminaison connective indiquant que les propos précédents constituent une condition indispensable des propos suivants.

• **머리 (Nom)** : 사람이나 동물의 몸에서 얼굴과 머리털이 있는 부분을 모두 포함한 목 위의 부분.

tête, crâne, chef

Dans le corps humain ou animal, partie supérieure du cou comprenant le visage et la partie où les cheveux poussent.

• 가 : 어떤 상태나 상황에 놓인 대상이나 동작의 주체를 나타내는 조사.
Pas d'expression équivalente
Particule qui indique l'objet d'un état ou d'une situation, ou le sujet d'une action.

• **어디 (Pronom)** : 모르는 곳을 가리키는 말.
Pas d'expression équivalente
Terme désignant un lieu inconnu.

• **있다 (Adjectif)** : 무엇이 어떤 곳에 자리나 공간을 차지하고 존재하는 상태이다.
(adj.) il y a, y avoir
(Chose) Qui occupe une place ou un espace, et qui existe.

• -는지 : 뒤에 오는 말의 내용에 대한 막연한 이유나 판단을 나타내는 연결 어미.
Pas d'expression équivalente
Terminaison connective indiquant une raison vague ou un jugement vague sur le contenu des propos suivants.

• **알다 (Verbe)** : 교육이나 경험, 생각 등을 통해 사물이나 상황에 대한 정보 또는 지식을 갖추다.
savoir, connaître, apprendre
Acquérir une information ou une connaissance sur un objet ou sur une situation par l'éducation, l'expérience, la réflexion, etc.

• -ㄹ 수 있다 : 어떤 행동이나 상태가 가능함을 나타내는 표현.
Pas d'expression équivalente
Expression indiquant qu'une action ou un état est possible.

• -잖아요 : (두루높임으로) 어떤 상황에 대해 말하는 사람이 상대방에게 확인하거나 정정해 주듯이 말함을 나타내는 표현.
Pas d'expression équivalente
(forme honorifique non formelle) Expression pour indiquer que le locuteur parle d'une situation en la vérifiant auprès de l'interlocuteur ou en corrigeant ce dernier.

< 6 단원(chapitre) >

제목 : 왜 아버지 직업을 수산업이라고 적었니?

● 본문 (texte primitif)

서울의 한 초등학교에서 가정 환경 조사를 실시하였다.

담임 선생님이 학생들이 제출한 자료를 꼼꼼히 살펴보고 있었다.

잠시 후 고개를 갸우뚱거리시더니 한 학생에게 물었다.

선생님 : 아버님이 선장이시니?

학생 : 아뇨.

선생님 : 그럼 어부시니?

학생 : 아니요.

선생님 : 그럼 양식 사업하시니?

학생 : 아닌데요.

선생님 : 그런데 왜 아버지 직업을 수산업이라고 적었니?

학생 : 우리 아버지는 학교 앞에서 붕어빵을 구우시거든요.

맛있어서 엄청 많이 팔려요.

선생님도 한번 드셔 보실래요?

● 발음 (prononciation)

서울의 한 초등학교에서 가정 환경 조사를 실시하였다.
서울의 한 초등학꾜에서 가정 환경 조사를 실씨하엳따.
seourui han chodeunghakgyoeseo gajeong hwangyeong josareul silsihayeotda.

담임 선생님이 학생들이 제출한 자료를 꼼꼼히 살펴보고 있었다.
다밈 선생니미 학쌩드리 제출한 자료를 꼼꼼히 살펴보고 이썯따.
damim seonsaengnimi haksaengdeuri jechulhan jaryoreul kkomkkomhi salpyeobogo isseotda.

잠시 후 고개를 갸우뚱거리시더니 한 학생에게 물었다.
잠시 후 고개를 갸우뚱거리시더니 한 학쌩에게 무럳따.
jamsi hu gogaereul gyauttunggeorisideoni han haksaengege mureotda.

선생님 : 아버님이 선장이시니?
선생님 : 아버니미 선장이시니?
seonsaengnim : abeonimi seonjangisini?

학생 : 아뇨.
학쌩 : 아뇨.
haksaeng : anyo.

선생님 : 그럼 어부시니?
선생님 : 그럼 어부시니?
seonsaengnim : geureom eobusini?

학생 : 아니요.
학쌩 : 아니요.
haksaeng : aniyo.

선생님 : 그럼 양식 사업하시니?
선생님 : 그럼 양식 사어파시니?
seonsaengnim : geureom yangsik saeopasini?

학생 : 아닌데요.
학쌩 : 아닌데요.
haksaeng : anindeyo.

선생님 : 그런데 왜 아버지 직업을 수산업이라고 적었니?
선생님 : 그런데 왜 아버지 지거블 수사너비라고 저건니?
seonsaengnim : geureonde wae abeoji jigeobeul susaneobirago jeogeonni?

학생 : 우리 아버지는 학교 앞에서 붕어빵을 구우시거든요.
학쌩 : 우리 아버지는 학꾜 아페서 붕어빵을 구우시거드뇨.
haksaeng : uri abeojineun hakgyo apeseo bungeoppangeul guusigeodeunyo.

맛있어서 엄청 많이 팔려요.
마시써서 엄청 마니 팔려요.
masisseoseo eomcheong mani pallyeoyo.

선생님도 한번 드셔 보실래요?
선생님도 한번 드셔 보실래요?
seonsaengnimdo hanbeon deusyeo bosillaeyo?

● 어휘 (vocabulaire) / 문법 (règle de grammaire)

서울+의 한 초등학교+에서 가정 환경 조사+를 실시하+였+다.

담임 선생+님+이 학생+들+이 제출하+ㄴ 자료+를 꼼꼼히 살펴보+고 있+었+다.

잠시 후 고개+를 갸우뚱거리+시+더니 한 학생+에게 묻(물)+었+다.

선생님 : 아버님+이 선장+이+시+니?

학생: 아뇨.

선생님 : 그럼 어부+(이)+시+니?

학생 : 아니요.

선생님 : 그럼 양식 사업하+시+니?

학생 : 아니+ㄴ데요.

선생님 : 그런데 왜 아버지 직업+을 수산업+이라고 적+었+니?

학생 : 우리 아버지+는 학교 앞+에서 붕어빵+을 굽(구우)+시+거든요.

맛있+어서 엄청 많이 팔리+어요.

선생님+도 한번 들(드)+시+어 보+시+ㄹ래요?

서울+의 한 초등학교+에서 가정 환경 조사+를 실시하+였+다.

• **서울 (Nom)** : 한반도 중앙에 있는 특별시. 한국의 수도이자 정치, 경제, 산업, 사회, 문화, 교통의 중심지이다. 북한산, 관악산 등의 산에 둘러싸여 있고 가운데로는 한강이 흐른다.
Seoul, Séoul
Ville désignée comme "ville spéciale" dans l'administration coréenne, située au centre de la péninsule coréenne. Elle est la capitale de la Corée du Sud et le centre politique, économique, industriel, social, culturel et des transports. Elle est entourée par le mont Bukhansan, le mont Gwanaksan, etc., et traversée par le fleuve Hangang.

• 의 : 앞의 말이 뒤의 말에 대하여 소유, 소속, 소재, 관계, 기원, 주체의 관계를 가짐을 나타내는 조사.
Pas d'expression équivalente
Particule pour indiquer que la proposition précédente prend une relation de possession, d'appartenance, d'emplacement, de relation, d'origine ou de sujet d'action par rapport à la proposition suivante.

• **한 (Déterminant)** : 여럿 중 하나인 어떤.
quelconque, un, certain
Un parmi plusieurs.

• **초등학교 (Nom)** : 학교 교육의 첫 번째 단계로 만 여섯 살에 입학하여 육 년 동안 기본 교육을 받는 학교.
école primaire
Établissement scolaire dans lequel l'élève entre à l'âge de six ans pour l'apprentissage de base durant six années, représentant la première étape de l'enseignement scolaire.

• 에서 : 앞말이 주어임을 나타내는 조사.
Pas d'expression équivalente
Particule indiquant que la proposition précédente est le sujet de la phrase.

• **가정 환경 (Nom)** : 가정의 분위기나 조건.
Environnement familial
Milieu familial, ou ambiance familiale.

• **조사 (Nom)** : 어떤 일이나 사물의 내용을 알기 위하여 자세히 살펴보거나 찾아봄.
enquête, investigation, étude, examen
Action d'examiner ou de regarder attentivement le contenu d'une affaire ou d'une chose.

• 를 : 동작이 직접적으로 영향을 미치는 대상을 나타내는 조사.
Pas d'expression équivalente
Particule indiquant un objet directement influencé par un mouvement.

• **실시하다 (Verbe)** : 어떤 일이나 법, 제도 등을 실제로 행하다.
exécuter, mettre en vigueur
Réellement réaliser une chose ou mettre en application une loi, un système, etc.

• -였- : 어떤 사건이 과거에 완료되었거나 그 사건의 결과가 현재까지 지속되는 상황을 나타내는 어미.
Pas d'expression équivalente
Terminaison indiquant qu'un évènement a été accompli dans le passé ou que le résultat de cet évènement perdure jusqu'à présent.

• -다 : 어떤 사건이나 사실, 상태를 서술함을 나타내는 종결 어미.
Pas d'expression équivalente
(forme non honorifique très marquée) Terminaison finale employée pour décrire un événement, un fait ou un état.

담임 선생+님+이 학생+들+이 제출하+ㄴ 자료+를 꼼꼼히 살펴보+[고 있]+었+다. 제출한

• **담임 선생 (Nom)** : 한 반이나 한 학년을 책임지고 맡아서 가르치는 선생님.
professeur en charge d'une classe, professeur responsable d'une classe
Professeur qui enseigne en se chargeant d'une classe voire d'une année scolaire.

• 님 : '높임'의 뜻을 더하는 접미사.
Pas d'expression équivalente
Suffixe signifiant « respect ».

• 이 : 어떤 상태나 상황의 대상이나 동작의 주체를 나타내는 조사.
Pas d'expression équivalente
Particule qui indique l'objet d'un état ou d'une situation, ou le sujet d'une action.

• **학생 (Nom)** : 학교에 다니면서 공부하는 사람.
élève, étudiant(e)
Personne qui étude dans une école.

• 들 : '복수'의 뜻을 더하는 접미사.
Pas d'expression équivalente
Suffixe signifiant « pluriel ».

• 이 : 어떤 상태나 상황의 대상이나 동작의 주체를 나타내는 조사.
Pas d'expression équivalente
Particule qui indique l'objet d'un état ou d'une situation, ou le sujet d'une action.

• **제출하다 (Verbe)** : 어떤 안건이나 의견, 서류 등을 내놓다.
déposer
Présenter un sujet de discussion, une opinion, un dossier, etc.

• -ㄴ : 앞의 말이 관형어의 기능을 하게 만들고 사건이나 동작이 완료되어 그 상태가 유지되고 있음을 나타내는 어미.
Pas d'expression équivalente
Terminaison donnant la fonction de déterminant à la proposition précédente et indiquant que l'événement ou l'action en question est achevé et que cet état est maintenu.

• **자료 (Nom)** : 연구나 조사를 하는 데 기본이 되는 재료.
matériaux, documents, documentation, données, archives
Matériaux qui constituent la base d'une étude ou d'une recherche.

• 를 : 동작이 직접적으로 영향을 미치는 대상을 나타내는 조사.
Pas d'expression équivalente
Particule indiquant un objet directement influencé par un mouvement.

• **꼼꼼히 (Adverbe)** : 빈틈이 없이 자세하고 차분하게.
méticuleusement
De manière très minutieuse et calme.

• **살펴보다 (Verbe)** : 여기저기 빠짐없이 자세히 보다.
considérer, observer, examiner, inspecter
Regarder minutieusement de tous côtés sans rien omettre.

• -고 있다 : 앞의 말이 나타내는 행동이 계속 진행됨을 나타내는 표현.
Pas d'expression équivalente
Expression pour indiquer que l'action de la proposition précédente est toujours en cours.

• -었- : 어떤 사건이 과거에 완료되었거나 그 사건의 결과가 현재까지 지속되는 상황을 나타내는 어미.
Pas d'expression équivalente
Terminaison indiquant qu'un évènement a été accompli dans le passé ou que le résultat de cet évènement perdure jusqu'à présent.

• -다 : 어떤 사건이나 사실, 상태를 서술함을 나타내는 종결 어미.
Pas d'expression équivalente
(forme non honorifique très marquée) Terminaison finale employée pour décrire un événement, un fait ou un état.

잠시 후 고개+를 갸우뚱거리+시+더니 한 학생+에게 묻(물)+었+다.
물었다

• **잠시 (Nom)** : 잠깐 동안.
un instant
Pendant un temps très court.

• **후 (Nom)** : 얼마만큼 시간이 지나간 다음.
(n.) après
Après qu'une certaine durée est passée.

• **고개 (Nom)** : 목을 포함한 머리 부분.
cou, nuque
Partie de la tête composée du cou.

• 를 : 동작이 직접적으로 영향을 미치는 대상을 나타내는 조사.
Pas d'expression équivalente
Particule indiquant un objet directement influencé par un mouvement.

• **갸우뚱거리다 (Verbe)** : 물체가 자꾸 이쪽저쪽으로 기울어지며 흔들리다. 또는 그렇게 하다.
vaciller, se balancer, osciller
(Objet) Se balancer de façon répétée d'un côté et de l'autre ; rendre ainsi.

• -시- : 어떤 동작이나 상태의 주체를 높이는 뜻을 나타내는 어미.
Pas d'expression équivalente
Terminaison signifiant le fait de montrer du respect à l'auteur d'une action ou d'un état.

• -더니 : 과거의 사실이나 상황에 뒤이어 어떤 사실이나 상황이 일어남을 나타내는 연결 어미.
Pas d'expression équivalente
Terminaison connective indiquant qu'un fait ou une situation succède à un fait ou une situation passé(e).

• **한 (Déterminant)** : 여럿 중 하나인 어떤.
quelconque, un, certain
Un parmi plusieurs.

• **학생 (Nom)** : 학교에 다니면서 공부하는 사람.
élève, étudiant(e)
Personne qui étude dans une école.

• 에게 : 어떤 행동이 미치는 대상임을 나타내는 조사.
Pas d'expression équivalente
Particule indiquant l'objet affecté par une action.

• **묻다 (Verbe)** : 대답이나 설명을 요구하며 말하다.
interroger quelqu'un, demander quelque chose à quelqu'un
Parler en exigeant une réponse ou une explication.

• -었- : 어떤 사건이 과거에 완료되었거나 그 사건의 결과가 현재까지 지속되는 상황을 나타내는 어미.
Pas d'expression équivalente
Terminaison indiquant qu'un évènement a été accompli dans le passé ou que le résultat de cet évènement perdure jusqu'à présent.

• -다 : 어떤 사건이나 사실, 상태를 서술함을 나타내는 종결 어미.
Pas d'expression équivalente
(forme non honorifique très marquée) Terminaison finale employée pour décrire un événement, un fait ou un état.

선생님 : 아버님+이 선장+이+시+니?
학생 : 아뇨.

• **아버님 (Nom)** : (높임말로) 자기를 낳아 준 남자를 이르거나 부르는 말.
père
(forme honorifique) Terme pour désigner ou s'adresser à son propre père.

• 이 : 어떤 상태나 상황의 대상이나 동작의 주체를 나타내는 조사.
Pas d'expression équivalente
Particule qui indique l'objet d'un état ou d'une situation, ou le sujet d'une action.

• **선장 (Nom)** : 배에 탄 선원들을 감독하고, 배의 항해와 사무를 책임지는 사람.
capitaine, patron d'un navire, commandant
Personne qui contrôle les matelots à bord d'un navire et qui est responsable de la navigation et des affaires administratives de ce navire.

• 이다 : 주어가 지시하는 대상의 속성이나 부류를 지정하는 뜻을 나타내는 서술격 조사.
Pas d'expression équivalente
Particule du cas prédicatif pour indiquer la caractéristique ou la catégorie d'un objet qui se rapporte au sujet d'une phrase.

• -시- : 어떤 동작이나 상태의 주체를 높이는 뜻을 나타내는 어미.
Pas d'expression équivalente
Terminaison signifiant le fait de montrer du respect à l'auteur d'une action ou d'un état.

• -니 : (아주낮춤으로) 물음을 나타내는 종결 어미.
Pas d'expression équivalente
(forme non honorifique très marquée) Terminaison finale indiquant une interrogation.

• **아뇨 (Outil exclamatif)** : 윗사람이 묻는 말에 대하여 부정하며 대답할 때 쓰는 말.
non (vouvoiement)
Exclamation utilisée lorsqu'on répond négativement à une question posée par un supérieur.

선생님 : 그럼 어부+(이)+시+니? **어부시니** **학생 : 아니요.**

• **그럼 (Adverbe)** : 앞의 내용을 받아들이거나 그 내용을 바탕으로 하여 새로운 주장을 할 때 쓰는 말.
alors, en effet
Terme utilisé lorsqu'on accepte les propos qui ont été dits auparavant ou lorsqu' on veut présenter un nouvel argument sur la base de ces propos.

• **어부 (Nom)** : 물고기를 잡는 일을 직업으로 하는 사람.
pêcheur(se)
Personne dont le métier est d'attraper des poissons.

• 이다 : 주어가 지시하는 대상의 속성이나 부류를 지정하는 뜻을 나타내는 서술격 조사.
Pas d'expression équivalente
Particule du cas prédicatif pour indiquer la caractéristique ou la catégorie d'un objet qui se rapporte au sujet d'une phrase.

• -시- : 어떤 동작이나 상태의 주체를 높이는 뜻을 나타내는 어미.
Pas d'expression équivalente
Terminaison signifiant le fait de montrer du respect à l'auteur d'une action ou d'un état.

• -니 : (아주낮춤으로) 물음을 나타내는 종결 어미.
Pas d'expression équivalente
(forme non honorifique très marquée) Terminaison finale indiquant une interrogation.

• **아니요 (Outil exclamatif)** : 윗사람이 묻는 말에 대하여 부정하며 대답할 때 쓰는 말.
non (vouvoiement)
Exclamation utilisée pour répondre négativement à une question posée par un supérieur.

선생님 : 그럼 양식 사업하+시+니? 학생 : 아니+ㄴ데요. 아닌데요

• **그럼 (Adverbe)** : 앞의 내용을 받아들이거나 그 내용을 바탕으로 하여 새로운 주장을 할 때 쓰는 말.
alors, en effet
Terme utilisé lorsqu'on accepte les propos qui ont été dits auparavant ou lorsqu' on veut présenter un nouvel argument sur la base de ces propos.

• **양식 (Nom)** : 물고기, 김, 미역, 버섯 등을 인공적으로 길러서 번식하게 함.
culture, élevage
Fait d'élever artificiellement des poissons, des algues noires ou brunes, des champignons, etc. et de les faire se reproduire.

• **사업하다 (Verbe)** : 경제적 이익을 얻기 위하여 어떤 조직을 경영하다.
faire un projet, mener un projet
Gérer une organisation pour obtenir des bénéfices économiques.

• -시- : 어떤 동작이나 상태의 주체를 높이는 뜻을 나타내는 어미.
Pas d'expression équivalente
Terminaison signifiant le fait de montrer du respect à l'auteur d'une action ou d'un état.

• -니 : (아주낮춤으로) 물음을 나타내는 종결 어미.
Pas d'expression équivalente
(forme non honorifique très marquée) Terminaison finale indiquant une interrogation.

• **아니다 (Adjectif)** : 어떤 사실이나 내용을 부정하는 뜻을 나타내는 말.
Pas d'expression équivalente
Terme exprimant la négation d'un fait ou d'un contenu.

• -ㄴ데요 : (두루높임으로) 어떤 상황을 전달하여 듣는 사람의 반응을 기대함을 나타내는 표현.
Pas d'expression équivalente
(forme honorifique non formelle) Expression indiquant que l'on attend une réaction de l'interlocuteur en lui transmettant une situation.

선생님 : 그런데 왜 아버지 직업+을 수산업+이라고 적+었+니?

• **그런데 (Adverbe)** : 이야기를 앞의 내용과 관련시키면서 다른 방향으로 바꿀 때 쓰는 말.
en fait, alors
Terme employé pour changer la direction d'une conversation, en la reliant aux éléments énoncés auparavant.

• **왜 (Adverbe)** : 무슨 이유로. 또는 어째서.
pourquoi, dans quelle intention, à quelle fin
Pour quelle raison ; comment se fait-il que.

• **아버지 (Nom)** : 자기를 낳아 준 남자를 이르거나 부르는 말.
père
Terme pour désigner ou s'adresser à son propre père.

• **직업 (Nom)** : 보수를 받으면서 일정하게 하는 일.
profession, métier, carrière, emploi
Tâche régulière effectuée en contrepartie d'un salaire.

• 을 : 동작이 직접적으로 영향을 미치는 대상을 나타내는 조사.
Pas d'expression équivalente
Particule indiquant un objet directement influencé par un mouvement.

• **수산업 (Nom)** : 바다나 강 등의 물에서 나는 생물을 잡거나 기르거나 가공하는 등의 산업.
industrie des produits de la mer
Industrie spécialisée dans la pêche d'espèces aquatiques (vivant dans les mers, les rivières, etc), leur élevage, leur transformation, etc.

• 이라고 : 앞의 말이 원래 말해진 그대로 인용됨을 나타내는 조사.
Pas d'expression équivalente
Particule montrant que la proposition précédente est une citation directe.

• **적다 (Verbe)** : 어떤 내용을 글로 쓰다.
rédiger, composer, noter, prendre note, dicter
Écrire quelque chose.

• -었- : 어떤 사건이 과거에 완료되었거나 그 사건의 결과가 현재까지 지속되는 상황을 나타내는 어미.
Pas d'expression équivalente
Terminaison indiquant qu'un évènement a été accompli dans le passé ou que le résultat de cet évènement perdure jusqu'à présent.

• -니 : (아주낮춤으로) 물음을 나타내는 종결 어미.
Pas d'expression équivalente
(forme non honorifique très marquée) Terminaison finale indiquant une interrogation.

학생 : 우리 아버지+는 학교 앞+에서 붕어빵+을 굽(구우)+시+거든요.
구우시거든요

• **우리 (Pronom)** : 말하는 사람이 자기보다 높지 않은 사람에게 자기와 관련된 것을 친근하게 나타낼 때 쓰는 말.
(pro.) notre, nos, mon, ma, mes
Terme utilisé par le locuteur pour désigner affectueusement quelque chose lié à lui-même, lorsqu'il s'adresse à quelqu'un qui occupe une position moins élevée que lui.

• **아버지 (Nom)** : 자기를 낳아 준 남자를 이르거나 부르는 말.
père
Terme pour désigner ou s'adresser à son propre père.

• 는 : 문장 속에서 어떤 대상이 화제임을 나타내는 조사.
Pas d'expression équivalente
Particule indiquant qu'un objet est le principal sujet d'une phrase.

• **학교 (Nom)** : 일정한 목적, 교과 과정, 제도 등에 의하여 교사가 학생을 가르치는 기관.
école, établissement scolaire, établissement d'enseignement, école primaire, collège, lycée, université, institution
Organisme dans lequel des enseignants instruisent des élèves selon un certain objectif, un certain programme d'enseignement, un certain système, etc.

• **앞 (Nom)** : 향하고 있는 쪽이나 곳.
l'avant, le devant
Direction ou lieu vers lequel (laquelle) se dirige quelqu'un ou quelque chose.

• 에서 : 앞말이 행동이 이루어지고 있는 장소임을 나타내는 조사.
à, dans, en, chez
Particule indiquant que la proposition précédente est le lieu où se passe une action.

• **붕어빵 (Nom)** : 붕어 모양 풀빵
붕어
carassin
Poisson d'eau douce qui a un corps large et plat, et un dos généralement de couleur brun-jaune avec de grandes écailles.
모양
forme, configuration, apparence, aspect, air
Physionomie ou apparence.
풀빵
pulppang
Pain à base de pâte de farine de blé molle fourré de pâte de haricot rouge, etc. et cuit dans un moule avec des motifs.

• 을 : 동작이 직접적으로 영향을 미치는 대상을 나타내는 조사.
Pas d'expression équivalente
Particule indiquant un objet directement influencé par un mouvement.

• **굽다 (Verbe)** : 음식을 불에 익히다.
griller, rôtir
Cuire un aliment au feu.

• -시- : 어떤 동작이나 상태의 주체를 높이는 뜻을 나타내는 어미.
Pas d'expression équivalente
Terminaison signifiant le fait de montrer du respect à l'auteur d'une action ou d'un état.

• -거든요 : (두루높임으로) 앞의 내용에 대해 말하는 사람이 생각한 이유나 원인, 근거를 나타내는 표현.
Pas d'expression équivalente
(forme honorifique non formelle) Expression indiquant la raison, la cause ou le fondement de ce que pense le locuteur sur le contenu précédent.

학생 : 맛있+어서 엄청 많이 팔리+어요.
팔려요

• **맛있다 (Adjectif)** : 맛이 좋다.
délicieux, bon
Dont le goût est bon.

• -어서 : 이유나 근거를 나타내는 연결 어미.
Pas d'expression équivalente
Terminaison connective indiquant une raison ou une base.

• **엄청 (Adverbe)** : 양이나 정도가 아주 지나치게.
très, extraordinairement, extrêmement, exagérément, excessivement, démesurément, énormément, prodigieusement
(Quantité ou degré) À l'excès.

• **많이 (Adverbe)** : 수나 양, 정도 등이 일정한 기준보다 넘게.
beaucoup
(Nombre, quantité, degré, etc.) De manière à être au-delà d'un critère donné.

• **팔리다 (Verbe)** : 값을 받고 물건이나 권리가 다른 사람에게 넘겨지거나 노력 등이 제공되다.
être vendu
(Objet, droit, etc.) Être donné ou (effort) être offert en échange d'un prix.

• -어요 : (두루높임으로) 어떤 사실을 서술하거나 질문, 명령, 권유함을 나타내는 종결 어미.
Pas d'expression équivalente
(forme honorifique non formelle) Terminaison finale pour décrire un fait ou pour indiquer une question, un ordre ou une recommandation.

학생 : 선생님+도 한번 들(드)+시+[어 보]+시+ㄹ래요?
드셔 보실래요

• **선생님 (Nom)** : (높이는 말로) 학생을 가르치는 사람.
professeur
(forme honorifique) Personne qui enseigne à des élèves.

• 도 : 이미 있는 어떤 것에 다른 것을 더하거나 포함함을 나타내는 조사.
Pas d'expression équivalente
Particule indiquant qu'une chose est ajoutée ou comprise dans une autre qui existe déjà.

• **한번 (Adverbe)** : 어떤 일을 시험 삼아 시도함을 나타내는 말.
une fois
Terme pour indiquer que l'on tente une chose pour essayer.

• **들다 (Verbe)** : (높임말로) 먹다.
manger, prendre, boire, se servir
(forme honorifique) Manger.

• -시- : 어떤 동작이나 상태의 주체를 높이는 뜻을 나타내는 어미.
Pas d'expression équivalente
Terminaison signifiant le fait de montrer du respect à l'auteur d'une action ou d'un état.

• -어 보다 : 앞의 말이 나타내는 행동을 시험 삼아 함을 나타내는 표현.
Pas d'expression équivalente
Expression indiquant le fait d'essayer de réaliser une action exprimée par les propos précédents.

• -시- : 어떤 동작이나 상태의 주체를 높이는 뜻을 나타내는 어미.
Pas d'expression équivalente
Terminaison signifiant le fait de montrer du respect à l'auteur d'une action ou d'un état.

• -ㄹ래요 : (두루높임으로) 앞으로 어떤 일을 하려고 하는 자신의 의사를 나타내거나 그 일에 대하여 듣는 사람의 의사를 물어봄을 나타내는 표현.

Pas d'expression équivalente
(forme honorifique non formelle) Expression pour indiquer l'intention du locuteur d'entreprendre quelque chose ou pour demander l'avis d'un interlocuteur à ce sujet.

< 7 단원(chapitre) >

제목 : 도대체 어디가 아픈지 잘 모르겠어요.

● 본문 (texte primitif)

교통사고를 당한 사람이 진찰을 받으러 병원에 갔다.

환자 : 의사 선생님, 도대체 어디가 아픈지 잘 모르겠어요.

의사 : 일단 손가락으로 여기저기 한번 눌러 보세요.

환자 : 어디를 눌러도 까무러칠 만큼 아파요.

의사 : 제가 한번 눌러 볼게요.

어떠세요?

환자 : 그다지 아픈 것 같지 않은데요.

결국 그 환자는 다른 병원을 찾아 갔지만 역시 아픈 곳을 정확히 찾지 못했다.

답답했던 그 환자는 어느 한의원에 들어갔다.

환자 : 정확히 어디가 아픈지 잘 모르겠지만 어디를 눌러 봐도 아파 죽겠어요.

제발 좀 찾아 주세요.

한의사 선생님은 의미심장한 표정을 지으며 말했다.

한의사 : 손가락이 부러지셨군요!

● 발음 (prononciation)

교통사고를 당한 사람이 진찰을 받으러 병원에 갔다.
교통사고를 당한 사라미 진차를 바드러 병워네 갇따.
gyotongsagoreul danghan sarami jinchareul badeureo byeongwone gatda.

환자 : 의사 선생님, 도대체 어디가 아픈지 잘 모르겠어요.
환자 : 의사 선생님, 도대체 어디가 아픈지 잘 모르게써요.
hwanja : uisa seonsaengnim, dodaeche eodiga apeunji jal moreugesseoyo.

의사 : 일단 손가락으로 여기저기 한번 눌러 보세요.
의사 : 일딴 손까라그로 여기저기 한번 눌러 보세요.
uisa : ildan songarageuro yeogijeogi hanbeon nulleo boseyo.

환자 : 어디를 눌러도 까무러칠 만큼 아파요.
환자 : 어디를 눌러도 까무러칠 만큼 아파요.
hwanja : eodireul nulleodo kkamureochil mankeum apayo.

의사 : 제가 한번 눌러 볼게요.
의사 : 제가 한번 눌러 볼께요.
uisa : jega hanbeon nulleo bolgeyo.

어떠세요?
어떠세요?
eotteoseyo?

환자 : 그다지 아픈 것 같지 않은데요.
환자 : 그다지 아픈 건 갇찌 아는데요.
hwanja : geudaji apeun geot gatji aneundeyo.

결국 그 환자는 다른 병원을 찾아 갔지만 역시 아픈 곳을 정확히 찾지 못했다.
결국 그 환자는 다른 병워늘 차자 갇찌만 역씨 아픈 고슬 정화키 찯찌 모탣따.
gyeolguk geu hwanjaneun dareun byeongwoneul chaja gatjiman yeoksi apeun goseul jeonghwaki chatji motaetda.

답답했던 그 환자는 어느 한의원에 들어갔다.
답따팬떤 그 혼자는 어느 하니워네 드러갇따.
dapdapaetdeon geu hwanjaneun eoneu hanuiwone(haniwone) deureogatda.

환자 : 정확히 어디가 아픈지 잘 모르겠지만 어디를 눌러 봐도 아파 죽겠어요.
환자 : 정화키 어디가 아픈지 잘 모르겐찌만 어디를 눌러 봐도 아파 죽게써요.
hwanja : jeonghwaki eodiga apeunji jal moreugetjiman eodireul nulleo bwado apa jukgesseoyo.

제발 좀 찾아 주세요.
제발 좀 차자 주세요.
jebal jom chaja juseyo.

한의사 선생님은 의미심장한 표정을 지으며 말했다.
하니사 선생니믄 의미심장한 표정을 지으며 말핸따.
hanuisa(hanisa) seonsaengnimeun uimisimjanghan pyojeongeul jieumyeo malhaetda.

한의사 : 손가락이 부러지셨군요!
하니사 : 손까라기 부러지셛꾸뇨!
hanuisa(hanisa) : songaragi bureojisyeotgunyo!

● 어휘 (vocabulaire) / 문법 (règle de grammaire)

교통사고+를 당하+ㄴ 사람+이 진찰+을 받+으러 병원+에 가+았+다.

환자 : 의사 선생님, 도대체 어디+가 아프+ㄴ지 잘 모르+겠+어요.

의사 : 일단, 손가락+으로 여기저기 한번 누르(눌ㄹ)+어 보+세요.

환자 : 어디+를 누르(눌ㄹ)+어도 까무러치+ㄹ 만큼 아프(아ㅍ)+아요.

의사 : 그럼, 제+가 한번 누르(눌ㄹ)+어 보+ㄹ게요.

어떻(어떠)+세요?

환자 : 그다지 아프+ㄴ 것 같+지 않+은데요.

결국 그 환자+는 다른 병원+을 찾아가+았+지만 역시 아프+ㄴ 곳+을 정확히 찾+지 못하+였+다.

답답하+였던 그 환자+는 어느 한의원+에 들어가+았+다.

환자 : 정확히 어디+가 아프+ㄴ지 잘 모르+겠+지만

어디+를 누르(눌ㄹ)+어 보+아도 아프(아ㅍ)+아 죽+겠+어요.

제발 좀 찾+아 주+세요.

한의사 선생님+은 의미심장하+ㄴ 표정+을 짓(지)+으며 말하+였+다.

한의사 : 손가락+이 부러지+시+었+군요!

교통사고+를 당하+ㄴ 사람+이 진찰+을 받+으러 병원+에 가+았+다.
당한 갔다

• **교통사고 (nom)** : 자동차나 기차 등이 다른 교통 기관과 부딪치거나 사람을 치는 사고.
accident de la route, accident de la circulation
Accident dans lequel une voiture, un train, etc. heurte un autre moyen de transport ou une personne.

• 를 : 동작이 직접적으로 영향을 미치는 대상을 나타내는 조사.
Pas d'expression équivalente
Particule indiquant un objet directement influencé par un mouvement.

• **당하다 (verbe)** : 좋지 않은 일을 겪다.
subir, éprouver, essuyer
Subir une mauvaise chose.

• -ㄴ : 앞의 말이 관형어의 기능을 하게 만들고 사건이나 동작이 과거에 일어났음을 나타내는 어미.
Pas d'expression équivalente
Terminaison donnant la fonction de déterminant à la proposition précédente et indiquant que l'événement ou l'action en question s'est déroulé dans le passé.

• **사람 (nom)** : 생각할 수 있으며 언어와 도구를 만들어 사용하고 사회를 이루어 사는 존재.
homme, personne, gens, monsieur
Être pouvant penser, créer des langues, fabriquer des outils et vivre en société.

• 이 : 어떤 상태나 상황의 대상이나 동작의 주체를 나타내는 조사.
Pas d'expression équivalente
Particule qui indique l'objet d'un état ou d'une situation, ou le sujet d'une action.

• **진찰 (nom)** : 의사가 치료를 위하여 환자의 병이나 상태를 살핌.
consultation
Examen des pathologies ou de l'état d'un patient réalisé par un médecin dans un but thérapeutique.

• 을 : 동작이 직접적으로 영향을 미치는 대상을 나타내는 조사.
Pas d'expression équivalente
Particule indiquant un objet directement influencé par un acte.

• **받다 (verbe)** : 다른 사람이 하는 행동, 심리적인 작용 등을 당하거나 입다.
se faire
Subir l'influence physique ou psychologique, etc. de quelqu'un.

• -으러 : 가거나 오거나 하는 동작의 목적을 나타내는 연결 어미.
Pas d'expression équivalente
Terminaison connective indiquant le but d'un mouvement consistant à aller ou à venir.

• **병원 (nom)** : 시설을 갖추고 의사와 간호사가 병든 사람을 치료해 주는 곳.
hôpital, clinique
Établissement équipé des installations nécessaires, où les médecins et les infirmiers soignent les personnes malades.

• 에 : 앞말이 목적지이거나 어떤 행위의 진행 방향임을 나타내는 조사.
à, en, sur, dans
Particule indiquant que la proposition précédente (en coréen) est la destination ou la direction de progression d'une action.

• **가다 (verbe)** : 어떤 목적을 가지고 일정한 곳으로 움직이다.
aller, se rendre, partir, partir pour
Se déplacer pour aller à un certain endroit en ayant un certain objectif.

• -았- : 사건이 과거에 일어났음을 나타내는 어미.
Pas d'expression équivalente
Terminaison indiquant qu'un évènement s'est produit dans le passé.

• -다 : 어떤 사건이나 사실, 상태를 서술함을 나타내는 종결 어미.
Pas d'expression équivalente
Terminaison finale employée pour décrire un événement, un fait ou un état.

환자 : 의사 선생님, 도대체 어디+가 아프+ㄴ지 잘 모르+겠+어요.
아픈지

• **의사 (nom)** : 일정한 자격을 가지고서 병을 진찰하고 치료하는 일을 직업으로 하는 사람.
médecin, docteur
Personne qualifiée dont le métier est d'examiner et de soigner des malades.

• **선생님 (nom)** : 어떤 사람의 성이나 직업에 붙여 그 사람을 높이는 말.
Monsieur, Madame
Appellation ajoutée au nom de famille ou au titre de quelqu'un pour l'honorer.

• **도대체 (adverbe)** : 유감스럽게도 전혀.
absolument, complètement, totalement
Malheureusement pas du tout.

• **어디 (pronom)** : 모르는 곳을 가리키는 말.
Pas d'expression équivalente
Terme désignant un lieu inconnu.

• 가 : 어떤 상태나 상황에 놓인 대상이나 동작의 주체를 나타내는 조사.
Pas d'expression équivalente
Particule indiquant l'objet d'un état ou d'une situation, ou le sujet d'une action.

• **아프다 (adjectif)** : 다치거나 병이 생겨 통증이나 괴로움을 느끼다.
malade
Ressentir une douleur ou une souffrance en étant blessé ou ayant contracté une maladie.

• -ㄴ지 : 뒤에 오는 말의 내용에 대한 막연한 이유나 판단을 나타내는 연결 어미.
Pas d'expression équivalente
Terminaison connective indiquant une raison vague du contenu des propos suivants ou un jugement vague sur ce contenu.

• **잘 (adverbe)** : 분명하고 정확하게.
clairement, nettement
De manière claire et exacte.

• **모르다 (verbe)** : 사람이나 사물, 사실 등을 알지 못하거나 이해하지 못하다.
ignorer, ne pas savoir, ne pas connaître
Ne pas connaître ou comprendre une personne, un objet, un fait, etc.

• -겠- : 완곡하게 말하는 태도를 나타내는 어미.
Pas d'expression équivalente
Terminaison indiquant le fait de s'exprimer sous forme détournée.

• -어요 : (두루높임으로) 어떤 사실을 서술하거나 질문, 명령, 권유함을 나타내는 종결 어미.
Pas d'expression équivalente
(forme honorifique non formelle) Terminaison finale pour décrire un fait ou pour indiquer une question, un ordre ou une recommandation.

의사 : 일단, 손가락+으로 여기저기 한번 누르(눌ㄹ)+[어 보]+세요.
눌러 보세요

• **일단 (adverbe)** : 우선 먼저.
Pas d'expression équivalente
D'abord.

• **손가락 (nom)** : 사람의 손끝의 다섯 개로 갈라진 부분.
doigt, doigt de la main
Les cinq extremités de la main humaine.

• 으로 : 어떤 일의 수단이나 도구를 나타내는 조사.
à l'aide de, avec
Particule indiquant le moyen ou l'outil d'une action.

• **여기저기 (nom)** : 분명하게 정해지지 않은 여러 장소나 위치.
de toutes parts, de tous côtes, de tout côté, ça et là, par-ci par-là
Plusieurs endroits ou positions qui ne sont pas définis clairement.

• **한번 (adverbe)** : 어떤 일을 시험 삼아 시도함을 나타내는 말.
une fois
Terme pour indiquer que l'on tente une chose pour essayer.

• **누르다 (verbe)** : 물체의 전체나 부분에 대하여 위에서 아래로 힘을 주어 무게를 가하다.
presser, appuyer sur, pousser, maintenir, appuyer, tenir
Exercer une pression sur le dessus de l'ensemble ou d'une partie d'un objet.

• -어 보다 : 앞의 말이 나타내는 행동을 시험 삼아 함을 나타내는 표현.
Pas d'expression équivalente
Expression indiquant le fait d'essayer de réaliser une action exprimée par les propos précédents.

• -세요 : (두루높임으로) 설명, 의문, 명령, 요청의 뜻을 나타내는 종결 어미.
Pas d'expression équivalente
(forme honorifique non formelle) Terminaison finale pour indiquer une explication, une interrogation, un ordre ou une demande.

환자 : 어디+를 누르(눌ㄹ)+어도 까무러치+ㄹ 만큼 아프(아ㅍ)+아요.
눌러도 까무러칠 아파요

• **어디 (pronom)** : 정해져 있지 않거나 정확하게 말할 수 없는 어느 곳을 가리키는 말.
Pas d'expression équivalente
Terme désignant un lieu qui n'est pas encore déterminé, ou que l'on ne peut pas préciser.

• 를 : 동작이 직접적으로 영향을 미치는 대상을 나타내는 조사.
Pas d'expression équivalente
Particule indiquant un objet directement influencé par un mouvement.

• **누르다 (verbe)** : 물체의 전체나 부분에 대하여 위에서 아래로 힘을 주어 무게를 가하다.
presser, appuyer sur, pousser, maintenir, appuyer, tenir
Exercer une pression sur le dessus de l'ensemble ou d'une partie d'un objet.

• -어도 : 앞에 오는 말을 가정하거나 인정하지만 뒤에 오는 말에는 관계가 없거나 영향을 끼치지 않음을 나타내는 연결 어미.
Pas d'expression équivalente
Terminaison connective indiquant que bien que l'on suppose ou reconnaisse les propos précédents, ceux-ci n'ont aucun rapport ou n'exercent aucune influence sur les propos suivants.

• **까무러치다 (verbe)** : 정신을 잃고 쓰러지다.
s'évanouir, défaillir, tomber en défaillance, se pâmer, tomber dans les pommes, se trouver mal, tomber en syncope, tourner de l'œil
S'effondrer en perdant connaissance.

• -ㄹ : 앞의 말이 관형어의 기능을 하게 만드는 어미.
Pas d'expression équivalente
Terminaison faisant fonctionner le mot précédent comme un déterminant.

• **만큼 (nom)** : 앞의 내용과 같은 양이나 정도임을 나타내는 말.
Pas d'expression équivalente
Nom dépendant indiquant que la quantité ou le degré sont plus ou moins égaux à ceux mentionnés précédemment.

• **아프다 (adjectif)** : 다치거나 병이 생겨 통증이나 괴로움을 느끼다.
malade
Ressentir une douleur ou une souffrance en étant blessé ou ayant contracté une maladie.

• -아요 : (두루높임으로) 어떤 사실을 서술하거나 질문, 명령, 권유함을 나타내는 종결 어미.
Pas d'expression équivalente
(forme honorifique non formelle) Terminaison finale pour décrire un fait ou pour indiquer une question, un ordre ou une recommandation.

의사 : 그럼, 제+가 한번 누르(눌ㄹ)+[어 보]+ㄹ게요. 어떻(어떠)+세요?
눌러 볼게요 어떠세요

• **그럼 (adverbe)** : 앞의 내용을 받아들이거나 그 내용을 바탕으로 하여 새로운 주장을 할 때 쓰는 말.
alors, en effet
Terme utilisé lorsqu'on accepte les propos qui ont été dits auparavant ou lorsqu' on veut présenter un nouvel argument sur la base de ces propos.

• **제 (pronom)** : 말하는 사람이 자신을 낮추어 가리키는 말인 '저'에 조사 '가'가 붙을 때의 형태.
Pas d'expression équivalente
Forme issue de l'ajout de la particule '가' au terme '저', utilisé par le locuteur qui se désigne lui-même en s'abaissant.

• 가 : 어떤 상태나 상황에 놓인 대상이나 동작의 주체를 나타내는 조사.
Pas d'expression équivalente
Particule indiquant l'objet d'un état ou d'une situation, ou le sujet d'une action.

• **한번 (adverbe)** : 어떤 일을 시험 삼아 시도함을 나타내는 말.
une fois
Terme pour indiquer que l'on tente une chose pour essayer.

• **누르다 (verbe)** : 물체의 전체나 부분에 대하여 위에서 아래로 힘을 주어 무게를 가하다.
presser, appuyer sur, pousser, maintenir, appuyer, tenir
Exercer une pression sur le dessus de l'ensemble ou d'une partie d'un objet.

• -어 보다 : 앞의 말이 나타내는 행동을 시험 삼아 함을 나타내는 표현.
Pas d'expression équivalente
Expression indiquant le fait d'essayer de réaliser une action exprimée par les propos précédents.

• -ㄹ게요 : (두루높임으로) 말하는 사람이 어떤 행동을 할 것을 듣는 사람에게 약속하거나 의지를 나타내는 표현.
Pas d'expression équivalente
(forme honorifique non formelle) Expression indiquant que le locuteur promet à son interlocuteur de faire une action ou lui montre sa volonté de le faire.

• **어떻다 (adjectif)** : 생각, 느낌, 상태, 형편 등이 어찌 되어 있다.
Pas d'expression équivalente
(Pensée, sentiment, état, situation, etc.) Qui est comme ceci ou comme cela.

• -세요 : (두루높임으로) 설명, 의문, 명령, 요청의 뜻을 나타내는 종결 어미.
Pas d'expression équivalente
(forme honorifique non formelle) Terminaison finale pour indiquer une explication, une interrogation, un ordre ou une demande.

환자 : 그다지 아프+[ㄴ 것 같]+[지 않]+은데요.
아픈 것 같지 않은데요

• **그다지 (adverbe)** : 대단한 정도로는. 또는 그렇게까지는.
tellement
(Dans un énoncé exprimant une négation) Énormément ; tant que ça.

• **아프다 (adjectif)** : 다치거나 병이 생겨 통증이나 괴로움을 느끼다.
malade
Ressentir une douleur ou une souffrance en étant blessé ou ayant contracté une maladie.

• -ㄴ 것 같다 : 추측을 나타내는 표현.
Pas d'expression équivalente
Expression exprimant la supposition.

• -지 않다 : 앞의 말이 나타내는 행위나 상태를 부정하는 뜻을 나타내는 표현.
Pas d'expression équivalente
Expression pour indiquer la négation d'une action ou d'un état précisé dans la proposition précédente.

• -은데요 : (두루높임으로) 의외라 느껴지는 어떤 사실을 감탄하여 말할 때 쓰는 표현.
Pas d'expression équivalente
(forme honorifique non formelle) Expression pour parler en s'exclamant d'un fait considéré inattendu.

결국 그 환자+는 다른 병원+을 찾아가+았+지만 역시 아프+ㄴ 곳+을 정확히 찾+[지 못하]+였+다.
찾아갔지만 아픈 찾지 못했다

• **결국 (adverbe)** : 일의 결과로.
(adv.) finalement, enfin, à la fin, après tout, au bout du compte, en fin de compte, en somme
En conséquence d'un évènement.

• **그 (déterminant)** : 앞에서 이미 이야기한 대상을 가리킬 때 쓰는 말.
ce, cette, ces
Terme désignant un objet précédemment évoqué.

• **환자 (nom)** : 몸에 병이 들거나 다쳐서 아픈 사람.
patient, malade
Personne atteinte d'une maladie ou personne malade à cause d'une blessure.

• 는 : 문장 속에서 어떤 대상이 화제임을 나타내는 조사.
Pas d'expression équivalente
Particule indiquant qu'un objet est le principal sujet d'une phrase.

• **다른 (déterminant)** : 해당하는 것 이외의.
autre, différent
Excepté ce qui est concerné.

• **병원 (nom)** : 시설을 갖추고 의사와 간호사가 병든 사람을 치료해 주는 곳.
hôpital, clinique
Établissement équipé des installations nécessaires, où les médecins et les infirmiers soignent les personnes malades.

• 을 : 동작의 도착지나 동작이 이루어지는 장소를 나타내는 조사.
Pas d'expression équivalente
Particule indiquant la destination d'une action ou l'endroit où elle se réalise.

• **찾아가다 (verbe)** : 사람을 만나거나 어떤 일을 하러 가다.
visiter, se rendre
Aller rencontrer quelqu'un ou faire quelque chose.

• -았- : 사건이 과거에 일어났음을 나타내는 어미.
Pas d'expression équivalente
Terminaison indiquant qu'un évènement s'est produit dans le passé.

• -지만 : 앞에 오는 말을 인정하면서 그와 반대되거나 다른 사실을 덧붙일 때 쓰는 연결 어미.
Pas d'expression équivalente
Terminaison connective utilisée pour reconnaître la proposition précédente, tout en rajoutant un fait contraire ou différent.

• **역시 (adverbe)** : 이전과 마찬가지로.
toujours, (adv.) comme toujours, comme d'habitude
Dans le même état qu'auparavant.

• **아프다 (adjectif)** : 다치거나 병이 생겨 통증이나 괴로움을 느끼다.
malade
Ressentir une douleur ou une souffrance en étant blessé ou ayant contracté une maladie.

• -ㄴ : 앞의 말이 관형어의 기능을 하게 만들고 현재의 상태를 나타내는 어미.
Pas d'expression équivalente
Terminaison donnant la fonction de déterminant à la proposition précédente et exprimant l'état présent.

• **곳 (nom)** : 일정한 장소나 위치.
endroit, lieu, place
Endroit ou emplacement donné.

• 을 : 동작이 직접적으로 영향을 미치는 대상을 나타내는 조사.
Pas d'expression équivalente
Particule indiquant un objet directement influencé par un acte.

• **정확히 (adverbe)** : 바르고 확실하게.
exactement, avec précision
De manière correcte et précise.

• **찾다 (verbe)** : 모르는 것을 알아내려고 노력하다. 또는 모르는 것을 알아내다.
chercher
S'efforcer à trouver une réponse à ce que l'on ne sait pas ; trouver une réponse à ce que l'on ne sait pas.

• -지 못하다 : 앞의 말이 나타내는 행동을 할 능력이 없거나 주어의 의지대로 되지 않음을 나타내는 표현.
Pas d'expression équivalente
Expression pour indiquer qu'on n'a pas la capacité à faire l'action de la proposition précédente ou que les choses ne se passent pas comme le voulait le sujet.

• -였- : 사건이 과거에 일어났음을 나타내는 어미.
Pas d'expression équivalente
Terminaison indiquant qu'un évènement s'est produit dans le passé.

• -다 : 어떤 사건이나 사실, 상태를 서술함을 나타내는 종결 어미.
Pas d'expression équivalente
Terminaison finale employée pour décrire un événement, un fait ou un état.

답답하+였던 그 환자+는 어느 한의원+에 들어가+았+다.
답답했던 **들어갔다**

• **답답하다 (adjectif)** : 근심이나 걱정으로 마음이 초조하고 속이 시원하지 않다.
inquiet, anxieux, nerveux, frustré
Rendu nerveux par l'inquiétude ou l'anxiété, qui ne se sent pas libre mais oppressé.

• -였던 : 과거의 사건이나 상태를 다시 떠올리거나 그 사건이나 상태가 완료되지 않고 중단되었다는 의미를 나타내는 표현.
Pas d'expression équivalente
Expression indiquant soit le fait de se rappeler un évènement ou un état du passé, soit le fait que cet événement ou état a été interrompu avant d'avoir pris fin.

• **그 (déterminant)** : 앞에서 이미 이야기한 대상을 가리킬 때 쓰는 말.
ce, cette, ces
Terme désignant un objet précédemment évoqué.

• **환자 (nom)** : 몸에 병이 들거나 다쳐서 아픈 사람.
patient, malade
Personne atteinte d'une maladie ou personne malade à cause d'une blessure.

• 는 : 문장 속에서 어떤 대상이 화제임을 나타내는 조사.
Pas d'expression équivalente
Particule indiquant qu'un objet est le principal sujet d'une phrase.

• **어느 (déterminant)** : 확실하지 않거나 분명하게 말할 필요가 없는 사물, 사람, 때, 곳 등을 가리키는 말.
un, certain, quelque
Terme désignant un objet, une personne, un moment, un lieu, etc. incertain(e) ou que l'on n'a pas besoin de préciser.

• **한의원 (nom)** : 우리나라 전통 의술로 환자를 치료하는 의원.
clinique de médecine traditionnelle coréenne
Clinique où l'on soigne les patients par les techniques médicales traditionnelles de la Corée.

• 에 : 앞말이 목적지이거나 어떤 행위의 진행 방향임을 나타내는 조사.
à, en, sur, dans
Particule indiquant que la proposition précédente (en coréen) est la destination ou la direction de progression d'une action.

• **들어가다 (verbe)** : 밖에서 안으로 향하여 가다.
entrer, pénétrer, arriver, s'engager, s'enfoncer
Passer de l'extérieur à l'intérieur d'un lieu.

• -았- : 사건이 과거에 일어났음을 나타내는 어미.
Pas d'expression équivalente
Terminaison indiquant qu'un évènement s'est produit dans le passé.

• -다 : 어떤 사건이나 사실, 상태를 서술함을 나타내는 종결 어미.
Pas d'expression équivalente
Terminaison finale employée pour décrire un événement, un fait ou un état.

환자 : 정확히 어디+가 아프+ㄴ지 잘 모르+겠+지만
아픈지

어디+를 누르(눌ㄹ)+[어 보]+아도 아프(아ㅍ)+[아 죽]+겠+어요.
눌러 보아도 아파 죽겠어요

• **정확히 (adverbe)** : 바르고 확실하게.
exactement, avec précision
De manière correcte et précise.

• **어디 (pronom)** : 모르는 곳을 가리키는 말.
Pas d'expression équivalente
Terme désignant un lieu inconnu.

• 가 : 어떤 상태나 상황에 놓인 대상이나 동작의 주체를 나타내는 조사.
Pas d'expression équivalente
Particule indiquant l'objet d'un état ou d'une situation, ou le sujet d'une action.

• **아프다 (adjectif)** : 다치거나 병이 생겨 통증이나 괴로움을 느끼다.
malade
Ressentir une douleur ou une souffrance en étant blessé ou ayant contracté une maladie.

• -ㄴ지 : 뒤에 오는 말의 내용에 대한 막연한 이유나 판단을 나타내는 연결 어미.
Pas d'expression équivalente
Terminaison connective indiquant une raison vague du contenu des propos suivants ou un jugement vague sur ce contenu.

• **잘 (adverbe)** : 분명하고 정확하게.
clairement, nettement
De manière claire et exacte.

• **모르다 (verbe)** : 사람이나 사물, 사실 등을 알지 못하거나 이해하지 못하다.
ignorer, ne pas savoir, ne pas connaître
Ne pas connaître ou comprendre une personne, un objet, un fait, etc.

• -겠- : 완곡하게 말하는 태도를 나타내는 어미.
Pas d'expression équivalente
Terminaison indiquant le fait de s'exprimer sous forme détournée.

• -지만 : 앞에 오는 말을 인정하면서 그와 반대되거나 다른 사실을 덧붙일 때 쓰는 연결 어미.
Pas d'expression équivalente
Terminaison connective utilisée pour reconnaître la proposition précédente, tout en rajoutant un fait contraire ou différent.

• **어디 (pronom)** : 정해져 있지 않거나 정확하게 말할 수 없는 어느 곳을 가리키는 말.
Pas d'expression équivalente
Terme désignant un lieu qui n'est pas encore déterminé, ou que l'on ne peut pas préciser.

• 를 : 동작이 직접적으로 영향을 미치는 대상을 나타내는 조사.
Pas d'expression équivalente
Particule indiquant un objet directement influencé par un mouvement.

• **누르다 (verbe)** : 물체의 전체나 부분에 대하여 위에서 아래로 힘을 주어 무게를 가하다.
presser, appuyer sur, pousser, maintenir, appuyer, tenir
Exercer une pression sur le dessus de l'ensemble ou d'une partie d'un objet.

• -어 보다 : 앞의 말이 나타내는 행동을 시험 삼아 함을 나타내는 표현.
Pas d'expression équivalente
Expression indiquant le fait d'essayer de réaliser une action exprimée par les propos précédents.

• -아도 : 앞에 오는 말을 가정하거나 인정하지만 뒤에 오는 말에는 관계가 없거나 영향을 끼치지 않음을 나타내는 연결 어미.
Pas d'expression équivalente
Terminaison connective indiquant que bien que l'on suppose ou reconnaisse les propos précédents, ceux-ci n'ont aucun rapport ou n'exercent aucune influence sur les propos suivants.

• **아프다 (adjectif)** : 다치거나 병이 생겨 통증이나 괴로움을 느끼다.
malade
Ressentir une douleur ou une souffrance en étant blessé ou ayant contracté une maladie.

• -아 죽다 : 앞의 말이 나타내는 상태의 정도가 매우 심함을 나타내는 표현.
Pas d'expression équivalente
Expression indiquant que le degré d'un état exprimé par les propos précédents est trop excessif.

• -겠- : 완곡하게 말하는 태도를 나타내는 어미.
Pas d'expression équivalente
Terminaison indiquant le fait de s'exprimer sous forme détournée.

• -어요 : (두루높임으로) 어떤 사실을 서술하거나 질문, 명령, 권유함을 나타내는 종결 어미.
Pas d'expression équivalente
(forme honorifique non formelle) Terminaison finale pour décrire un fait ou pour indiquer une question, un ordre ou une recommandation.

환자 : 제발 좀 찾+[아 주]+세요.
찾아 주세요

• **제발 (adverbe)** : 간절히 부탁하는데.
s'il vous plait, s'il te plait, je vous en prie, je t'en prie, je vous en supplie, je t'en supplie
Je vous(te) en conjure.

• **좀 (adverbe)** : 주로 부탁이나 동의를 구할 때 부드러운 느낌을 주기 위해 넣는 말.
s'il vous plaît, s'il te plaît
Terme utilisé pour demander quelque chose à quelqu'un gentiment ou pour en obtenir un accord.

• **찾다 (verbe)** : 모르는 것을 알아내려고 노력하다. 또는 모르는 것을 알아내다.
chercher
S'efforcer à trouver une réponse à ce que l'on ne sait pas ; trouver une réponse à ce que l'on ne sait pas.

• -아 주다 : 남을 위해 앞의 말이 나타내는 행동을 함을 나타내는 표현.
Pas d'expression équivalente
Expression indiquant le fait d'effectuer pour autrui une action exprimée par les propos précédents.

• -세요 : (두루높임으로) 설명, 의문, 명령, 요청의 뜻을 나타내는 종결 어미.
Pas d'expression équivalente
(forme honorifique non formelle) Terminaison finale pour indiquer une explication, une interrogation, un ordre ou une demande.

한의사 선생님+은 의미심장하+ㄴ 표정+을 짓(지)+으며 말하+였+다.
의미심장한 지으며 말했다

• **한의사 (nom)** : 우리나라 전통 의술로 치료하는 의사.
médecin en médecine orientale, spécialiste de médecine orientale
Médecin soignant les patients à l'aide de techniques médicales traditionnelles coréennes.

• **선생님 (nom)** : 어떤 사람의 성이나 직업에 붙여 그 사람을 높이는 말.
Monsieur, Madame
Appellation ajoutée au nom de famille ou au titre de quelqu'un pour l'honorer.

• 은 : 문장 속에서 어떤 대상이 화제임을 나타내는 조사.
Pas d'expression équivalente
Particule indiquant qu'un objet est le principal sujet (de conversation) d'une phrase.

• **의미심장하다 (adjectif)** : 뜻이 매우 깊다.
significatif, éloquent, expressif, parlant, lourd de sens
Qui a une signification profonde.

• -ㄴ : 앞의 말이 관형어의 기능을 하게 만들고 현재의 상태를 나타내는 어미.
Pas d'expression équivalente
Terminaison donnant la fonction de déterminant à la proposition précédente et exprimant l'état présent.

• **표정 (nom)** : 마음속에 품은 감정이나 생각 등이 얼굴에 드러남. 또는 그런 모습.
expression, air, figure, mine
Fait de laisser paraître sur le visage un sentiment ou une pensée que l'on a dans le cœur ; un tel aspect.

• 을 : 동작이 직접적으로 영향을 미치는 대상을 나타내는 조사.
Pas d'expression équivalente
Particule indiquant un objet directement influencé par un acte.

• **짓다 (verbe)** : 어떤 표정이나 태도 등을 얼굴이나 몸에 나타내다.
disposer, avoir un air, avoir une mine
Refléter une expression ou une attitude sur son visage ou sur son corps.

• -으며 : 두 가지 이상의 동작이나 상태가 함께 일어남을 나타내는 연결 어미.
Pas d'expression équivalente
Terminaison connective indiquant que deux ou plusieurs mouvements, états ou faits se déroulent en même temps.

• **말하다 (verbe)** : 어떤 사실이나 자신의 생각 또는 느낌을 말로 나타내다.
parler, dire
Exprimer oralement un fait, sa pensée ou ses sentiments.

• -였- : 사건이 과거에 일어났음을 나타내는 어미.
Pas d'expression équivalente
Terminaison indiquant qu'un évènement s'est produit dans le passé.

• -다 : 어떤 사건이나 사실, 상태를 서술함을 나타내는 종결 어미.
Pas d'expression équivalente
Terminaison finale employée pour décrire un événement, un fait ou un état.

한의사 : 손가락+이 부러지+시+었+군요!
부러지셨군요

• **손가락 (nom)** : 사람의 손끝의 다섯 개로 갈라진 부분.
doigt, doigt de la main
Les cinq extremités de la main humaine.

• 이 : 어떤 상태나 상황의 대상이나 동작의 주체를 나타내는 조사.
Pas d'expression équivalente
Particule qui indique l'objet d'un état ou d'une situation, ou le sujet d'une action.

• **부러지다 (verbe)** : 단단한 물체가 꺾여 둘로 겹쳐지거나 동강이 나다.
être rompu, être coupé, être brisé
(Objet dur) Être cassé, et se plier ou se séparer en deux.

• -시- : 높이고자 하는 인물과 관계된 소유물이나 신체의 일부가 문장의 주어일 때 그 인물을 높이는 뜻을 나타내는 어미.

Pas d'expression équivalente

Terminaison signifiant le fait de montrer du respect à un personnage lorsqu'une possession liée à ce personnage à qui on veut montrer du respect ou une partie du corps est le sujet de la phrase en question.

• -었- : 어떤 사건이 과거에 완료되었거나 그 사건의 결과가 현재까지 지속되는 상황을 나타내는 어미.

Pas d'expression équivalente

Terminaison indiquant qu'un évènement a été accompli dans le passé ou que le résultat de cet évènement perdure jusqu'à présent.

• -군요 : (두루높임으로) 새롭게 알게 된 사실에 주목하거나 감탄함을 나타내는 표현.

Pas d'expression équivalente

(forme honorifique non formelle) Expression indiquant que l'on prête attention ou que l'on s'exclame d'un fait nouveau que l'on vient d'apprendre.

< 8 단원(chapitre) >

제목 : 소는 왜 안 보이니?

● 본문 (texte primitif)

어느 초등학교 미술 시간이었다.

선생님 : 여러분! 지금은 미술 시간이에요.

오늘은 목장 풍경을 한번 그려 보세요.

시간이 한참 지난 후에 선생님께서는 아이들 자리를 돌아다니며 그림을 살펴보았다.

선생님 : 소가 참 한가로워 보이네요.

잘 그렸어요.

이렇게 선생님께서는 학생들의 그림을 보면서 칭찬을 해 주셨다.

그런데 한 학생의 스케치북은 백지상태 그대로였다.

선생님 : 넌 어떤 그림을 그린 거니?

학생 : 풀을 뜯고 있는 소를 그렸어요.

선생님 : 그런데 풀은 어디 있니?

학생 : 소가 이미 다 먹어 버렸어요.

선생님 : 그럼 소는 왜 안 보이니?

학생 : 선생님도 참, 소가 풀을 다 먹었는데 여기에 있겠어요?

● 발음 (prononciation)

어느 초등학교 미술 시간이었다.
어느 초등학꾜 미술 시가니얻따.
eoneu chodeunghaggyo misul siganieotda.

선생님 : 여러분! 지금은 미술 시간이에요.
선생님 : 여러분! 지그믄 미술 시가니에요.
seonsaengnim : yeoreobun! jigeumeun misul siganieyo.

오늘은 목장 풍경을 한번 그려 보세요.
오느른 목짱 풍경을 한번 그려 보세요.
oneureun mokjang punggyeongeul hanbeon geuryeo boseyo.

시간이 한참 지난 후에 선생님께서는 아이들 자리를 돌아다니며 그림을 살펴보았다.
시가니 한참 지난 후에 선생님께서는 아이들 자리를 도라다니며 그리믈 살펴보앋따.
sigani hancham jinan hue seonsaengnimkkeseoneun aideul jarireul doradanimyeo geurimeul salpyeoboatda.

선생님 : 소가 참 한가로워 보이네요.
선생님 : 소가 참 한가로워 보이네요.
seonsaengnim : soga cham hangarowo boineyo.

잘 그렸어요.
잘 그려써요.
jal geuryeosseoyo.

이렇게 선생님께서는 학생들의 그림을 보면서 칭찬을 해 주셨다.
이러케 선생님께서는 학쌩드레 그리믈 보면서 칭차늘 해 주셛따.
ireoke seonsaengnimkkeseoneun haksaengdeurui(haksaengdeure) geurimeul bomyeonseo chingchaneul hae jusyeotda.

그런데 한 학생의 스케치북은 백지상태 그대로였다.
그런데 한 학쌩에 스케치부근 백찌상태 그대로엳따.
geureonde han haksaengui(haksaenge) seukechibugeun baekjisangtae geudaeroyeotda.

선생님 : 넌 어떤 그림을 그린 거니?
선생님 : 넌 어떤 그리믈 그린 거니?
seonsaengnim : neon eotteon geurimeul geurin geoni?

학생 : 풀을 뜯고 있는 소를 그렸어요.
학쌩 : 푸를 뜯꼬 인는 소를 그려써요.
haksaeng : pureul tteutgo inneun soreul geuryeosseoyo.

선생님 : 그런데 풀은 어디 있니?
선생님 : 그런데 푸른 어디 인니?
seonsaengnim : geureonde pureun eodi inni?

학생 : 소가 이미 다 먹어 버렸어요.
학쌩 : 소가 이미 다 머거 버려써요.
haksaeng : soga imi da meogeo beoryeosseoyo.

선생님 : 그럼 소는 왜 안 보이니?
선생님 : 그럼 소는 왜 안 보이니?
seonsaengnim : geureom soneun wae an boini?

학생 : 선생님도 참, 소가 풀을 다 먹었는데 여기에 있겠어요?
학쌩 : 선생님도 참, 소사 푸를 다 머건는데 여기에 읻께써요?
haksaeng : seonsaengnimdo cham, soga pureul da meogeonneunde yeogie itgesseoyo?

● 어휘 (vocabulaire) / 문법 (règle de grammaire)

어느 초등학교 미술 시간+이+었+다.

선생님 : 여러분! 지금+은 미술 시간+이+에요.

오늘+은 목장 풍경+을 한번 그리+어 보+세요.

시간+이 한참 지나+ㄴ 후에 선생님+께서+는 아이+들 자리+를 돌아다니+며 그림+을 살펴보+았+다.

선생님 : 소+가 참 한가롭(한가로우)+어 보이+네요.

잘 그리+었+어요.

이렇+게 선생님+께서+는 학생+들+의 그림+을 보+면서 칭찬+을 하+여 주+시+었+다.

그런데 한 학생+의 스케치북+은 백지상태 그대로+이+었+다.

선생님 : 너+는 어떤 그림+을 그리+ㄴ 것(거)+(이)+니?

학생 : 풀+을 뜯+고 있+는 소+를 그리+었+어요.

선생님 : 그런데 풀+은 어디 있+니?

학생 : 소+가 이미 다 먹+어 버리+었+어요.

선생님 : 그럼 소+는 왜 안 보이+니?

학생 : 선생님+도 참, 소+가 풀+을 다 먹+었+는데 여기+에 있+겠+어요?

어느 초등학교 미술 시간+이+었+다.

• **어느 (déterminant)** : 확실하지 않거나 분명하게 말할 필요가 없는 사물, 사람, 때, 곳 등을 가리키는 말.
un, certain, quelque
Terme désignant un objet, une personne, un moment, un lieu, etc. incertain(e) ou que l'on n'a pas besoin de préciser.

• **초등학교 (nom)** : 학교 교육의 첫 번째 단계로 만 여섯 살에 입학하여 육 년 동안 기본 교육을 받는 학교.
école primaire
Établissement scolaire dans lequel l'élève entre à l'âge de six ans pour l'apprentissage de base durant six années, représentant la première étape de l'enseignement scolaire.

• **미술 (nom)** : 그림이나 조각처럼 눈으로 볼 수 있는 아름다움을 표현한 예술.
art, beaux-arts
Art exprimant une beauté visuelle, comme un tableau ou une sculpture.

• **시간 (nom)** : 어떤 일이 시작되어 끝날 때까지의 동안.
heures, moment, temps
Instant s'écoulant du commencement de quelque chose jusqu'à son achèvement.

• 이다 : 주어가 지시하는 대상의 속성이나 부류를 지정하는 뜻을 나타내는 서술격 조사.
Pas d'expression équivalente
Particule du cas prédicatif pour indiquer la caractéristique ou la catégorie d'un objet qui se rapporte au sujet d'une phrase.

• -었- : 사건이 과거에 일어났음을 나타내는 어미.
Pas d'expression équivalente
Terminaison indiquant qu'un évènement s'est produit dans le passé.

• -다 : 어떤 사건이나 사실, 상태를 서술함을 나타내는 종결 어미.
Pas d'expression équivalente
Terminaison finale employée pour décrire un événement, un fait ou un état.

선생님 : 여러분! 지금+은 미술 시간+이+에요.

• **여러분 (pronom)** : 듣는 사람이 여러 명일 때 그 사람들을 높여 이르는 말.
mesdames et messieurs!, mesdames, mesdemoiselles et messieurs!, mes amis!, tout le monde!
Pronom honorifique désignant les personnes à qui l'on s'adresse lorsqu'elles sont plusieurs.

• **지금 (nom)** : 말을 하고 있는 바로 이때.
le moment présent, l'instant présent
Moment précis où l'on est en train de parler.

• 은 : 문장 속에서 어떤 대상이 화제임을 나타내는 조사.
Pas d'expression équivalente
Particule indiquant qu'un objet est le principal sujet (de conversation) d'une phrase.

• **미술 (nom)** : 그림이나 조각처럼 눈으로 볼 수 있는 아름다움을 표현한 예술.
art, beaux-arts
Art exprimant une beauté visuelle, comme un tableau ou une sculpture.

• **시간 (nom)** : 어떤 일이 시작되어 끝날 때까지의 동안.
heures, moment, temps
Instant s'écoulant du commencement de quelque chose jusqu'à son achèvement.

• 이다 : 주어가 지시하는 대상의 속성이나 부류를 지정하는 뜻을 나타내는 서술격 조사.
Pas d'expression équivalente
Particule du cas prédicatif pour indiquer la caractéristique ou la catégorie d'un objet qui se rapporte au sujet d'une phrase.

• -에요 : (두루높임으로) 어떤 사실을 서술하거나 질문함을 나타내는 종결 어미.
Pas d'expression équivalente
(forme honorifique non formelle) Terminaison finale pour décrire un fait ou pour indiquer une question.

선생님 : 오늘+은 목장 풍경+을 한번 그리+[어 보]+세요.
그려 보세요

• **오늘 (nom)** : 지금 지나가고 있는 이날.
aujourd'hui, ce jour
Jour qui est en train de passer.

• 은 : 문장 속에서 어떤 대상이 화제임을 나타내는 조사.
Pas d'expression équivalente
Particule indiquant qu'un objet est le principal sujet (de conversation) d'une phrase.

• **목장 (nom)** : 우리와 풀밭 등을 갖추어 소나 말이나 양 등을 놓아 기르는 곳.
ferme d'élevage
Endroit aménagé avec une clôture, etc. où on élève des vaches, des chevaux ou des moutons, etc.

• **풍경 (nom)** : 감정을 불러일으키는 경치나 상황.
paysage
Scène ou situation qui provoque de l'émotion.

• 을 : 동작이 직접적으로 영향을 미치는 대상을 나타내는 조사.
Pas d'expression équivalente
Particule indiquant un objet directement influencé par un mouvement.

• **한번 (adverbe)** : 어떤 일을 시험 삼아 시도함을 나타내는 말.
une fois
Terme pour indiquer que l'on tente une chose pour essayer.

• **그리다 (verbe)** : 연필이나 붓 등을 이용하여 사물을 선이나 색으로 나타내다.
dessiner, peindre
Représenter un objet par des traits ou des couleurs, à l'aide d'un crayon, d'un pinceau, etc.

• -어 보다 : 앞의 말이 나타내는 행동을 시험 삼아 함을 나타내는 표현.
Pas d'expression équivalente
Expression indiquant le fait d'essayer de réaliser une action exprimée par les propos précédents.

• -세요 : (두루높임으로) 설명, 의문, 명령, 요청의 뜻을 나타내는 종결 어미.
Pas d'expression équivalente
(forme honorifique non formelle) Terminaison finale pour indiquer une explication, une interrogation, un ordre ou une demande.

시간+이 한참 지나+[ㄴ 후에] 선생님+께서+는 아이+들 자리+를 돌아다니+며 그림+을 살펴보+았+다. 지난 후에

• **시간 (nom)** : 자연히 지나가는 세월.
temps
Temps s'écoulant naturellement.

• 이 : 어떤 상태나 상황의 대상이나 동작의 주체를 나타내는 조사.
Pas d'expression équivalente
Particule qui indique l'objet d'un état ou d'une situation, ou le sujet d'une action.

• **한참 (nom)** : 시간이 꽤 지나는 동안.
longtemps, un bon moment
Durée de temps assez longue.

• **지나다 (verbe)** : 시간이 흘러 그 시기에서 벗어나다.
passer, couler, s'écouler
(Temps) S'écouler et donc dépasser une periode determinée.

• -ㄴ 후에 : 앞에 오는 말이 나타내는 행동을 하고 시간적으로 뒤에 다른 행동을 함을 나타내는 표현.
Pas d'expression équivalente
Expression indiquant qu'une action est réalisée après une l'action réalisée antérieurement de la proposition précédente.

• **선생님 (nom)** : (높이는 말로) 학생을 가르치는 사람.
professeur
(forme honorifique) Personne qui enseigne à des élèves.

• 께서 : (높임말로) 가. 이. 어떤 동작의 주체가 높여야 할 대상임을 나타내는 조사.
Pas d'expression équivalente
(forme honorifique) 가. 이. Particule indiquant que le sujet d'une action doit être traité avec déférence.

• 는 : 문장 속에서 어떤 대상이 화제임을 나타내는 조사.
Pas d'expression équivalente
Particule indiquant qu'un objet est le principal sujet (de conversation) d'une phrase.

• **아이 (nom)** : 나이가 어린 사람.
enfant, petit, gamin, même, garçon, fillette
Jeune personne

• 들 : '복수'의 뜻을 더하는 접미사.
Pas d'expression équivalente
Suffixe signifiant « pluriel ».

• **자리 (nom)** : 사람이 앉을 수 있도록 만들어 놓은 곳.
place, emplacement, siège
Espace aménagé pour que quelqu'un puisse s'asseoir.

• 를 : 동작의 도착지나 동작이 이루어지는 장소를 나타내는 조사.
Pas d'expression équivalente
Particule indiquant la destination ou le lieu de réalisation d'une action.

• **돌아다니다 (verbe)** : 여기저기를 두루 다니다.
se promener, rôder, flâner, aller à l'aventure
Errer ça et là.

• -며 : 두 가지 이상의 동작이나 상태가 함께 일어남을 나타내는 연결 어미.
Pas d'expression équivalente
Terminaison connective indiquant que plus de deux actions ou états surviennent en même temps.

• **그림 (nom)** : 선이나 색채로 사물의 모양이나 이미지 등을 평면 위에 나타낸 것.
peinture, tableau, toile, dessin, croquis esquisse, aquarelle, gravure, estampe, image, illustration, portrait
Ce que l'on représente en dessinant la forme d'un objet, une image, etc. sur une surface plate, avec des lignes et des couleurs.

• 을 : 동작이 직접적으로 영향을 미치는 대상을 나타내는 조사.
Pas d'expression équivalente
Particule indiquant un objet directement influencé par un mouvement.

• **살펴보다 (verbe)** : 여기저기 빠짐없이 자세히 보다.
considérer, observer, examiner, inspecter
Regarder minutieusement de tous côtés sans rien omettre.

• -았- : 사건이 과거에 일어났음을 나타내는 어미.
Pas d'expression équivalente
Terminaison indiquant qu'un évènement s'est produit dans le passé.

• -다 : 어떤 사건이나 사실, 상태를 서술함을 나타내는 종결 어미.
Pas d'expression équivalente
Terminaison finale employée pour décrire un événement, un fait ou un état.

선생님 : 소+가 참 한가롭(한가로우)+[어 보이]+네요.
한가로워 보이네요

• **소 (nom)** : 몸집이 크고 갈색이나 흰색과 검은색의 털이 있으며, 젖을 짜 먹거나 고기를 먹기 위해 기르는 짐승.
bœuf, vache, taureau, bovins, buffle(sse)
Grand animal à poils bruns, blancs ou noirs, qu'on élève pour son lait ou pour sa viande.

• 가 : 어떤 상태나 상황에 놓인 대상이나 동작의 주체를 나타내는 조사.
Pas d'expression équivalente
Particule indiquant l'objet d'un état ou d'une situation, ou le sujet d'une action.

• **참 (adverbe)** : 사실이나 이치에 조금도 어긋남이 없이 정말로.
vraiment, effectivement, réellement
De manière vraie, en ne s'écartant pas de la vérité ou de la raison.

• **한가롭다 (adjectif)** : 바쁘지 않고 여유가 있는 듯하다.
tranquille, nonchalant, paisible
Qui n'est pas dans la hâte et qui ne se presse pas.

• -어 보이다 : 겉으로 볼 때 앞의 말이 나타내는 것처럼 느껴지거나 추측됨을 나타내는 표현.
Pas d'expression équivalente
Expression indiquant le fait de ressentir ce qui est exprimé par les propos précédents ou de supposer ce sentiment en apparence.

• -네요 : (두루높임으로) 말하는 사람이 직접 경험하여 새롭게 알게 된 사실에 대해 감탄함을 나타낼 때 쓰는 표현.
Pas d'expression équivalente
(forme honorifique non formelle) Expression pour indiquer que le locuteur parle d'une chose nouvelle dont il a fait l'expérience lui-même, sur un ton d'exclamation.

선생님 : 잘 그리+었+어요. **그렸어요**

• **잘 (adverbe)** : 익숙하고 솜씨 있게.
bien, habilement, avec habileté
De manière expérimentée et habile.

• **그리다 (verbe)** : 연필이나 붓 등을 이용하여 사물을 선이나 색으로 나타내다.
dessiner, peindre
Représenter un objet par des traits ou des couleurs, à l'aide d'un crayon, d'un pinceau, etc.

• -었- : 어떤 사건이 과거에 완료되었거나 그 사건의 결과가 현재까지 지속되는 상황을 나타내는 어미.
Pas d'expression équivalente
Terminaison indiquant qu'un évènement a été accompli dans le passé ou que le résultat de cet évènement perdure jusqu'à présent.

• -어요 : (두루높임으로) 어떤 사실을 서술하거나 질문, 명령, 권유함을 나타내는 종결 어미.
Pas d'expression équivalente
(forme honorifique non formelle) Terminaison finale pour décrire un fait ou pour indiquer une question, un ordre ou une recommandation.

이렇+게 선생님+께서+는 학생+들+의 그림+을 보+면서 칭찬+을 하+[여 주]+시+었+다.   해 주셨다

• **이렇다 (adjectif)** : 상태, 모양, 성질 등이 이와 같다.
ainsi, comme celui-ci
(État, forme, caractère, etc.) Qui est comme cela.

• -게 : 앞의 말이 뒤에서 가리키는 일의 목적이나 결과, 방식, 정도 등이 됨을 나타내는 연결 어미.
Pas d'expression équivalente
Terminaison connective indiquant que les propos précédents constituent l'objectif, le résultat, la méthode ou le degré des propos qui suivent.

• **선생님 (nom)** : (높이는 말로) 학생을 가르치는 사람.
professeur
(forme honorifique) Personne qui enseigne à des élèves.

• 께서 : (높임말로) 가. 이. 어떤 동작의 주체가 높여야 할 대상임을 나타내는 조사.
Pas d'expression équivalente
(forme honorifique) 가. 이. Particule indiquant que le sujet d'une action doit être traité avec déférence.

• 는 : 문장 속에서 어떤 대상이 화제임을 나타내는 조사.
Pas d'expression équivalente
Particule indiquant qu'un objet est le principal sujet (de conversation) d'une phrase.

• **학생 (nom)** : 학교에 다니면서 공부하는 사람.
élève, étudiant(e)
Personne qui étude dans une école.

• 들 : '복수'의 뜻을 더하는 접미사.
Pas d'expression équivalente
Suffixe signifiant « pluriel ».

• 의 : 앞의 말이 뒤의 말에 대하여 소유, 소속, 소재, 관계, 기원, 주체의 관계를 가짐을 나타내는 조사.
Pas d'expression équivalente
Particule pour indiquer que la proposition précédente prend une relation de possession, d'appartenance, d'emplacement, de relation, d'origine ou de sujet d'action par rapport à la proposition suivante.

• **그림 (nom)** : 선이나 색채로 사물의 모양이나 이미지 등을 평면 위에 나타낸 것.
peinture, tableau, toile, dessin, croquis esquisse, aquarelle, gravure, estampe, image, illustration, portrait
Ce que l'on représente en dessinant la forme d'un objet, une image, etc. sur une surface plate, avec des lignes et des couleurs.

• 을 : 동작이 직접적으로 영향을 미치는 대상을 나타내는 조사.
Pas d'expression équivalente
Particule indiquant un objet directement influencé par un mouvement.

• **보다 (verbe)** : 책이나 신문, 지도 등의 글자나 그림, 기호 등을 읽고 내용을 이해하다.
lire, consulter, prendre connaissance de
Lire des lettres, des tableaux, des signes, etc. dans un livre, un journal, une carte, etc. et comprendre leur contenu.

• -면서 : 두 가지 이상의 동작이나 상태가 함께 일어남을 나타내는 연결 어미.
Pas d'expression équivalente
Terminaison connective indiquant que plus de deux actions ou états surviennent en même temps.

• **칭찬 (nom)** : 좋은 점이나 잘한 일 등을 매우 훌륭하게 여기는 마음을 말로 나타냄. 또는 그런 말.
compliment, éloge, louange
Action d'adresser une parole pour féliciter très fort un mérite, un accomplissement positif, etc.

• 을 : 동작이 직접적으로 영향을 미치는 대상을 나타내는 조사.
Pas d'expression équivalente
Particule indiquant un objet directement influencé par un mouvement.

• **하다 (verbe)** : 어떤 행동이나 동작, 활동 등을 행하다.
faire, exécuter, effectuer, s'occuper de
Effectuer une action, un mouvement, une activité, etc.

• -여 주다 : 남을 위해 앞의 말이 나타내는 행동을 함을 나타내는 표현.
Pas d'expression équivalente
Expression indiquant le fait d'effectuer l'action exprimée par les propos précédents pour autrui.

• -시- : 어떤 동작이나 상태의 주체를 높이는 뜻을 나타내는 어미.
Pas d'expression équivalente
Terminaison signifiant le fait de montrer du respect à l'auteur d'une action ou d'un état.

• -었- : 사건이 과거에 일어났음을 나타내는 어미.
Pas d'expression équivalente
Terminaison indiquant qu'un évènement s'est produit dans le passé.

• -다 : 어떤 사건이나 사실, 상태를 서술함을 나타내는 종결 어미.
Pas d'expression équivalente
Terminaison finale employée pour décrire un événement, un fait ou un état.

그런데 한 학생+의 스케치북+은 백지상태 그대로+이+었+다. 그대로였다

• **그런데 (adverbe)** : 이야기를 앞의 내용과 관련시키면서 다른 방향으로 바꿀 때 쓰는 말.
en fait, alors
Terme employé pour changer la direction d'une conversation, en la reliant aux éléments énoncés auparavant.

• **한 (déterminant)** : 여럿 중 하나인 어떤.
quelconque, un, certain
Un parmi plusieurs.

• **학생 (nom)** : 학교에 다니면서 공부하는 사람.
élève, étudiant(e)
Personne qui étude dans une école.

• 의 : 앞의 말이 뒤의 말에 대하여 소유, 소속, 소재, 관계, 기원, 주체의 관계를 가짐을 나타내는 조사.
Pas d'expression équivalente
Particule pour indiquer que la proposition précédente prend une relation de possession, d'appartenance, d'emplacement, de relation, d'origine ou de sujet d'action par rapport à la proposition suivante.

• **스케치북 (nom)** : 그림을 그릴 수 있는 하얀 도화지를 여러 장 묶어 놓은 책.
carnet à dessin, carnet de croquis
Livre regroupant plusieurs pages blanches de papier à dessin.

• 은 : 문장 속에서 어떤 대상이 화제임을 나타내는 조사.
Pas d'expression équivalente
Particule indiquant qu'un objet est le principal sujet (de conversation) d'une phrase.

• **백지상태 (nom)** : 종이에 아무것도 쓰지 않은 상태.
page blanche, feuille vierge, papier blanc
État d'un papier sur lequel on n'a rien écrit.

• **그대로 (nom)** : 그것과 똑같은 것.
(n.) exactement (le même)
Chose identique à cela.

• 이다 : 주어가 지시하는 대상의 속성이나 부류를 지정하는 뜻을 나타내는 서술격 조사.
Pas d'expression équivalente
Particule du cas prédicatif pour indiquer la caractéristique ou la catégorie d'un objet qui se rapporte au sujet d'une phrase.

• -었- : 사건이 과거에 일어났음을 나타내는 어미.
Pas d'expression équivalente
Terminaison indiquant qu'un évènement s'est produit dans le passé.

• -다 : 어떤 사건이나 사실, 상태를 서술함을 나타내는 종결 어미.
Pas d'expression équivalente
Terminaison finale employée pour décrire un événement, un fait ou un état.

선생님 : 너+는 어떤 그림+을 그리+[ㄴ 것(거)]+(이)+니?
넌 그린 거니

• **너 (pronom)** : 듣는 사람이 친구나 아랫사람일 때, 그 사람을 가리키는 말.
tu, toi
Terme designant l'interlocuteur, quand celui-ci est un ami ou une personne de rang inférieur.

• 는 : 문장 속에서 어떤 대상이 화제임을 나타내는 조사.
Pas d'expression équivalente
Particule indiquant qu'un objet est le principal sujet (de conversation) d'une phrase.

• **어떤 (déterminant)** : 사람이나 사물의 특징, 내용, 성격, 성질, 모양 등이 무엇인지 물을 때 쓰는 말.
quel, quelle
Déterminant utilisé pour demander la caractéristique, le contenu, la propriété, le caractère, l'aspect, etc., de quelqu'un ou de quelque chose.

• **그림 (nom)** : 선이나 색채로 사물의 모양이나 이미지 등을 평면 위에 나타낸 것.
peinture, tableau, toile, dessin, croquis esquisse, aquarelle, gravure, estampe, image, illustration, portrait
Ce que l'on représente en dessinant la forme d'un objet, une image, etc. sur une surface plate, avec des lignes et des couleurs.

• 을 : 서술어의 명사형 목적어임을 나타내는 조사.
Pas d'expression équivalente
Particule pour indiquer le complément objet nominal d'un prédicat.

• **그리다 (verbe)** : 연필이나 붓 등을 이용하여 사물을 선이나 색으로 나타내다.
dessiner, peindre
Représenter un objet par des traits ou des couleurs, à l'aide d'un crayon, d'un pinceau, etc.

• -ㄴ 것 : 명사가 아닌 것을 문장에서 명사처럼 쓰이게 하거나 '이다' 앞에 쓰일 수 있게 할 때 쓰는 표현.
Pas d'expression équivalente
Expression permettant d'utiliser un groupe non nominal comme un nom dans une phrase ou de l'utiliser avec '이다'.

• 이다 : 주어가 지시하는 대상의 속성이나 부류를 지정하는 뜻을 나타내는 서술격 조사.
Pas d'expression équivalente
Particule du cas prédicatif pour indiquer la caractéristique ou la catégorie d'un objet qui se rapporte au sujet d'une phrase.

• -니 : (아주낮춤으로) 물음을 나타내는 종결 어미.
Pas d'expression équivalente
(forme non honorifique très marquée) Terminaison finale indiquant une interrogation.

학생 : 풀+을 뜯+[고 있]+는 소+를 그리+었+어요.
그렸어요

• **풀 (nom)** : 줄기가 연하고, 대개 한 해를 지내면 죽는 식물.
herbe
Plante avec une tige tendre qui, en général, périt après une année.

• 을 : 동작이 직접적으로 영향을 미치는 대상을 나타내는 조사.
Pas d'expression équivalente
Particule indiquant un objet directement influencé par un mouvement.

• **뜯다 (verbe)** : 풀이나 질긴 음식을 입에 물고 떼어서 먹다.
arracher avec les dents
Mettre dans la bouche de l'herbe, de la nourriture dure et manger en arrachant avec les dents.

• -고 있다 : 앞의 말이 나타내는 행동이 계속 진행됨을 나타내는 표현.
Pas d'expression équivalente
Expression pour indiquer que l'action de la proposition précédente est toujours en cours.

• -는 : 앞의 말이 관형어의 기능을 하게 만들고 사건이나 동작이 현재 일어남을 나타내는 어미.
Pas d'expression équivalente
Terminaison attribuant la fonction de déterminant à la proposition précédente, et pour indiquer que la situation ou l'action en question se réalise au présent.

• **소 (nom)** : 몸집이 크고 갈색이나 흰색과 검은색의 털이 있으며, 젖을 짜 먹거나 고기를 먹기 위해 기르는 짐승.
bœuf, vache, taureau, bovins, buffle(sse)
Grand animal à poils bruns, blancs ou noirs, qu'on élève pour son lait ou pour sa viande.

• 를 : 동작이 직접적으로 영향을 미치는 대상을 나타내는 조사.
Pas d'expression équivalente
Particule indiquant un objet directement influencé par un mouvement.

• **그리다 (verbe)** : 연필이나 붓 등을 이용하여 사물을 선이나 색으로 나타내다.
dessiner, peindre
Représenter un objet par des traits ou des couleurs, à l'aide d'un crayon, d'un pinceau, etc.

• -었- : 어떤 사건이 과거에 완료되었거나 그 사건의 결과가 현재까지 지속되는 상황을 나타내는 어미.
Pas d'expression équivalente
Terminaison indiquant qu'un évènement a été accompli dans le passé ou que le résultat de cet évènement perdure jusqu'à présent.

• -어요 : (두루높임으로) 어떤 사실을 서술하거나 질문, 명령, 권유함을 나타내는 종결 어미.
Pas d'expression équivalente
(forme honorifique non formelle) Terminaison finale pour décrire un fait ou pour indiquer une question, un ordre ou une recommandation.

선생님 : 그런데 풀+은 어디 있+니?

• **그런데 (adverbe)** : 이야기를 앞의 내용과 관련시키면서 다른 방향으로 바꿀 때 쓰는 말.
en fait, alors
Terme employé pour changer la direction d'une conversation, en la reliant aux éléments énoncés auparavant.

• **풀 (nom)** : 줄기가 연하고, 대개 한 해를 지내면 죽는 식물.
herbe
Plante avec une tige tendre qui, en général, périt après une année.

• 은 : 문장 속에서 어떤 대상이 화제임을 나타내는 조사.
Pas d'expression équivalente
Particule indiquant qu'un objet est le principal sujet (de conversation) d'une phrase.

• **어디 (pronom)** : 모르는 곳을 가리키는 말.
Pas d'expression équivalente
Terme désignant un lieu inconnu.

• **있다 (adjectif)** : 무엇이 어떤 곳에 자리나 공간을 차지하고 존재하는 상태이다.
(adj.) il y a, y avoir
(Chose) Qui occupe une place ou un espace, et qui existe.

• -니 : (아주낮춤으로) 물음을 나타내는 종결 어미.
Pas d'expression équivalente
(forme non honorifique très marquée) Terminaison finale indiquant une interrogation.

학생 : 소+가 이미 다 먹+[어 버리]+었+어요.
먹어 버렸어요

• **소 (nom)** : 몸집이 크고 갈색이나 흰색과 검은색의 털이 있으며, 젖을 짜 먹거나 고기를 먹기 위해 기르는 짐승.
bœuf, vache, taureau, bovins, buffle(sse)
Grand animal à poils bruns, blancs ou noirs, qu'on élève pour son lait ou pour sa viande.

• 가 : 어떤 상태나 상황에 놓인 대상이나 동작의 주체를 나타내는 조사.
Pas d'expression équivalente
Particule indiquant l'objet d'un état ou d'une situation, ou le sujet d'une action.

• **이미 (adverbe)** : 어떤 일이 이루어진 때가 지금 시간보다 앞서.
déjà
(Moment où il s'est passé quelque chose) En avance par rapport au moment présent.

• **다 (adverbe)** : 남거나 빠진 것이 없이 모두.
tout, toute, tous, toutes, complètement, parfaitement, vraiment, même, dans son intégralité
Tout sans que rien ne reste ou ne soit ôté.

• **먹다 (verbe)** : 음식 등을 입을 통하여 배 속에 들여보내다.
manger, prendre
Mettre de la nourriture dans sa bouche et l'avaler.

• -어 버리다 : 앞의 말이 나타내는 행동이 완전히 끝났음을 나타내는 표현.
Pas d'expression équivalente
Expression indiquant qu'une action exprimée par les propos précédents s'est complètement terminée.

• -었- : 어떤 사건이 과거에 완료되었거나 그 사건의 결과가 현재까지 지속되는 상황을 나타내는 어미.
Pas d'expression équivalente
Terminaison indiquant qu'un évènement a été accompli dans le passé ou que le résultat de cet évènement perdure jusqu'à présent.

• -어요 : (두루높임으로) 어떤 사실을 서술하거나 질문, 명령, 권유함을 나타내는 종결 어미.

Pas d'expression équivalente
(forme honorifique non formelle) Terminaison finale pour décrire un fait ou pour indiquer une question, un ordre ou une recommandation.

선생님 : 그럼 소+는 왜 안 보이+니?

• **그럼 (adverbe)** : 앞의 내용을 받아들이거나 그 내용을 바탕으로 하여 새로운 주장을 할 때 쓰는 말.
alors, en effet
Terme utilisé lorsqu'on accepte les propos qui ont été dits auparavant ou lorsqu' on veut présenter un nouvel argument sur la base de ces propos.

• **소 (nom)** : 몸집이 크고 갈색이나 흰색과 검은색의 털이 있으며, 젖을 짜 먹거나 고기를 먹기 위해 기르는 짐승.
bœuf, vache, taureau, bovins, buffle(sse)
Grand animal à poils bruns, blancs ou noirs, qu'on élève pour son lait ou pour sa viande.

• 는 : 문장 속에서 어떤 대상이 화제임을 나타내는 조사.
Pas d'expression équivalente
Particule indiquant qu'un objet est le principal sujet (de conversation) d'une phrase.

• **왜 (adverbe)** : 무슨 이유로. 또는 어째서.
pourquoi, dans quelle intention, à quelle fin
Pour quelle raison ; comment se fait-il que.

• **안 (adverbe)** : 부정이나 반대의 뜻을 나타내는 말.
Pas d'expression équivalente
Terme désignant une négation ou une opposition.

• **보이다 (verbe)** : 눈으로 대상의 존재나 겉모습을 알게 되다.
se montrer, apparaître, paraître, se voir, se faire voir, se présenter aux yeux, tomber sous les yeux, entrer dans le champ visuel
(Existence ou apparence d'un objet) Être aperçu avec les yeux.

• -니 : (아주낮춤으로) 물음을 나타내는 종결 어미.
Pas d'expression équivalente
(forme non honorifique très marquée) Terminaison finale indiquant une interrogation.

학생 : 선생님+도 참, 소+가 풀+을 다 먹+었+는데 여기+에 있+겠+어요?

- **선생님 (nom)** : (높이는 말로) 학생을 가르치는 사람.
  professeur
  (forme honorifique) Personne qui enseigne à des élèves.

- 도 : 놀라움, 감탄, 실망 등의 감정을 강조함을 나타내는 조사.
  Pas d'expression équivalente
  Particule indiquant le fait d'insister sur un sentiment d'étonnement, d'admiration ou de déception.

- **참 (exclamatif)** : 어이가 없거나 난처할 때 내는 소리.
  ça alors
  Exclamation indiquant la stupeur ou l'embarras.

- **소 (nom)** : 몸집이 크고 갈색이나 흰색과 검은색의 털이 있으며, 젖을 짜 먹거나 고기를 먹기 위해 기르는 짐승.
  bœuf, vache, taureau, bovins, buffle(sse)
  Grand animal à poils bruns, blancs ou noirs, qu'on élève pour son lait ou pour sa viande.

- 가 : 어떤 상태나 상황에 놓인 대상이나 동작의 주체를 나타내는 조사.
  Pas d'expression équivalente
  Particule indiquant l'objet d'un état ou d'une situation, ou le sujet d'une action.

- **풀 (nom)** : 줄기가 연하고, 대개 한 해를 지내면 죽는 식물.
  herbe
  Plante avec une tige tendre qui, en général, périt après une année.

- 을 : 동작이 직접적으로 영향을 미치는 대상을 나타내는 조사.
  Pas d'expression équivalente
  Particule indiquant un objet directement influencé par un mouvement.

- **다 (adverbe)** : 남거나 빠진 것이 없이 모두.
  tout, toute, tous, toutes, complètement, parfaitement, vraiment, même, dans son intégralité
  Tout sans que rien ne reste ou ne soit ôté.

- **먹다 (verbe)** : 음식 등을 입을 통하여 배 속에 들여보내다.
  manger, prendre
  Mettre de la nourriture dans sa bouche et l'avaler.

- -었- : 어떤 사건이 과거에 완료되었거나 그 사건의 결과가 현재까지 지속되는 상황을 나타내는 어미.
  Pas d'expression équivalente
  Terminaison indiquant qu'un évènement a été accompli dans le passé ou que le résultat de cet évènement perdure jusqu'à présent.

- -는데 : 뒤의 말을 하기 위하여 그 대상과 관련이 있는 상황을 미리 말함을 나타내는 연결 어미.
  Pas d'expression équivalente
  Terminaison connective indiquant le fait de parler à l'avance d'une situation en rapport avec l'objet des propos suivants.

- **여기 (pronom)** : 말하는 사람에게 가까운 곳을 가리키는 말.
  ici
  Pronom désignant un lieu près du locuteur.

- 에 : 앞말이 어떤 장소나 자리임을 나타내는 조사.
  à, dans, en, sur
  Particule indiquant que la proposition précédente (en coréen) est un lieu ou un emplacement.

- **있다 (verbe)** : 사람이나 동물이 어느 곳에서 떠나거나 벗어나지 않고 머물다.
  être
  (Personne ou animal) Rester dans un endroit, sans le quitter ou en sortir.

- -겠- : 완곡하게 말하는 태도를 나타내는 어미.
  Pas d'expression équivalente
  Terminaison indiquant le fait de s'exprimer sous forme détournée.

- -어요 : (두루높임으로) 어떤 사실을 서술하거나 질문, 명령, 권유함을 나타내는 종결 어미.
  Pas d'expression équivalente
  (forme honorifique non formelle) Terminaison finale pour décrire un fait ou pour indiquer une question, un ordre ou une recommandation.

< 9 단원(chapitre) >

제목 : 가장 큰 장애 요소는 무엇일까요?

● 본문 (texte primitif)

한 중학교에서 선생님이 꿈의 중요성에 대해 이야기하고 있었다.

선생님 : 자, 여러분들에게 질문 하나 할게요.

여러분들이 꿈을 펼치려고 할 때 가장 큰 장애 요소는 무엇일까요?

잘 생각해 보세요.

힌트를 하나 줄게요.

답은 '자'로 시작하는 네 글자예요.

학생 1 : 정답은 자기 비하라고 생각합니다.

학생 2 : 정답은 자기 부정이라고 생각합니다.

선생님 : 맞아요.

자기 비하 또는 자기 부정은 꿈을 이루는 데 장애 요소가 돼요.

그때 한 학생이 천연덕스럽게 대답했다.

학생 3 : 정답은 자기 부모라고 생각합니다.

● 발음 (prononciation)

한 중학교에서 선생님이 꿈의 중요성에 대해 이야기하고 있었다.
한 중학꾜에서 선생니미 꾸메 중요성에 대해 이야기하고 이썯따.
han junghakgyoeseo seonsaengnimi kkumui(kkume) jungyoseonge daehae iyagihago isseotda.

선생님 : 자, 여러분들에게 질문 하나 할게요.
선생님 : 자, 여러분드레게 질문 하나 할께요.
seonsaengnim : ja, yeoreobundeurege jilmun hana halgeyo.

여러분들이 꿈을 펼치려고 할 때 가장 큰 장애 요소는 무엇일까요?
여러분드리 꾸믈 펼치려고 할 때 가장 큰 장애 요소는 무어실까요?
yeoreobundeuri kkumeul pyeolchiryeogo hal ttae gajang keun jangae yosoneun mueosilkkayo?

잘 생각해 보세요.
잘 생가캐 보세요.
jal saenggakae boseyo.

힌트를 하나 줄게요.
힌트를 하나 줄께요.
hinteureul hana julgeyo.

답은 '자'로 시작하는 네 글자예요.
다븐 '자'로 시자카는 네 글자예요.
dabeun 'ja'ro sijakaneun ne geuljayeyo.

학생 1 : 정답은 자기 비하라고 생각합니다.
학쌩 1 : 정다븐 자기 비하라고 생가캄니다.
haksaeng 1 : jeongdabeun jagi biharago saenggakamnida.

학생 2 : 정답은 자기 부정이라고 생각합니다.
학생 2 : 정다븐 자기 부정이라고 생가캄니다.
haksaeng 2 : jeongdabeun jagi bujeongirago saenggakamnida.

선생님 : 맞아요.
선생님 : 마자요.
seonsaengnim : majayo.

자기 비하 또는 자기 부정은 꿈을 이루는 데 장애 요소가 돼요.
자기 비하 또는 자기 부정은 꾸믈 이루는 데 장애 요소가 돼요.
jagi biha ttoneun jagi bujeongeun kkumeul iruneun de jangae yosoga dwaeyo.

그때 한 학생이 천연덕스럽게 대답했다.
그때 한 학쌩이 처년덕쓰럽께 대다팯따.
geuttae han haksaengi cheonyeondeokseureopge daedapaetda.

학생 3 : 정답은 자기 부모라고 생각합니다.
학쌩 3 : 정다븐 자기 부모라고 생가캄니다.
haksaeng 3 : jeongdabeun jagi bumorago saenggakamnida.

● 어휘 (vocabulaire) / 문법 (règle de grammaire)

한 중학교+에서 선생님+이 꿈+의 중요성+에 대하+여 이야기하+고 있+었+다.

선생님 : 자, 여러분+들+에게 질문 하나 하+ㄹ게요.

여러분+들+이 꿈+을 펼치+려고 하+ㄹ 때 가장 크+ㄴ 장애 요소+는

무엇+이+ㄹ까요?

잘 생각하+여 보+세요.

힌트+를 하나 주+ㄹ게요.

답+은 '자'+로 시작하+는 네 글자+이+에요.

학생 1 : 정답+은 자기 비하+(이)+라고 생각하+ㅂ니다.

학생 2 : 정답+은 자기 부정+이+라고 생각하+ㅂ니다.

선생님 : 맞+아요.

자기 비하 또는 자기 부정+은 꿈+을 이루+는 데 장애 요소+가 되+어요.

그때 한 학생+이 천연덕스럽+게 대답하+였+다.

학생 3 : 정답+은 자기 부모+(이)+라고 생각하+ㅂ니다.

한 중학교+에서 선생님+이 꿈+의 중요성+에 대하+여 이야기하+[고 있]+었+다. 대해

• **한 (déterminant)** : 여럿 중 하나인 어떤.
quelconque, un, certain
Un parmi plusieurs.

• **중학교 (nom)** : 초등학교를 졸업하고 중등 교육을 받기 위해 다니는 학교.
collège
Établissement scolaire de l'enseignement secondaire fréquenté à la suite de l'enseignement primaire.

• 에서 : 앞말이 행동이 이루어지고 있는 장소임을 나타내는 조사.
à, dans, en, chez
Particule indiquant que la proposition précédente est le lieu où se passe une action.

• **선생님 (nom)** : (높이는 말로) 학생을 가르치는 사람.
professeur
(forme honorifique) Personne qui enseigne à des élèves.

• 이 : 어떤 상태나 상황의 대상이나 동작의 주체를 나타내는 조사.
Pas d'expression équivalente
Particule qui indique l'objet d'un état ou d'une situation, ou le sujet d'une action.

• **꿈 (nom)** : 앞으로 이루고 싶은 희망이나 목표.
rêve
Espoir ou objectif que l'on veut réaliser.

• 의 : 앞의 말이 뒤의 말에 대하여 속성이나 수량을 한정하거나 같은 자격임을 나타내는 조사.
Pas d'expression équivalente
Particule pour indiquer que la proposition précédente a une caractéristique ou une quantité limitée, ou la même qualité que la proposition suivante.

• **중요성 (nom)** : 귀중하고 꼭 필요한 요소나 성질.
importance
Caractère ou facteur précieux et absolument indispensable.

• 에 : 앞말이 말하고자 하는 특정한 대상임을 나타내는 조사.
sur, concernant, à propos de, au sujet de, touchant à
Particule indiquant que la proposition précédente (en coréen) est l'objet spécifique dont on veut parler.

• **대하다 (verbe)** : 대상이나 상대로 삼다.
Pas d'expression équivalente
Faire de quelque chose un objet de conversation ou de quelqu'un son interlocuteur. A VERIFIER

• -여 : 앞의 말이 뒤의 말보다 먼저 일어났거나 뒤의 말에 대한 방법이나 수단이 됨을 나타내는 연결 어미.
Pas d'expression équivalente
Terminaison connective indiquant que la proposition précédente s'est réalisée avant la suivante, ou qu'elle constitue une méthode ou un moyen pour accomplir ce qui est dans la proposition suivante.

• **이야기하다 (verbe)** : 어떠한 사실이나 상태, 현상, 경험, 생각 등에 관해 누군가에게 말을 하다.
raconter, prendre pour sujet de conversation
Parler à quelqu'un d'un fait, d'un état, d'un phénomène, d'une expérience, d'une pensée, etc.

• -고 있다 : 앞의 말이 나타내는 행동이 계속 진행됨을 나타내는 표현.
Pas d'expression équivalente
Expression pour indiquer que l'action de la proposition précédente est toujours en cours.

• -었- : 사건이 과거에 일어났음을 나타내는 어미.
Pas d'expression équivalente
Terminaison indiquant qu'un évènement s'est produit dans le passé.

• -다 : 어떤 사건이나 사실, 상태를 서술함을 나타내는 종결 어미.
Pas d'expression équivalente
Terminaison finale employée pour décrire un événement, un fait ou un état.

선생님 : 자, 여러분+들+에게 질문 하나 하+ㄹ게요.
할게요

• **자 (exclamatif)** : 남의 주의를 끌려고 할 때에 하는 말.
tiens, tenez, allez, bien
Expression pour attirer l'attention des autres.

• **여러분 (pronom)** : 듣는 사람이 여러 명일 때 그 사람들을 높여 이르는 말.
mesdames et messieurs!, mesdames, mesdemoiselles et messieurs!, mes amis!, tout le monde!
Pronom honorifique désignant les personnes à qui l'on s'adresse lorsqu'elles sont plusieurs.

• 들 : '복수'의 뜻을 더하는 접미사.
Pas d'expression équivalente
Suffixe signifiant « pluriel ».

• 에게 : 어떤 행동이 미치는 대상임을 나타내는 조사.
Pas d'expression équivalente
Particule indiquant l'objet affecté par une action.

• **질문 (nom)** : 모르는 것이나 알고 싶은 것을 물음.
question
Fait de poser une question sur ce que l'on ne sait pas ou sur ce que l'on veut savoir.

• **하나 (numéral)** : 숫자를 셀 때 맨 처음의 수.
un
Premier chiffre que l'on évoque lorsque l'on compte.

• **하다 (verbe)** : 어떤 행동이나 동작, 활동 등을 행하다.
faire, exécuter, effectuer, s'occuper de
Effectuer une action, un mouvement, une activité, etc.

• -ㄹ게요 : (두루높임으로) 말하는 사람이 어떤 행동을 할 것을 듣는 사람에게 약속하거나 의지를 나타내는 표현.
Pas d'expression équivalente
(forme honorifique non formelle) Expression indiquant que le locuteur promet à son interlocuteur de faire une action ou lui montre sa volonté de le faire.

선생님 : 여러분+들+이 꿈+을 펼치+[려고 하]+[ㄹ 때] 가장 크+ㄴ 장애 요소+는
펼치려고 할 때 큰

무엇+이+ㄹ까요?
무엇일까요

• **여러분 (pronom)** : 듣는 사람이 여러 명일 때 그 사람들을 높여 이르는 말.
mesdames et messieurs!, mesdames, mesdemoiselles et messieurs!, mes amis!, tout le monde!
Pronom honorifique désignant les personnes à qui l'on s'adresse lorsqu'elles sont plusieurs.

• 들 : '복수'의 뜻을 더하는 접미사.
Pas d'expression équivalente
Suffixe signifiant « pluriel ».

• 이 : 어떤 상태나 상황의 대상이나 동작의 주체를 나타내는 조사.
Pas d'expression équivalente
Particule qui indique l'objet d'un état ou d'une situation, ou le sujet d'une action.

• **꿈 (nom)** : 앞으로 이루고 싶은 희망이나 목표.
rêve
Espoir ou objectif que l'on veut réaliser.

• 을 : 동작이 직접적으로 영향을 미치는 대상을 나타내는 조사.
Pas d'expression équivalente
Particule indiquant un objet directement influencé par un mouvement.

• **펼치다 (verbe)** : 꿈이나 계획 등을 실제로 행하다.
réaliser
Exécuter un rêve, un plan, etc., de manière effective.

• -려고 하다 : 앞의 말이 나타내는 행동을 할 의도나 의향이 있음을 나타내는 표현.
Pas d'expression équivalente
Expression indiquant le fait d'avoir l'intention ou la volonté d'effectuer l'action exprimée par les propos précédents.

• -ㄹ 때 : 어떤 행동이나 상황이 일어나는 동안이나 그 시기 또는 그러한 일이 일어난 경우를 나타내는 표현.
Pas d'expression équivalente
Expression indiquant le moment pendant lequel une action a lieu ou une situation se produit, ou cette période, ou le cas où une telle chose arrive.

• **가장 (adverbe)** : 여럿 가운데에서 제일로.
le plus
Le plus + (adj.) parmi plusieurs.

• **크다 (adjectif)** : 길이, 넓이, 높이, 부피 등이 보통 정도를 넘다.
grand, large
Qui dépasse le degré ordinaire, en parlant de la longueur, de la superficie, de la hauteur, du volume, etc.

• -ㄴ : 앞의 말이 관형어의 기능을 하게 만들고 현재의 상태를 나타내는 어미.
Pas d'expression équivalente
Terminaison donnant la fonction de déterminant à la proposition précédente et exprimant l'état présent.

• **장애 (nom)** : 가로막아서 어떤 일을 하는 데 거슬리거나 방해가 됨. 또는 그런 일이나 물건.
obstacle, entrave
Fait de contrarier ou de gêner quelque chose, en se plaçant sur son chemin ; un tel objet ou chose.

• **요소 (nom)** : 무엇을 이루는 데 반드시 있어야 할 중요한 성분이나 조건.
élément constitutif, facteur
Élément ou condition indispensables pour constituer quelque chose.

• 는 : 문장 속에서 어떤 대상이 화제임을 나타내는 조사.
Pas d'expression équivalente
Particule indiquant qu'un objet est le principal sujet (de conversation) d'une phrase.

• **무엇 (pronom)** : 모르는 사실이나 사물을 가리키는 말.
que, quoi, quelle chose
Mot désignant un fait ou un objet inconnu.

• 이다 : 주어가 지시하는 대상의 속성이나 부류를 지정하는 뜻을 나타내는 서술격 조사.
Pas d'expression équivalente
Particule du cas prédicatif pour indiquer la caractéristique ou la catégorie d'un objet qui se rapporte au sujet d'une phrase.

• -ㄹ까요 : (두루높임으로) 아직 일어나지 않았거나 모르는 일에 대해서 말하는 사람이 추측하며 질문할 때 쓰는 표현.
Pas d'expression équivalente
(forme honorifique non formelle) Expression utilisée quand le locuteur fait une supposition en posant une question au sujet d'une chose pas encore advenue ou qu'il ne connaît pas.

선생님 : 잘 생각하+[여 보]+세요.
생각해 보세요

힌트+를 하나 주+ㄹ게요.
줄게요

• **잘 (adverbe)** : 생각이 매우 깊고 조심스럽게.
bien, mûrement, à deux fois
En réfléchissant très profondément et prudemment.

• **생각하다 (verbe)** : 사람이 머리를 써서 판단하거나 인식하다.
penser à, songer, réfléchir
(Être humain) Exercer son esprit pour porter un jugement ou pour prendre conscience de quelque chose.

• -여 보다 : 앞의 말이 나타내는 행동을 시험 삼아 함을 나타내는 표현.
Pas d'expression équivalente
Expression indiquant le fait d'essayer d'effectuer une action exprimée par les propos précédents.

• -세요 : (두루높임으로) 설명, 의문, 명령, 요청의 뜻을 나타내는 종결 어미.
Pas d'expression équivalente
(forme honorifique non formelle) Terminaison finale pour indiquer une explication, une interrogation, un ordre ou une demande.

• **힌트 (nom)** : 문제를 풀거나 일을 해결하는 데 도움이 되는 것.
clé
Ce qui apporte une aide à la résolution d'un problème ou d'une affaire.

• 를 : 동작이 직접적으로 영향을 미치는 대상을 나타내는 조사.
Pas d'expression équivalente
Particule indiquant un objet directement influencé par un mouvement.

• **하나 (numéral)** : 숫자를 셀 때 맨 처음의 수.
un
Premier chiffre que l'on évoque lorsque l'on compte.

• **주다 (verbe)** : 남에게 경고, 암시 등을 하여 어떤 내용을 알 수 있게 하다.
donner (un avis)
Faire savoir le contenu d'un avertissement, d'une allusion, etc.

• -ㄹ게요 : (두루높임으로) 말하는 사람이 어떤 행동을 할 것을 듣는 사람에게 약속하거나 의지를 나타내는 표현.
Pas d'expression équivalente
(forme honorifique non formelle) Expression indiquant que le locuteur promet à son interlocuteur de faire une action ou lui montre sa volonté de le faire.

선생님 : 답+은 '자'+로 시작하+는 네 글자+이+에요.
글자예요

• **답 (nom)** : 질문이나 문제가 요구하는 것을 밝혀 말함. 또는 그런 말.
réponse, solution, explication
Fait de répondre en donnant une précision en retour à une question ou un problème.

• 은 : 문장 속에서 어떤 대상이 화제임을 나타내는 조사.
Pas d'expression équivalente
Particule indiquant qu'un objet est le principal sujet (de conversation) d'une phrase.

• 로 : 움직임의 방향을 나타내는 조사.
à, vers, pour, en, à destination de, en direction de
Particule indiquant la direction d'un mouvement.

• **시작하다 (verbe)** : 어떤 일이나 행동의 처음 단계를 이루거나 이루게 하다.
commencer, débuter, ouvrir, démarrer
Accomplir la première étape d'un évènement ou d'une action, ou faire accomplir cette étape par une tierce personne.

• -는 : 앞의 말이 관형어의 기능을 하게 만들고 사건이나 동작이 현재 일어남을 나타내는 어미.
Pas d'expression équivalente
Terminaison attribuant la fonction de déterminant à la proposition précédente, et pour indiquer que la situation ou l'action en question se réalise au présent.

• **네 (déterminant)** : 넷의.
(dét.) quatre
Au nombre de quatre.

• **글자 (nom)** : 말을 적는 기호.
lettre, caractère, écriture
Signe graphique pour transcrire à l'écrit le langage.

• 이다 : 주어가 지시하는 대상의 속성이나 부류를 지정하는 뜻을 나타내는 서술격 조사.
Pas d'expression équivalente
Particule du cas prédicatif pour indiquer la caractéristique ou la catégorie d'un objet qui se rapporte au sujet d'une phrase.

• -에요 : (두루높임으로) 어떤 사실을 서술하거나 질문함을 나타내는 종결 어미.
Pas d'expression équivalente
(forme honorifique non formelle) Terminaison finale pour décrire un fait ou pour indiquer une question.

학생 1 : 정답+은 자기 비하+(이)+라고 생각하+ㅂ니다.
자기 비하라고 생각합니다

• **정답 (nom)** : 어떤 문제나 질문에 대한 옳은 답.
bonne réponse, réponse exacte
Réponse correcte à un problème ou à une question.

• 은 : 문장 속에서 어떤 대상이 화제임을 나타내는 조사.
Pas d'expression équivalente
Particule indiquant qu'un objet est le principal sujet (de conversation) d'une phrase.

• **자기 (nom)** : 그 사람 자신.
soi-même
Cette personne-là, elle-même.

• **비하 (nom)** : 자기 자신을 낮춤.
humiliation, abaissement, avilissement, auto-dépréciation, dénigrement
Fait de se rabaisser.

• 이다 : 주어가 지시하는 대상의 속성이나 부류를 지정하는 뜻을 나타내는 서술격 조사.
Pas d'expression équivalente
Particule du cas prédicatif pour indiquer la caractéristique ou la catégorie d'un objet qui se rapporte au sujet d'une phrase.

• -라고 : 다른 사람에게서 들은 내용을 간접적으로 전달하거나 주어의 생각, 의견 등을 나타내는 표현.
Pas d'expression équivalente
Expression indiquant le fait de transmettre indirectement le contenu des propos dont on a entendu parler par une autre personne, ou exprimant une pensée, une opinion, etc. à propos du sujet d'une certaine phrase.

• **생각하다 (verbe)** : 사람이 머리를 써서 판단하거나 인식하다.
penser à, songer, réfléchir
(Être humain) Exercer son esprit pour porter un jugement ou pour prendre conscience de quelque chose.

• -ㅂ니다 : (아주높임으로) 현재의 동작이나 상태, 사실을 정중하게 설명함을 나타내는 종결 어미.
Pas d'expression équivalente
(forme honorifique très marquée) Terminaison finale indiquant que l'on explique poliment l'action, l'état ou un fait présent.

학생 2 : 정답+은 자기 부정+이+라고 생각하+ㅂ니다. 생각합니다

• **정답 (nom)** : 어떤 문제나 질문에 대한 옳은 답.
bonne réponse, réponse exacte
Réponse correcte à un problème ou à une question.

• 은 : 문장 속에서 어떤 대상이 화제임을 나타내는 조사.
Pas d'expression équivalente
Particule indiquant qu'un objet est le principal sujet (de conversation) d'une phrase.

• **자기 (nom)** : 그 사람 자신.
soi-même
Cette personne-là, elle-même.

• **부정 (nom)** : 그렇지 않다고 판단하여 결정하거나 옳지 않다고 반대함.
négation
Fait de conclure que quelque chose n'est pas vrai ou d'objecter à quelque chose sa véracité.

• 이다 : 주어가 지시하는 대상의 속성이나 부류를 지정하는 뜻을 나타내는 서술격 조사.
Pas d'expression équivalente
Particule du cas prédicatif pour indiquer la caractéristique ou la catégorie d'un objet qui se rapporte au sujet d'une phrase.

• -라고 : 다른 사람에게서 들은 내용을 간접적으로 전달하거나 주어의 생각, 의견 등을 나타내는 표현.
Pas d'expression équivalente
Expression indiquant le fait de transmettre indirectement le contenu des propos dont on a entendu parler par une autre personne, ou exprimant une pensée, une opinion, etc. à propos du sujet d'une certaine phrase.

• **생각하다 (verbe)** : 사람이 머리를 써서 판단하거나 인식하다.
penser à, songer, réfléchir
(Être humain) Exercer son esprit pour porter un jugement ou pour prendre conscience de quelque chose.

• -ㅂ니다 : (아주높임으로) 현재의 동작이나 상태, 사실을 정중하게 설명함을 나타내는 종결 어미.
Pas d'expression équivalente
(forme honorifique très marquée) Terminaison finale indiquant que l'on explique poliment l'action, l'état ou un fait présent.

선생님 : 맞+아요.

• **맞다 (verbe)** : 문제에 대한 답이 틀리지 않다.
être correct, être juste
(Réponse à une question) Ne pas être incorrect.

• -아요 : (두루높임으로) 어떤 사실을 서술하거나 질문, 명령, 권유함을 나타내는 종결 어미.
Pas d'expression équivalente
(forme honorifique non formelle) Terminaison finale pour décrire un fait ou pour indiquer une question, un ordre ou une recommandation.

선생님 : 자기 비하 또는 자기 부정+은 꿈+을 이루+는 데 장애 요소+가 되+어요.
돼요

• **자기 (nom)** : 그 사람 자신.
soi-même
Cette personne-là, elle-même.

• **비하 (nom)** : 자기 자신을 낮춤.
humiliation, abaissement, avilissement, auto-dépréciation, dénigrement
Fait de se rabaisser.

• **또는 (adverbe)** : 그렇지 않으면.
ou, soit
Alternative.

• **자기 (nom)** : 그 사람 자신.
soi-même
Cette personne-là, elle-même.

• **부정 (nom)** : 그렇지 않다고 판단하여 결정하거나 옳지 않다고 반대함.
négation
Fait de conclure que quelque chose n'est pas vrai ou d'objecter à quelque chose sa véracité.

• 은 : 문장 속에서 어떤 대상이 화제임을 나타내는 조사.
Pas d'expression équivalente
Particule indiquant qu'un objet est le principal sujet (de conversation) d'une phrase.

• **꿈 (nom)** : 앞으로 이루고 싶은 희망이나 목표.
rêve
Espoir ou objectif que l'on veut réaliser.

• 을 : 동작이 직접적으로 영향을 미치는 대상을 나타내는 조사.
Pas d'expression équivalente
Particule indiquant un objet directement influencé par un mouvement.

• **이루다 (verbe)** : 뜻대로 되어 바라는 결과를 얻다.
réaliser, atteindre
Obtenir le résultat souhaité.

• -는 : 앞의 말이 관형어의 기능을 하게 만들고 사건이나 동작이 현재 일어남을 나타내는 어미.
Pas d'expression équivalente
Terminaison attribuant la fonction de déterminant à la proposition précédente, et pour indiquer que la situation ou l'action en question se réalise au présent.

• **데 (nom)** : 일이나 것.
Pas d'expression équivalente
Nom dépendant indiquant un fait ou une chose.

• **장애 (nom)** : 가로막아서 어떤 일을 하는 데 거슬리거나 방해가 됨. 또는 그런 일이나 물건.
obstacle, entrave
Fait de contrarier ou de gêner quelque chose, en se plaçant sur son chemin ; un tel objet ou chose.

• **요소 (nom)** : 무엇을 이루는 데 반드시 있어야 할 중요한 성분이나 조건.
élément constitutif, facteur
Élément ou condition indispensables pour constituer quelque chose.

• 가 : 바뀌게 되는 대상이나 부정하는 대상임을 나타내는 조사.
Pas d'expression équivalente
Particule indiquant l'objet d'un changement ou d'une négation.

• **되다 (verbe)** : 어떤 특별한 뜻을 가지는 상태에 놓이다.
Pas d'expression équivalente
Se trouver dans un état revêtant une signification particulière.

• -어요 : (두루높임으로) 어떤 사실을 서술하거나 질문, 명령, 권유함을 나타내는 종결 어미.
Pas d'expression équivalente
(forme honorifique non formelle) Terminaison finale pour décrire un fait ou pour indiquer une question, un ordre ou une recommandation.

그때 한 학생+이 천연덕스럽+게 대답하+였+다. **대답했다**

• **그때 (nom)** : 앞에서 이야기한 어떤 때.
ce moment-là, cette époque, ce temps-là
Un moment mentionné auparavant.

• **한 (déterminant)** : 여럿 중 하나인 어떤.
quelconque, un, certain
Un parmi plusieurs.

• **학생 (nom)** : 학교에 다니면서 공부하는 사람.
élève, étudiant(e)
Personne qui étude dans une école.

• 이 : 어떤 상태나 상황의 대상이나 동작의 주체를 나타내는 조사.
Pas d'expression équivalente
Particule qui indique l'objet d'un état ou d'une situation, ou le sujet d'une action.

• **천연덕스럽다 (adjectif)** : 생긴 그대로 조금도 거짓이나 꾸밈이 없고 자연스러운 데가 있다.
détendu, décontracté, naturel
Qui n'est pas du tout hypocrite ni affecté mais plutôt naturel.

• -게 : 앞의 말이 뒤에서 가리키는 일의 목적이나 결과, 방식, 정도 등이 됨을 나타내는 연결 어미.
Pas d'expression équivalente
Terminaison connective indiquant que les propos précédents constituent l'objectif, le résultat, la méthode ou le degré des propos qui suivent.

• **대답하다 (verbe)** : 묻거나 요구하는 것에 해당하는 것을 말하다.
répondre, donner une réponse
Dire ce qui est demandé ou exigé par une question.

• -였- : 사건이 과거에 일어났음을 나타내는 어미.
Pas d'expression équivalente
Terminaison indiquant qu'un évènement s'est produit dans le passé.

• -다 : 어떤 사건이나 사실, 상태를 서술함을 나타내는 종결 어미.
Pas d'expression équivalente
Terminaison finale employée pour décrire un événement, un fait ou un état.

학생 3 : 정답+은 자기 부모+(이)+라고 생각하+ㅂ니다.
자기 부모라고 생각합니다

• **정답 (nom)** : 어떤 문제나 질문에 대한 옳은 답.
bonne réponse, réponse exacte
Réponse correcte à un problème ou à une question.

• 은 : 문장 속에서 어떤 대상이 화제임을 나타내는 조사.
Pas d'expression équivalente
Particule indiquant qu'un objet est le principal sujet (de conversation) d'une phrase.

• **자기 (nom)** : 그 사람 자신.
soi-même
Cette personne-là, elle-même.

• **부모 (nom)** : 아버지와 어머니.
parents
Père et mère.

• 이다 : 주어가 지시하는 대상의 속성이나 부류를 지정하는 뜻을 나타내는 서술격 조사.
Pas d'expression équivalente
Particule du cas prédicatif pour indiquer la caractéristique ou la catégorie d'un objet qui se rapporte au sujet d'une phrase.

• -라고 : 다른 사람에게서 들은 내용을 간접적으로 전달하거나 주어의 생각, 의견 등을 나타내는 표현.
Pas d'expression équivalente
Expression indiquant le fait de transmettre indirectement le contenu des propos dont on a entendu parler par une autre personne, ou exprimant une pensée, une opinion, etc. à propos du sujet d'une certaine phrase.

• **생각하다 (verbe)** : 사람이 머리를 써서 판단하거나 인식하다.
penser à, songer, réfléchir
(Être humain) Exercer son esprit pour porter un jugement ou pour prendre conscience de quelque chose.

• -ㅂ니다 : (아주높임으로) 현재의 동작이나 상태, 사실을 정중하게 설명함을 나타내는 종결 어미.
Pas d'expression équivalente
(forme honorifique très marquée) Terminaison finale indiquant que l'on explique poliment l'action, l'état ou un fait présent.

< 10 단원(chapitre) >

제목 : 뭐, 없어진 물건이라도 있으세요?

● 본문 (texte primitif)

북적거리는 쇼핑몰에서 한 여성이 핸드백을 잃어버렸다.

핸드백을 주운 정직한 소년은 그 여성에게 가방을 돌려줬다.

건네받은 핸드백 안을 이리저리 살펴보던 여자가 말했다.

여자 : 핸드백에 중요한 것이 많아서 못 찾을까 봐 걱정했는데 너무 고맙구나.

그런데 음, 이상한 일이구나.

소년 : 뭐, 없어진 물건이라도 있으세요?

여자 : 그건 아니고, 지갑 안에 분명히 오만 원짜리 지폐 한 장이 들어 있었는데

지금은 만 원짜리 다섯 장이 들어 있네.

거참, 신기하네.

소년 : 아, 그거요.

저번에 제가 어떤 여자분 지갑을 찾아 줬는데 그분이 잔돈이 없다고

사례금을 안 주셨거든요.

● 발음 (prononciation)

북적거리는 쇼핑몰에서 한 여성이 핸드백을 잃어버렸다.
북쩍꺼리는 쇼핑모레서 한 여성이 핸드배글 이러버렫따.
bukjeokgeorineun syopingmoreseo han yeoseongi haendeubaegeul ireobeoryeotda.

핸드백을 주운 정직한 소년은 그 여성에게 가방을 돌려줬다.
핸드배글 주운 정지칸 소녀는 그 여성에게 가방을 돌려줟따.
haendeubaegeul juun jeongjikan sonyeoneun geu yeoseongege gabangeul dollyeojwotda.

건네받은 핸드백 안을 이리저리 살펴보던 여자가 말했다.
건네바든 핸드백 아늘 이리저리 살펴보던 여자가 말핻따.
geonnebadeun haendeubaek aneul irijeori salpyeobodeon yeojaga malhaetda.

여자 : 핸드백에 중요한 것이 많아서 못 찾을까 봐 걱정했는데 너무 고맙구나.
여자 : 핸드배게 중요한 거시 마나서 몯 차즐까 봐 걱쩡핸는데 너무 고맙꾸나.
yeoja : haendeubaege jungyohan geosi manaseo mot chajeulkka bwa geokjeonghaenneunde neomu gomapguna.

그런데 음, 이상한 일이구나.
그런데 음, 이상한 이리구나.
geureonde eum, isanghan iriguna.

소년 : 뭐, 없어진 물건이라도 있으세요?
소년 : 뭐, 업써진 물거니라도 이쓰세요?
sonyeon : mwo, eopseojin mulgeonirado isseuseyo?

여자 : 그건 아니고, 지갑 안에 분명히 오만 원짜리 지폐 한 장이 들어 있었는데
여자 : 그건 아니고, 지갑 아네 분명히 오만 원짜리 지페 한 장이 드러 이썬는데
yeoja : geugeon anigo, jigap ane bunmyeonghi oman wonjjari jipye(jipe) han jangi deureo isseonneunde

지금은 만 원짜리 다섯 장이 들어 있네.
지그믄 만 원짜리 다섣 장이 드러 인네.
jigeumeun man wonjjari daseot jangi deureo inne.

거참, 신기하네.
거참, 신기하네.
geocham, singihane.

소년 : 아, 그거요.
소년 : 아, 그거요.
sonyeon : a, geugeoyo.

저번에 제가 어떤 여자분 지갑을 찾아 줬는데 그분이 잔돈이 없다고
저버네 제가 어떤 여자분 지가블 차자 줜는데 그부니 잔도니 업따고
jeobeone jega eotteon yeojabun jigabeul chaja jwonneunde geubuni jandoni eopdago

사례금을 안 주셨거든요.
사례그믈 안 주셛꺼드뇨.
saryegeumeul an jusyeotgeodeunyo.

● 어휘 (vocabulaire) / 문법 (règle de grammaire)

북적거리+는 쇼핑몰+에서 한 여성+이 핸드백+을 잃어버리+었+다.

핸드백+을 줍(주우)+ㄴ 정직하+ㄴ 소년+은 그 여성+에게 가방+을 돌려주+었+다.

건네받+은 핸드백 안+을 이리저리 살펴보+던 여자+가 말하+였+다.

여자 : 핸드백+에 중요하+ㄴ 것+이 많+아서 못 찾+을까 보+아 걱정하+였+는데 너무

고맙+구나.

그런데 음, 이상하+ㄴ 일+이+구나.

소년 : 뭐, 없어지+ㄴ 물건+이라도 있+으세요?

여자 : 그것(그거)+은 아니+고, 지갑 안+에 분명히 오만 원+짜리 지폐 한 장+이

들+어 있+었+는데 지금+은 만 원+짜리 다섯 장+이 들+어 있+네.

거참, 신기하+네.

소년 : 아, 그거+요.

저번+에 제+가 어떤 여자+분 지갑+을 찾+아 주+었+는데 그분+이 잔돈+이

없+다고 사례금+을 안 주+시+었+거든요.

북적거리+는 쇼핑몰+에서 한 여성+이 핸드백+을 잃어버리+었+다. 잃어버렸다

• **북적거리다 (verbe)** : 많은 사람이 한곳에 모여 매우 어수선하고 시끄럽게 자꾸 떠들다.
grouiller, fourmiller, être grouillant, être fourmillant, pulluler, foisonner, abonder, connaître une grande affluence
(Grand nombre de personnes) Être réuni dans un endroit et bavarder continuellement de façon très désordonnée et bruyante.

• -는 : 앞의 말이 관형어의 기능을 하게 만들고 사건이나 동작이 현재 일어남을 나타내는 어미.
Pas d'expression équivalente
Terminaison attribuant la fonction de déterminant à la proposition précédente, et pour indiquer que la situation ou l'action en question se réalise au présent.

• **쇼핑몰 (nom)** : 여러 가지 물건을 파는 상점들이 모여 있는 곳.
centre commercial, galerie marchande
Espace regroupant des magasins où sont vendus divers articles.

• 에서 : 앞말이 행동이 이루어지고 있는 장소임을 나타내는 조사.
à, dans, en, chez
Particule indiquant que la proposition précédente est le lieu où se passe une action.

• **한 (déterminant)** : 여럿 중 하나인 어떤.
quelconque, un, certain
Un parmi plusieurs.

• **여성 (nom)** : 어른이 되어 아이를 낳을 수 있는 여자.
femme
Adulte de sexe féminin en âge de procréer.

• 이 : 어떤 상태나 상황의 대상이나 동작의 주체를 나타내는 조사.
Pas d'expression équivalente
Particule qui indique l'objet d'un état ou d'une situation, ou le sujet d'une action.

• **핸드백 (nom)** : 여자들이 손에 들거나 한쪽 어깨에 메는 작은 가방.
sac à main
Petit sac que les femmes portent sur une épaule ou à la main.

• 을 : 동작이 직접적으로 영향을 미치는 대상을 나타내는 조사.
Pas d'expression équivalente
Particule indiquant un objet directement influencé par un acte.

• **잃어버리다 (verbe)** : 가졌던 물건을 흘리거나 놓쳐서 더 이상 갖지 않게 되다.
perdre, égarer
Ne plus être en possession d'un objet que l'on a laissé échapper ou qui a disparu.

• -었- : 사건이 과거에 일어났음을 나타내는 어미.
Pas d'expression équivalente
Terminaison indiquant qu'un évènement s'est produit dans le passé.

• -다 : 어떤 사건이나 사실, 상태를 서술함을 나타내는 종결 어미.
Pas d'expression équivalente
Terminaison finale employée pour décrire un événement, un fait ou un état.

핸드백+을 줍(주우)+ㄴ 정직하+ㄴ 소년+은 그 여성+에게 가방+을 돌려주+었+다. 주운 정직한 돌려줬다

• **핸드백 (nom)** : 여자들이 손에 들거나 한쪽 어깨에 메는 작은 가방.
sac à main
Petit sac que les femmes portent sur une épaule ou à la main.

• 을 : 동작이 직접적으로 영향을 미치는 대상을 나타내는 조사.
Pas d'expression équivalente
Particule indiquant un objet directement influencé par un acte.

• **줍다 (verbe)** : 남이 잃어버린 물건을 집다.
ramasser
Prendre un objet perdu par autrui.

• -ㄴ : 앞의 말이 관형어의 기능을 하게 만들고 사건이나 동작이 완료되어 그 상태가 유지되고 있음을 나타내는 어미.
Pas d'expression équivalente
Terminaison donnant la fonction de déterminant à la proposition précédente et indiquant que l'événement ou l'action en question est achevé et que cet état est maintenu.

• **정직하다 (adjectif)** : 마음에 거짓이나 꾸밈이 없고 바르고 곧다.
franc, sincère, ouvert
Qui est probe et honnête et qui n'a pas de fausseté ni d'apprêt.

• -ㄴ : 앞의 말이 관형어의 기능을 하게 만들고 현재의 상태를 나타내는 어미.
Pas d'expression équivalente
Terminaison donnant la fonction de déterminant à la proposition précédente et exprimant l'état présent.

• **소년 (nom)** : 아직 어른이 되지 않은 어린 남자아이.
garçon, adolescent, jeune
Garçon qui n'est pas encore devenu adulte.

• 은 : 문장 속에서 어떤 대상이 화제임을 나타내는 조사.
Pas d'expression équivalente
Particule indiquant qu'un objet est le principal sujet (de conversation) d'une phrase.

• **그 (déterminant)** : 앞에서 이미 이야기한 대상을 가리킬 때 쓰는 말.
ce, cette, ces
Terme désignant un objet précédemment évoqué.

• **여성 (nom)** : 어른이 되어 아이를 낳을 수 있는 여자.
femme
Adulte de sexe féminin en âge de procréer.

• 에게 : 어떤 행동이 미치는 대상임을 나타내는 조사.
Pas d'expression équivalente
Particule indiquant l'objet affecté par une action.

• **가방 (nom)** : 물건을 넣어 손에 들거나 어깨에 멜 수 있게 만든 것.
sac, valise, serviette
Objet destiné à contenir des choses, que l'on tient à la main ou que l'on porte sur l'épaule.

• 을 : 동작이 직접적으로 영향을 미치는 대상을 나타내는 조사.
Pas d'expression équivalente
Particule indiquant un objet directement influencé par un acte.

• **돌려주다 (verbe)** : 빌리거나 빼거나 받은 것을 주인에게 도로 주거나 갚다.
rendre, renvoyer
Rendre ou rembourser au propriétaire ou à la personne à qui l'on doit de l'argent qu'on a emprunté, enlevé ou reçu.

• -었- : 사건이 과거에 일어났음을 나타내는 어미.
Pas d'expression équivalente
Terminaison indiquant qu'un évènement s'est produit dans le passé.

• -다 : 어떤 사건이나 사실, 상태를 서술함을 나타내는 종결 어미.
Pas d'expression équivalente
Terminaison finale employée pour décrire un événement, un fait ou un état.

건네받+은 핸드백 안+을 이리저리 살펴보+던 여자+가 말하+였+다.
말했다

• **건네받다 (verbe)** : 다른 사람으로부터 어떤 것을 옮기어 받다.
recevoir, accepter, toucher, percevoir
Entrer en possession de quelque chose transmis par quelqu'un.

• -은 : 앞의 말이 관형어의 기능을 하게 만들고 사건이나 동작이 완료되어 그 상태가 유지되고 있음을 나타내는 어미.
Pas d'expression équivalente
Terminaison donnant la fonction de déterminant à la proposition précédente et indiquant que l'événement ou l'action en question est achevé et que cet état est maintenu.

• **핸드백 (nom)** : 여자들이 손에 들거나 한쪽 어깨에 메는 작은 가방.
sac à main
Petit sac que les femmes portent sur une épaule ou à la main.

• **안 (nom)** : 어떤 물체나 공간의 둘레에서 가운데로 향한 쪽. 또는 그러한 부분.
(n.) intérieur, à l'intérieur de, au dedans de, dedans, dans
Côté interne de la limite d'un objet ou d'un espace ; une telle partie.

• 을 : 동작이 직접적으로 영향을 미치는 대상을 나타내는 조사.
Pas d'expression équivalente
Particule indiquant un objet directement influencé par un acte.

• **이리저리 (adverbe)** : 방향을 정하지 않고 이쪽저쪽으로.
partout, de tous les côtés
Par-ci, par-là sans direction définie.

• **살펴보다 (verbe)** : 무엇을 찾거나 알아보다.
voir, regarder, fouiller, feuilleter, se renseigner
Chercher ou s'informer de quelque chose.

• -던 : 앞의 말이 관형어의 기능을 하게 만들고 사건이나 동작이 과거에 완료되지 않고 중단되었음을 나타내는 어미.
Pas d'expression équivalente
Terminaison donnant la fonction de déterminant à ce qui précède et indiquant qu'un événement ou une action ne s'est pas accompli dans le passé mais s'est interrompu.

• **여자 (nom)** : 여성으로 태어난 사람.
femme, sexe féminin, sexe faible, beau sexe, deuxième sexe
Personne née de sexe féminin.

• 가 : 어떤 상태나 상황에 놓인 대상이나 동작의 주체를 나타내는 조사.
Pas d'expression équivalente
Particule qui indique l'objet d'un état ou d'une situation, ou le sujet d'une action.

• **말하다 (verbe)** : 어떤 사실이나 자신의 생각 또는 느낌을 말로 나타내다.
parler, dire
Exprimer oralement un fait, sa pensée ou ses sentiments.

• -였- : 사건이 과거에 일어났음을 나타내는 어미.
Pas d'expression équivalente
Terminaison indiquant qu'un évènement s'est produit dans le passé.

• -다 : 어떤 사건이나 사실, 상태를 서술함을 나타내는 종결 어미.
Pas d'expression équivalente
Terminaison finale employée pour décrire un événement, un fait ou un état.

여자 : 핸드백+에 중요하+[ㄴ 것]+이 많+아서 못 찾+[을까 보]+아 걱정하+였+는데
중요한 것이 찾을까 봐 걱정했는데

너무 고맙+구나.

• **핸드백 (nom)** : 여자들이 손에 들거나 한쪽 어깨에 메는 작은 가방.
sac à main
Petit sac que les femmes portent sur une épaule ou à la main.

• 에 : 앞말이 어떤 장소나 자리임을 나타내는 조사.
à, dans, en, sur
Particule indiquant que la proposition précédente (en coréen) est un lieu ou un emplacement.

• **중요하다 (adjectif)** : 귀중하고 꼭 필요하다.
important, grave, sérieux
Qui est précieux et absolument indispensable.

• -ㄴ 것 : 명사가 아닌 것을 문장에서 명사처럼 쓰이게 하거나 '이다' 앞에 쓰일 수 있게 할 때 쓰는 표현.
Pas d'expression équivalente
Expression permettant à un mot qui n'est pas un nom d'être utilisé comme tel, ou d'être utilisé devant '이다'.

• 이 : 어떤 상태나 상황의 대상이나 동작의 주체를 나타내는 조사.
Pas d'expression équivalente
Particule qui indique l'objet d'un état ou d'une situation, ou le sujet d'une action.

• **많다 (adjectif)** : 수나 양, 정도 등이 일정한 기준을 넘다.
nombreux, abondant, riche, plein, rempli
(Nombre, quantité, degré, etc.) Qui est au-delà d'un critère donné.

• -아서 : 이유나 근거를 나타내는 연결 어미.
Pas d'expression équivalente
Terminaison connective indiquant la raison ou la base.

• **못 (adverbe)** : 동사가 나타내는 동작을 할 수 없게.
Pas d'expression équivalente
De façon à ce que l'action exprimée par le verbe ne puisse pas s'effectuer.

• **찾다 (verbe)** : 무엇을 얻거나 누구를 만나려고 여기저기를 살피다. 또는 그것을 얻거나 그 사람을 만나다.
chercher, fouiller
Regarder autour pour trouver quelque chose ou pour rencontrer quelqu'un ; trouver ladite chose ou rencontrer ladite personne.

• -을까 보다 : 앞에 오는 말이 나타내는 상황이 될 것을 걱정하거나 두려워함을 나타내는 표현.
Pas d'expression équivalente
Expression indiquant que l'on s'inquiète ou que l'on redoute que la situation exprimée par la proposition précédente ne se produise.

• -아 : 앞에 오는 말이 뒤에 오는 말에 대한 원인이나 이유임을 나타내는 연결 어미.
Pas d'expression équivalente
Terminaison connective indiquant que les propos précédents constituent la cause ou la raison des propos suivants.

• **걱정하다 (verbe)** : 좋지 않은 일이 있을까 봐 두려워하고 불안해하다.
s'inquiéter, se tracasser, se tourmenter, s'alarmer, se préoccuper, se soucier, être inquiet
Éprouver de l'inquiétude et de la peur par crainte qu'une mauvaise chose se produise.

• -였- : 어떤 사건이 과거에 완료되었거나 그 사건의 결과가 현재까지 지속되는 상황을 나타내는 어미.
Pas d'expression équivalente
Terminaison indiquant qu'un évènement a été accompli dans le passé ou que le résultat de cet évènement perdure jusqu'à présent.

• -는데 : 뒤의 말을 하기 위하여 그 대상과 관련이 있는 상황을 미리 말함을 나타내는 연결 어미.
Pas d'expression équivalente
Terminaison connective indiquant le fait de parler à l'avance d'une situation en rapport avec l'objet des propos suivants.

• **너무 (adverbe)** : 일정한 정도나 한계를 훨씬 넘어선 상태로.
trop, excessivement, à l'excès, avec excès, outre mesure, démesurément
De manière à dépasser de loin un certain niveau ou une limite.

• **고맙다 (adjectif)** : 남이 자신을 위해 무엇을 해주어서 마음이 흐뭇하고 보답하고 싶다.
reconnaissant
Être touché par l'action que quelqu'un nous porte et avoir envie de faire de même.

• -구나 : (아주낮춤으로) 새롭게 알게 된 사실에 어떤 느낌을 실어 말함을 나타내는 종결 어미.
Pas d'expression équivalente
(forme non honorifique très marquée) Terminaison finale pour parler avec un certain sentiment d'un fait nouveau dont on a pris connaissance.

여자 : 그런데 음, 이상하+ㄴ 일+이+구나. **이상한**

• **그런데 (adverbe)** : 이야기를 앞의 내용과 관련시키면서 다른 방향으로 바꿀 때 쓰는 말.
en fait, alors
Terme employé pour changer la direction d'une conversation, en la reliant aux éléments énoncés auparavant.

• **음 (exclamatif)** : 믿지 못할 때 내는 소리.
mmh, hmm
Exclamation prononcée pour montrer qu'on n'arrive pas à croire à une chose.

• **이상하다 (adjectif)** : 원래 알고 있던 것과 달리 별나거나 색다르다.
extravagant, original, singulier
Qui saute aux yeux ou qui est différent de ce que l'on savait d'ordinaire.

• -ㄴ : 앞의 말이 관형어의 기능을 하게 만들고 현재의 상태를 나타내는 어미.
Pas d'expression équivalente
Terminaison donnant la fonction de déterminant à la proposition précédente et exprimant l'état présent.

• **일 (nom)** : 어떤 내용을 가진 상황이나 사실.
chose
Situation ou fait avec un certain contenu.

• 이다 : 주어가 지시하는 대상의 속성이나 부류를 지정하는 뜻을 나타내는 서술격 조사.
Pas d'expression équivalente
Particule du cas prédicatif pour indiquer la caractéristique ou la catégorie d'un objet qui se rapporte au sujet d'une phrase.

• -구나 : (아주낮춤으로) 새롭게 알게 된 사실에 어떤 느낌을 실어 말함을 나타내는 종결 어미.
Pas d'expression équivalente
(forme non honorifique très marquée) Terminaison finale pour parler avec un certain sentiment d'un fait nouveau dont on a pris connaissance.

소년 : 뭐, 없어지+ㄴ 물건+이라도 있+으세요?
없어진

• **뭐 (exclamatif)** : 놀랐을 때 내는 소리.
qu'est-ce que tu dis?
Exclamation utilisée pour exprimer la surprise.

• **없어지다 (verbe)** : 사람, 사물, 현상 등이 어떤 곳에 자리나 공간을 차지하고 존재하지 않게 되다.
être supprimé, être éliminé, s'éliminer, être levé, être enlevé, s'enlever, être ôté, s'ôter
(Personne, objet, phénomène, etc.) Disparaître en n'occupant plus une place ou un espace.

• -ㄴ : 앞의 말이 관형어의 기능을 하게 만들고 사건이나 동작이 완료되어 그 상태가 유지되고 있음을 나타내는 어미.
Pas d'expression équivalente
Terminaison donnant la fonction de déterminant à la proposition précédente et indiquant que l'événement ou l'action en question est achevé et que cet état est maintenu.

• **물건 (nom)** : 일정한 모양을 갖춘 어떤 물질.
objet, article
Matériau qui a une forme donnée.

• 이라도 : 불확실한 사실에 대한 말하는 이의 의심이나 의문을 나타내는 조사.
Pas d'expression équivalente
Particule exprimant le doute ou l'interrogation du locuteur sur un fait incertain.

• **있다 (adjectif)** : 무엇이 어떤 곳에 자리나 공간을 차지하고 존재하는 상태이다.
(adj.) il y a, y avoir
(Chose) Qui occupe une place ou un espace, et qui existe.

• -으세요 : (두루높임으로) 설명, 의문, 명령, 요청의 뜻을 나타내는 종결 어미.
Pas d'expression équivalente
(forme honorifique non formelle) Terminaison finale pour indiquer une explication, une interrogation, un ordre ou une demande.

여자 : 그것(그거)+은 아니+고, 지갑 안+에 분명히 오만 원+짜리 지폐 한 장+이 그건 들+[어 있]+었+는데 지금+은 만 원+짜리 다섯 장+이 들+[어 있]+네.

• **그것 (pronom)** : 앞에서 이미 이야기한 대상을 가리키는 말.
Pas d'expression équivalente
Terme désignant un objet précédemment énoncé, ou terme désignant un objet précédemment évoqué.

• 은 : 문장 속에서 어떤 대상이 화제임을 나타내는 조사.
Pas d'expression équivalente
Particule indiquant qu'un objet est le principal sujet (de conversation) d'une phrase.

• **아니다 (adjectif)** : 어떤 사실이나 내용을 부정하는 뜻을 나타내는 말.
Pas d'expression équivalente
Terme exprimant la négation d'un fait ou d'un contenu.

• -고 : 두 가지 이상의 대등한 사실을 나열할 때 쓰는 연결 어미.
Pas d'expression équivalente
Terminaison connective utilisée pour énumérer deux faits égaux ou plus.

• **지갑 (nom)** : 돈, 카드, 명함 등을 넣어 가지고 다닐 수 있게 가죽이나 헝겊 등으로 만든 물건.
portefeuille, porte-monnaie
Produit fabriqué en cuir ou en tissu permettant d'y mettre et de transporter de l'argent, des cartes de crédit, des cartes de visite, etc.

• **안 (nom)** : 어떤 물체나 공간의 둘레에서 가운데로 향한 쪽. 또는 그러한 부분.
(n.) intérieur, à l'intérieur de, au dedans de, dedans, dans
Côté interne de la limite d'un objet ou d'un espace ; une telle partie.

• 에 : 앞말이 어떤 장소나 자리임을 나타내는 조사.
à, dans, en, sur
Particule indiquant que la proposition précédente (en coréen) est un lieu ou un emplacement.

• **분명히 (adverbe)** : 어떤 사실이 틀림이 없이 확실하게.
clairement, nettement, distinctement, certainement, manifestement, sûrement
De sorte qu'un fait soit certain et sûr.

• **오만** : 50,000

• **원 (nom)** : 한국의 화폐 단위.
Won
Nom dépendant indiquant l'unité monétaire de la Corée du Sud.

• 짜리 : '그만한 수나 양을 가진 것' 또는 '그만한 가치를 가진 것'의 뜻을 더하는 접미사.
Pas d'expression équivalente
Suffixe signifiant "ce qui est de ce nombre ou cette quantité" ou "ce qui est de cette valeur".

• **지폐 (nom)** : 종이로 만든 돈.
billet, coupure
Argent fabriqué en papier.

• **한 (déterminant)** : 하나의.
un
D'un.

• **장 (nom)** : 종이나 유리와 같이 얇고 넓적한 물건을 세는 단위.
Pas d'expression équivalente
Nom dépendant, quantificateur pour compter le nombre de feuilles, de verres ou autres objets fins et plats.

• 이 : 어떤 상태나 상황의 대상이나 동작의 주체를 나타내는 조사.
Pas d'expression équivalente
Particule qui indique l'objet d'un état ou d'une situation, ou le sujet d'une action.

• **들다 (verbe)** : 안에 담기거나 그 일부를 이루다.
Pas d'expression équivalente
Être mis à l'intérieur de quelque chose ou en faire partie.

• -어 있다 : 앞의 말이 나타내는 상태가 계속됨을 나타내는 표현.
Pas d'expression équivalente
Expression indiquant le maintien de l'état exprimé par les propos précédents.

• -었- : 어떤 사건이 과거에 완료되었거나 그 사건의 결과가 현재까지 지속되는 상황을 나타내는 어미.
Pas d'expression équivalente
Terminaison indiquant qu'un évènement a été accompli dans le passé ou que le résultat de cet évènement perdure jusqu'à présent.

• -는데 : 뒤의 말을 하기 위하여 그 대상과 관련이 있는 상황을 미리 말함을 나타내는 연결 어미.
Pas d'expression équivalente
Terminaison connective indiquant le fait de parler à l'avance d'une situation en rapport avec l'objet des propos suivants.

• **지금 (nom)** : 말을 하고 있는 바로 이때.
le moment présent, l'instant présent
Moment précis où l'on est en train de parler.

• 은 : 문장 속에서 어떤 대상이 화제임을 나타내는 조사.
Pas d'expression équivalente
Particule indiquant qu'un objet est le principal sujet (de conversation) d'une phrase.

• **만** : 10,000

• **원 (nom)** : 한국의 화폐 단위.
Won
Nom dépendant indiquant l'unité monétaire de la Corée du Sud.

• 짜리 : '그만한 수나 양을 가진 것' 또는 '그만한 가치를 가진 것'의 뜻을 더하는 접미사.
Pas d'expression équivalente
Suffixe signifiant "ce qui est de ce nombre ou cette quantité" ou "ce qui est de cette valeur".

• **다섯 (déterminant)** : 넷에 하나를 더한 수의.
cinq
Chiffre résultant de l'addition de 1 plus 4.

• **장 (nom)** : 종이나 유리와 같이 얇고 넓적한 물건을 세는 단위.
Pas d'expression équivalente
Nom dépendant, quantificateur pour compter le nombre de feuilles, de verres ou autres objets fins et plats.

• 이 : 어떤 상태나 상황의 대상이나 동작의 주체를 나타내는 조사.
Pas d'expression équivalente
Particule qui indique l'objet d'un état ou d'une situation, ou le sujet d'une action.

• **들다 (verbe)** : 안에 담기거나 그 일부를 이루다.
Pas d'expression équivalente
Être mis à l'intérieur de quelque chose ou en faire partie.

• -어 있다 : 앞의 말이 나타내는 상태가 계속됨을 나타내는 표현.
Pas d'expression équivalente
Expression indiquant le maintien de l'état exprimé par les propos précédents.

• -네 : (아주낮춤으로) 지금 깨달은 일에 대하여 말함을 나타내는 종결 어미.
Pas d'expression équivalente
(forme non honorifique très marquée) Terminaison finale pour indiquer que le locuteur parle d'une chose dont il vient de se rendre compte.

여자 : 거참, 신기하+네.

• **거참 (exclamatif)** : 안타까움이나 아쉬움, 놀라움의 뜻을 나타낼 때 하는 말.
vraiment ?, ça alors !
Exclamation exprimant le dépit, le regret ou la surprise.

• **신기하다 (adjectif)** : 믿을 수 없을 정도로 색다르고 이상하다.
fantastique, merveilleux, curieux
Nouveau et étrange, au point d'être incroyable.

• -네 : (아주낮춤으로) 지금 깨달은 일에 대하여 말함을 나타내는 종결 어미.
Pas d'expression équivalente
(forme non honorifique très marquée) Terminaison finale pour indiquer que le locuteur parle d'une chose dont il vient de se rendre compte.

소년 : 아, 그거+요.

• **아 (exclamatif)** : 남에게 말을 걸거나 주의를 끌 때, 말에 앞서 내는 소리.
ah, au fait, dis
Exclamation consistant en un son émis avant de parler lorsque l'on s'adresse à quelqu'un ou pour attirer l'attention de quelqu'un.

• **그거 (pronom)** : 앞에서 이미 이야기한 대상을 가리키는 말.
Pas d'expression équivalente
Terme désignant un objet précédemment énoncé, ou terme désignant un objet précédemment évoqué.

• 요 : 높임의 대상인 상대방에게 존대의 뜻을 나타내는 조사.
Pas d'expression équivalente
Particule utilisée pour marquer la forme honorifique envers l'interlocuteur qui est un objet de respect.

소년 : 저번+에 제+가 어떤 여자+분 지갑+을 찾+[아 주]+었+는데 그분+이 잔돈+이
찾아 줬는데

없+다고 사례금+을 안 주+시+었+거든요.
주셨거든요

• **저번 (nom)** : 말하고 있는 때 이전의 지나간 차례나 때.
la dernière fois
Tour ou moment précédent le moment où l'on parle.

• 에 : 앞말이 시간이나 때임을 나타내는 조사.
à, en
Particule indiquant que la proposition précédente (en coréen) est l'heure ou le moment.

• **제 (pronom)** : 말하는 사람이 자신을 낮추어 가리키는 말인 '저'에 조사 '가'가 붙을 때의 형태.
Pas d'expression équivalente
Forme issue de l'ajout de la particule '가' au terme '저', utilisé par le locuteur qui se désigne lui-même en s'abaissant.

• 가 : 어떤 상태나 상황에 놓인 대상이나 동작의 주체를 나타내는 조사.
Pas d'expression équivalente
Particule qui indique l'objet d'un état ou d'une situation, ou le sujet d'une action.

• **어떤 (déterminant)** : 굳이 말할 필요가 없는 대상을 뚜렷하게 밝히지 않고 나타낼 때 쓰는 말.
quelque, certain, certaine, un, une, quelqu'un
Déterminant utilisé pour ne pas présenter précisément l'objet dont on parle car on juge inutile de le mentionner.

• **여자 (nom)** : 여성으로 태어난 사람.
femme, sexe féminin, sexe faible, beau sexe, deuxième sexe
Personne née de sexe féminin.

• 분 : '높임'의 뜻을 더하는 접미사.
Pas d'expression équivalente
Suffixe signifiant « respect ».

• **지갑 (nom)** : 돈, 카드, 명함 등을 넣어 가지고 다닐 수 있게 가죽이나 헝겊 등으로 만든 물건.
portefeuille, porte-monnaie
Produit fabriqué en cuir ou en tissu permettant d'y mettre et de transporter de l'argent, des cartes de crédit, des cartes de visite, etc.

• 을 : 동작이 직접적으로 영향을 미치는 대상을 나타내는 조사.
Pas d'expression équivalente
Particule indiquant un objet directement influencé par un acte.

• **찾다 (verbe)** : 무엇을 얻거나 누구를 만나려고 여기저기를 살피다. 또는 그것을 얻거나 그 사람을 만나다.
chercher, fouiller
Regarder autour pour trouver quelque chose ou pour rencontrer quelqu'un ; trouver ladite chose ou rencontrer ladite personne.

• -아 주다 : 남을 위해 앞의 말이 나타내는 행동을 함을 나타내는 표현.
Pas d'expression équivalente
Expression indiquant le fait d'effectuer pour autrui une action exprimée par les propos précédents.

• -었- : 사건이 과거에 일어났음을 나타내는 어미.
Pas d'expression équivalente
Terminaison indiquant qu'un évènement s'est produit dans le passé.

• -는데 : 뒤의 말을 하기 위하여 그 대상과 관련이 있는 상황을 미리 말함을 나타내는 연결 어미.
Pas d'expression équivalente
Terminaison connective indiquant le fait de parler à l'avance d'une situation en rapport avec l'objet des propos suivants.

• **그분 (pronom)** : (아주 높이는 말로) 그 사람.
il, elle, le, lui, la
(forme honorifique très marquée) Cette personne.

• 이 : 어떤 상태나 상황의 대상이나 동작의 주체를 나타내는 조사.
Pas d'expression équivalente
Particule qui indique l'objet d'un état ou d'une situation, ou le sujet d'une action.

• **잔돈 (nom)** : 단위가 작은 돈.
monnaie
Argent de faible unité.

• 이 : 어떤 상태나 상황의 대상이나 동작의 주체를 나타내는 조사.
Pas d'expression équivalente
Particule qui indique l'objet d'un état ou d'une situation, ou le sujet d'une action.

• **없다 (adjectif)** : 사람, 사물, 현상 등이 어떤 곳에 자리나 공간을 차지하고 존재하지 않는 상태이다.
Pas d'expression équivalente
(Quelqu'un, objet, phénomène, etc.) Qui n'existe pas puisque n'étant présent nulle part.

• -다고 : 어떤 행위의 목적, 의도를 나타내거나 어떤 상황의 이유, 원인을 나타내는 연결 어미.
Pas d'expression équivalente
Terminaison connective indiquant l'objectif ou l'intention derrière une action, la raison ou la cause d'une situation.

• **사례금 (nom)** : 고마운 뜻을 나타내려고 주는 돈.
récompense
Somme d'argent donnée pour exprimer sa gratitude.

• 을 : 동작이 직접적으로 영향을 미치는 대상을 나타내는 조사.
Pas d'expression équivalente
Particule indiquant un objet directement influencé par un acte.

• **안 (adverbe)** : 부정이나 반대의 뜻을 나타내는 말.
Pas d'expression équivalente
Terme désignant une négation ou une opposition.

• **주다 (verbe)** : 물건 등을 남에게 건네어 가지거나 쓰게 하다.
donner, offrir, allouer
Passer un objet ou autre à autrui pour qu'il le possède ou l'utilise.

• -시- : 어떤 동작이나 상태의 주체를 높이는 뜻을 나타내는 어미.
Pas d'expression équivalente
Terminaison signifiant le fait de montrer du respect à l'auteur d'une action ou d'un état.

• -었- : 사건이 과거에 일어났음을 나타내는 어미.
Pas d'expression équivalente
Terminaison indiquant qu'un évènement s'est produit dans le passé.

• -거든요 : (두루높임으로) 앞의 내용에 대해 말하는 사람이 생각한 이유나 원인, 근거를 나타내는 표현.
Pas d'expression équivalente
(forme honorifique non formelle) Expression indiquant la raison, la cause ou le fondement de ce que pense le locuteur sur le contenu précédent.

< 11 단원(chapitre) >

제목 : 새에 대한 논문을 쓰고 계시나 보죠?

● 본문 (texte primitif)

강의 준비를 하기 위해 교수님 한 분이 컴퓨터를 켜고 있었다.

그런데 컴퓨터가 바이러스에 걸렸는지 작동되지 않아 수리 기사를 부르게 되었다.

수리공이 컴퓨터를 고치다가 저장된 파일을 보니 독수리, 참새, 앵무새, 까치, 비둘기, 제비 등 모두 새 이름으로 되어 있었다.

수리 기사는 궁금증을 참다못해 교수님에게 물었다.

수리 기사 : 교수님, 파일 이름을 모두 새 이름으로 지으셨네요.

요즘 새에 대한 논문을 쓰고 계시나 보죠?

교수님이 울상을 지으면서 말했다.

교수님 : 아니에요.

실은 그것 때문에 짜증이 나서 미치겠어요.

파일 저장할 때마다 '새 이름으로 저장'이라고 나오는데 이제 생각나는 새 이름도 없는데.

● 발음 (prononciation)

강의 준비를 하기 위해 교수님 한 분이 컴퓨터를 켜고 있었다.
강의 준비를 하기 위해 교수님 한 부니 컴퓨터를 켜고 이썯따.
gangui junbireul hagi wihae gyosunim han buni keompyuteoreul kyeogo isseotda.

그런데 컴퓨터가 바이러스에 걸렸는지 작동되지 않아 수리 기사를 부르게 되었다.
그런데 컴퓨터가 바이러스에 걸련는지 작똥되지 아나 수리 기사를 부르게 되얻따.
geureonde keompyuteoga baireoseue geollyeonneunji jakdongdoeji ana suri gisareul bureuge doeeotda.

수리공이 컴퓨터를 고치다가 저장된 파일을 보니 독수리, 참새, 앵무새, 까치, 비둘기, 제비 등 모두 새
수리공이 컴퓨터를 고치다가 저장된 파이를 보니 독쑤리, 참새, 앵무새, 까치, 비둘기, 제비 등 모두 새
surigongi keompyuteoreul gochidaga jeojangdoen paireul boni doksuri, chamsae, aengmusae, kkachi, bidulgi, jebi deung modu sae

이름으로 되어 있었다.
이르므로 되어 이썯따.
ireumeuro doeeo isseotda.

수리 기사는 궁금증을 참다못해 교수님에게 물었다.
수리 기사는 궁금쯩을 참따모태 교수니메게 무럳따.
suri gisaneun gunggeumjeungeul chamdamotae gyosunimege mureotda.

수리 기사 : 교수님, 파일 이름을 모두 새 이름으로 지으셨네요.
수리 기사 : 교수님, 파일 이르믈 모두 새 이르므로 지으션네요.
suri gisa : gyosunim, pail ireumeul modu sae ireumeuro jieusyeonneyo.

요즘 새에 대한 논문을 쓰고 계시나 보죠?
요즘 새에 대한 논무늘 쓰고 게시나 보죠?
yojeum saee daehan nonmuneul sseugo gyesina(gesina) bojyo?

교수님이 울상을 지으면서 말했다.
교수니미 울쌍을 지으면서 말핻따.
gyosunimi ulsangeul jieumyeonseo malhaetda.

교수님 : 아니에요.
교수님 : 아니에요.
gyosunim : anieyo.

실은 그것 때문에 짜증이 나서 미치겠어요.
시른 그걷 때무네 짜증이 나서 미치게써요.
sireun geugeot ttaemune jjajeungi naseo michigesseoyo.

파일 저장할 때마다 '새 이름으로 저장'이라고 나오는데 이제 생각나는
파일 저장할 때마다 '새 이르므로 저장'이라고 나오는데 이제 생강나는
pail jeojanghal ttaemada 'sae ireumeuro jeojang'irago naoneunde ije saenggangnaneun

새 이름도 없는데.
새 이름도 엄는데.
sae ireumdo eomneunde.

● 어휘 (vocabulaire) / 문법 (règle de grammaire)

강의 준비+를 하+기 위해서 교수+님 한 분+이 컴퓨터+를 켜+고 있+었+다.

그런데 컴퓨터+가 바이러스+에 걸리+었+는지 작동되+지 않+아 수리 기사+를 부르+게 되+었+다.

수리공+이 컴퓨터+를 고치+다가 저장되+ㄴ 파일+을 보+니 독수리, 참새, 앵무새, 까치, 비둘기, 제비 등

모두 새 이름+으로 되+어 있+었+다.

수리 기사+는 궁금증+을 참다못하+여 교수+님+에게 묻(물)+었+다.

수리 기사 : 교수+님, 파일 이름+을 모두 새 이름+으로 짓(지)+으시+었+네요.

요즘 새+에 대한 논문+을 쓰+고 계시+나 보+지요?

교수+님+이 울상+을 짓(지)+으면서 말하+였+다.

교수님 : 아니+에요.

실은 그것 때문+에 짜증+이 나+(아)서 미치+겠+어요.

파일 저장하+ㄹ 때+마다 '새 이름+으로 저장'+이라고 나오+는데

이제 생각나+는 새 이름+도 없+는데.

강의 준비+를 하+[기 위해서] 교수+님 한 분+이 컴퓨터+를 켜+[고 있]+었+다.

• **강의 (nom)** : 대학이나 학원, 기관 등에서 지식이나 기술 등을 체계적으로 가르침.
cours
Dans les universités, les instituts ou les établissements scolaires, fait d'enseigner d'une manière systématique des connaissances ou des techniques.

• **준비 (nom)** : 미리 마련하여 갖춤.
préparation, préparatifs
Fait de se préparer et de s'équiper à l'avance.

• 를 : 동작이 직접적으로 영향을 미치는 대상을 나타내는 조사.
Pas d'expression équivalente
Particule indiquant un objet directement influencé par un mouvement.

• **하다 (verbe)** : 어떤 행동이나 동작, 활동 등을 행하다.
faire, exécuter, effectuer, s'occuper de
Effectuer une action, un mouvement, une activité, etc.

• -기 위해서 : 어떤 일을 하는 목적인 의도를 나타내는 표현.
Pas d'expression équivalente
Expression pour indiquer l'intention, le but de faire quelque chose.

• **교수 (nom)** : 대학에서 학문을 연구하고 가르치는 일을 하는 사람. 또는 그 직위.
professeur, maître de conférence
Personne qui mène des recherches dans une discipline et l'enseigne à l'université ; le poste lui-même.

• 님 : '높임'의 뜻을 더하는 접미사.
Pas d'expression équivalente
Suffixe signifiant « respect ».

• **한 (déterminant)** : 하나의.
un
D'un.

• **분 (nom)** : 사람을 높여서 세는 단위.
Pas d'expression équivalente
Nom dépendant servant de quantificateur servant pour dénombrer des personnes avec respect.

• 이 : 어떤 상태나 상황의 대상이나 동작의 주체를 나타내는 조사.
Pas d'expression équivalente
Particule qui indique l'objet d'un état ou d'une situation, ou le sujet d'une action.

• **컴퓨터 (nom)** : 전자 회로를 이용하여 문서, 사진, 영상 등의 대량의 데이터를 빠르고 정확하게 처리하는 기계.
ordinateur
Appareil servant à traiter rapidement et avec précision un masse de données telles que des document, des photos, des vidéos, etc. en utilisant le circuit électronique.

• 를 : 동작이 직접적으로 영향을 미치는 대상을 나타내는 조사.
Pas d'expression équivalente
Particule indiquant un objet directement influencé par un mouvement.

• **켜다 (verbe)** : 전기 제품 등을 작동하게 만들다.
allumer, démarrer, brancher
Faire fonctionner un engin électrique, etc.

• -고 있다 : 앞의 말이 나타내는 행동이 계속 진행됨을 나타내는 표현.
Pas d'expression équivalente
Expression pour indiquer que l'action de la proposition précédente est toujours en cours.

• -었- : 사건이 과거에 일어났음을 나타내는 어미.
Pas d'expression équivalente
Terminaison indiquant qu'un évènement s'est produit dans le passé.

• -다 : 어떤 사건이나 사실, 상태를 서술함을 나타내는 종결 어미.
Pas d'expression équivalente
Terminaison finale employée pour décrire un événement, un fait ou un état.

그런데 컴퓨터+가 바이러스+에 걸리+었+는지 작동되+[지 않]+아 수리 기사+를
걸렸는지

부르+[게 되]+었+다.

• **그런데 (adverbe)** : 이야기를 앞의 내용과 관련시키면서 다른 방향으로 바꿀 때 쓰는 말.
en fait, alors
Terme employé pour changer la direction d'une conversation, en la reliant aux éléments énoncés auparavant.

• **컴퓨터 (nom)** : 전자 회로를 이용하여 문서, 사진, 영상 등의 대량의 데이터를 빠르고 정확하게 처리하는 기계.
ordinateur
Appareil servant à traiter rapidement et avec précision un masse de données telles que des document, des photos, des vidéos, etc. en utilisant le circuit électronique.

• 가 : 어떤 상태나 상황에 놓인 대상이나 동작의 주체를 나타내는 조사.
Pas d'expression équivalente
Particule qui indique l'objet d'un état ou d'une situation, ou le sujet d'une action.

• **바이러스 (nom)** : 컴퓨터를 비정상적으로 작용하게 만드는 프로그램.
virus informatique
Programme qui perturbe le bon fonctionnement d'un ordinateur infecté.

• 에 : 앞말이 무엇의 조건, 환경, 상태 등임을 나타내는 조사.
Pas d'expression équivalente
Particule utilisée pour indiquer que la proposition précédente est la condition, le milieu ou l'état de quelque chose.

• **걸리다 (verbe)** : 어떤 상태에 빠지게 되다.
être ensorcelé, être enchanté, être hypnotisé, être intenté
Tomber dans un certain état.

• -었- : 사건이 과거에 일어났음을 나타내는 어미.
Pas d'expression équivalente
Terminaison indiquant qu'un évènement s'est produit dans le passé.

• -는지 : 뒤에 오는 말의 내용에 대한 막연한 이유나 판단을 나타내는 연결 어미.
Pas d'expression équivalente
Terminaison connective indiquant une raison vague ou un jugement vague sur le contenu des propos suivants.

• **작동되다 (verbe)** : 기계 등이 움직여 일하다.
fonctionner, marcher, être en opération
(Machine, etc.) Être en mouvement et travailler.

• -지 않다 : 앞의 말이 나타내는 행위나 상태를 부정하는 뜻을 나타내는 표현.
Pas d'expression équivalente
Expression pour indiquer la négation d'une action ou d'un état précisé dans la proposition précédente.

• -아 : 앞에 오는 말이 뒤에 오는 말에 대한 원인이나 이유임을 나타내는 연결 어미.
Pas d'expression équivalente
Terminaison connective indiquant que les propos précédents constituent la cause ou la raison des propos suivants.

• **수리 (nom)** : 고장 난 것을 손보아 고침.
réparation, dépannage, réfection
Action de réparer un objet en panne.

• **기사 (nom)** : 국가나 단체가 인정한 기술 자격증을 가진 기술자.
ingénieur certifié, technicien(ne) certifié(e)
Technicien titulaire d'un certificat professionnel reconnu par l'État ou un organisme.

• 를 : 동작이 직접적으로 영향을 미치는 대상을 나타내는 조사.
Pas d'expression équivalente
Particule indiquant un objet directement influencé par un mouvement.

• **부르다 (verbe)** : 부탁하여 오게 하다.
inviter quelqu'un à, convier quelqu'un à, faire venir, demander
Faire venir quelqu'un en le sollicitant.

• -게 되다 : 앞의 말이 나타내는 상태나 상황이 됨을 나타내는 표현.
Pas d'expression équivalente
Expression indiquant que l'état ou la situation exprimé(e) par les propos précédents se produit.

• -었- : 사건이 과거에 일어났음을 나타내는 어미.
Pas d'expression équivalente
Terminaison indiquant qu'un évènement s'est produit dans le passé.

• -다 : 어떤 사건이나 사실, 상태를 서술함을 나타내는 종결 어미.
Pas d'expression équivalente
Terminaison finale employée pour décrire un événement, un fait ou un état.

수리공+이 컴퓨터+를 고치+다가 저장되+ㄴ 파일+을 보+니 독수리, 참새, 앵무새, 까치, 비둘기, 제비 저장된 등 모두 새 이름+으로 되+[어 있]+었+다.

• **수리공 (nom)** : 고장 난 것을 고치는 일을 하는 사람.
réparateur(trice), mécanicien(ne), dépanneur(se)
Personne qui répare des objets en panne.

• 이 : 어떤 상태나 상황의 대상이나 동작의 주체를 나타내는 조사.
Pas d'expression équivalente
Particule qui indique l'objet d'un état ou d'une situation, ou le sujet d'une action.

• **컴퓨터 (nom)** : 전자 회로를 이용하여 문서, 사진, 영상 등의 대량의 데이터를 빠르고 정확하게 처리하는 기계.
ordinateur
Appareil servant à traiter rapidement et avec précision un masse de données telles que des document, des photos, des vidéos, etc. en utilisant le circuit électronique.

• 를 : 동작이 직접적으로 영향을 미치는 대상을 나타내는 조사.
Pas d'expression équivalente
Particule indiquant un objet directement influencé par un mouvement.

• **고치다 (verbe)** : 고장이 나거나 못 쓰게 된 것을 손질하여 쓸 수 있게 하다.
réparer
Remettre en état ce qui était en panne ou hors d'usage.

• -다가 : 어떤 행동이 진행되는 중에 다른 행동이 나타남을 나타내는 연결 어미.
Pas d'expression équivalente
Terminaison connective indiquant qu'une action survient alors qu'une autre est en cours.

• **저장되다 (verbe)** : 물건이나 재화 등이 모아져서 보관되다.
être stocké, être conservé, être mis en stock
(Objet, biens, etc.) Être collecté(s) et gardé(s).

• -ㄴ : 앞의 말이 관형어의 기능을 하게 만들고 사건이나 동작이 완료되어 그 상태가 유지되고 있음을 나타내는 어미.
Pas d'expression équivalente
Terminaison donnant la fonction de déterminant à la proposition précédente et indiquant que l'événement ou l'action en question est achevé et que cet état est maintenu.

• **파일 (nom)** : 컴퓨터의 기억 장치에 일정한 단위로 저장된 정보의 묶음.
fichier
Groupement d'informations enregistrées dans une certaine unité sur un dispositif de mémoire d'un ordinateur.

• 을 : 동작이 직접적으로 영향을 미치는 대상을 나타내는 조사.
Pas d'expression équivalente
Particule indiquant un objet directement influencé par un mouvement.

• **보다 (verbe)** : 대상의 내용이나 상태를 알기 위하여 살피다.
Pas d'expression équivalente
Examiner un objet pour connaître son contenu ou son état.

• -니 : 앞에서 이야기한 내용과 관련된 다른 사실을 이어서 설명할 때 쓰는 연결 어미.
Pas d'expression équivalente
Terminaison connective utilisée pour expliquer un autre fait concerné par le contenu des propos précédents.

• **독수리 (nom)** : 갈고리처럼 굽은 날카로운 부리와 발톱을 가지고 있으며 빛깔이 검은 큰 새.
aigle
Grand rapace au plumage noirâtre aux griffes et bec acérés en forme de crochet.

• **참새 (nom)** : 주로 사람이 사는 곳 근처에 살며, 몸은 갈색이고 배는 회백색인 작은 새.
moineau, passereau
Petit oiseau brun dont le ventre est gris blanc vivant principalement aux alentours des lieux où les hommes vivent.

• **앵무새 (nom)** : 사람의 말을 잘 흉내 내며 여러 빛깔을 가진 새.
perroquet
Oiseau au plumage de différentes couleurs, qui peut imiter les paroles humaines.

• **까치 (nom)** : 머리에서 등까지는 검고 윤이 나며 어깨와 배는 흰, 사람의 집 근처에 사는 새.
pie
Oiseau, au plumage noir et brillant de la tête au dos et aux épaules et au ventre blancs, qui vit près de l'habitat humain.

• **비둘기 (nom)** : 공원이나 길가 등에서 흔히 볼 수 있는, 다리가 짧고 날개가 큰 회색 혹은 하얀색의 새.
colombe, pigeon
Oiseau blanc ou gris aux pattes courtes et aux ailes grandes, que l'on peut facilement voir dans un parc ou dans la rue.

• **제비 (nom)** : 등은 검고 배는 희며 매우 빠르게 날고, 봄에 한국에 날아왔다가 가을에 남쪽으로 날아가는 작은 여름 철새.
hirondelle
Oiseau migrateur d'été au dos noir et au ventre blanc, qui vient en Corée au printemps et retourne au Sud en automne, et qui vole très rapidement.

• **등 (nom)** : 앞에서 말한 것 외에도 같은 종류의 것이 더 있음을 나타내는 말.
Pas d'expression équivalente
Nom dépendant indiquant qu'il y a encore des choses du même genre à part celles qui sont mentionnées précédemment.

• **모두 (adverbe)** : 빠짐없이 다.
tout
Tout sans exception.

• **새 (nom)** : 몸에 깃털과 날개가 있고 날 수 있으며 다리가 둘인 동물.
oiseau
Animal à plumes et pouvant voler, muni de deux jambes et de deux ailes.

• **이름 (nom)** : 다른 것과 구별하기 위해 동물, 사물, 현상 등에 붙여서 부르는 말.
nom, dénomination, appellation
Terme servant à désigner un animal, un objet, un phénomène, etc. et utilisé pour les distinguer des autres.

• 으로 : 어떤 일의 방법이나 방식을 나타내는 조사.
par, à, d'une certaine manière
Particule indiquant la méthode ou la manière de faire quelque chose.

• **되다 (verbe)** : 어떤 형태나 구조로 이루어지다.
être en
Avoir une certaine forme ou une certaine structure.

• -어 있다 : 앞의 말이 나타내는 상태가 계속됨을 나타내는 표현.
Pas d'expression équivalente
Expression indiquant le maintien de l'état exprimé par les propos précédents.

• -었- : 사건이 과거에 일어났음을 나타내는 어미.
Pas d'expression équivalente
Terminaison indiquant qu'un évènement s'est produit dans le passé.

• -다 : 어떤 사건이나 사실, 상태를 서술함을 나타내는 종결 어미.
Pas d'expression équivalente
Terminaison finale employée pour décrire un événement, un fait ou un état.

수리 기사+는 궁금증+을 참다못하+여 교수+님+에게 묻(물)+었+다.
참다못해 물었다

• **수리 (nom)** : 고장 난 것을 손보아 고침.
réparation, dépannage, réfection
Action de réparer un objet en panne.

• **기사 (nom)** : 국가나 단체가 인정한 기술 자격증을 가진 기술자.
ingénieur certifié, technicien(ne) certifié(e)
Technicien titulaire d'un certificat professionnel reconnu par l'État ou un organisme.

• 는 : 문장 속에서 어떤 대상이 화제임을 나타내는 조사.
Pas d'expression équivalente
Particule indiquant qu'un objet est le principal sujet d'une phrase.

• **궁금증 (nom)** : 몹시 궁금한 마음.
curiosité, inquiétude, désir de savoir
Etat d'un esprit de très grande curiosité.

• 을 : 동작이 직접적으로 영향을 미치는 대상을 나타내는 조사.
Pas d'expression équivalente
Particule indiquant un objet directement influencé par un mouvement.

• **참다못하다 (verbe)** : 참을 수 있는 만큼 참다가 더 이상 참지 못하다.
être à bout de patience, perdre patience, ne plus en pouvoir
Ne plus pouvoir patienter après avoir attendu autant que possible.

• -여 : 앞의 말이 뒤의 말보다 먼저 일어났거나 뒤의 말에 대한 방법이나 수단이 됨을 나타내는 연결 어미.
Pas d'expression équivalente
Terminaison connective indiquant que la proposition précédente s'est réalisée avant la suivante, ou qu'elle constitue une méthode ou un moyen pour accomplir ce qui est dans la proposition suivante.

• **교수 (nom)** : 대학에서 학문을 연구하고 가르치는 일을 하는 사람. 또는 그 직위.
professeur, maître de conférence
Personne qui mène des recherches dans une discipline et l'enseigne à l'université ; le poste lui-même.

• 님 : '높임'의 뜻을 더하는 접미사.
Pas d'expression équivalente
Suffixe signifiant « respect ».

• 에게 : 어떤 행동이 미치는 대상임을 나타내는 조사.
Pas d'expression équivalente
Particule indiquant l'objet affecté par une action.

• **묻다 (verbe)** : 대답이나 설명을 요구하며 말하다.
interroger quelqu'un, demander quelque chose à quelqu'un
Parler en exigeant une réponse ou une explication.

• -었- : 사건이 과거에 일어났음을 나타내는 어미.
Pas d'expression équivalente
Terminaison indiquant qu'un évènement s'est produit dans le passé.

• -다 : 어떤 사건이나 사실, 상태를 서술함을 나타내는 종결 어미.
Pas d'expression équivalente
Terminaison finale employée pour décrire un événement, un fait ou un état.

수리 기사 : 교수+님, 파일 이름+을 모두 새 이름+으로 짓(지)+으시+었+네요.
지으셨네요

• **교수 (nom)** : 대학에서 학문을 연구하고 가르치는 일을 하는 사람. 또는 그 직위.
professeur, maître de conférence
Personne qui mène des recherches dans une discipline et l'enseigne à l'université ; le poste lui-même.

• 님 : '높임'의 뜻을 더하는 접미사.
Pas d'expression équivalente
Suffixe signifiant « respect ».

• **파일 (nom)** : 컴퓨터의 기억 장치에 일정한 단위로 저장된 정보의 묶음.
fichier
Groupement d'informations enregistrées dans une certaine unité sur un dispositif de mémoire d'un ordinateur.

• **이름 (nom)** : 다른 것과 구별하기 위해 동물, 사물, 현상 등에 붙여서 부르는 말.
nom, dénomination, appellation
Terme servant à désigner un animal, un objet, un phénomène, etc. et utilisé pour les distinguer des autres.

• 을 : 동작이 직접적으로 영향을 미치는 대상을 나타내는 조사.
Pas d'expression équivalente
Particule indiquant un objet directement influencé par un mouvement.

• **모두 (adverbe)** : 빠짐없이 다.
tout
Tout sans exception.

• **새 (nom)** : 몸에 깃털과 날개가 있고 날 수 있으며 다리가 둘인 동물.
oiseau
Animal à plumes et pouvant voler, muni de deux jambes et de deux ailes.

• **이름 (nom)** : 다른 것과 구별하기 위해 동물, 사물, 현상 등에 붙여서 부르는 말.
nom, dénomination, appellation
Terme servant à désigner un animal, un objet, un phénomène, etc. et utilisé pour les distinguer des autres.

• 으로 : 어떤 일의 방법이나 방식을 나타내는 조사.
par, à, d'une certaine manière
Particule indiquant la méthode ou la manière de faire quelque chose.

• **짓다 (verbe)** : 이름 등을 정하다.
nommer, appeler, prénommer
Choisir un nom.

• -으시- : 어떤 동작이나 상태의 주체를 높이는 뜻을 나타내는 어미.
Pas d'expression équivalente
Terminaison utilisée pour indiquer que l'on adopte une forme honorifique du sujet d'un mouvement ou d'un état.

• -었- : 어떤 사건이 과거에 완료되었거나 그 사건의 결과가 현재까지 지속되는 상황을 나타내는 어미.
Pas d'expression équivalente
Terminaison indiquant qu'un évènement a été accompli dans le passé ou que le résultat de cet évènement perdure jusqu'à présent.

• -네요 : (두루높임으로) 말하는 사람이 직접 경험하여 새롭게 알게 된 사실에 대해 감탄함을 나타낼 때 쓰는 표현.
Pas d'expression équivalente
(forme honorifique non formelle) Expression pour indiquer que le locuteur parle d'une chose nouvelle dont il a fait l'expérience lui-même, sur un ton d'exclamation.

수리 기사 : 요즘 새+[에 대한] 논문+을 쓰+[고 계시]+[나 보]+지요?
쓰고 계시나 보죠

• **요즘 (nom)** : 아주 가까운 과거부터 지금까지의 사이.
aujourd'hui, maintenant
Période entre le passé très proche et le présent.

• **새 (nom)** : 몸에 깃털과 날개가 있고 날 수 있으며 다리가 둘인 동물.
oiseau
Animal à plumes et pouvant voler, muni de deux jambes et de deux ailes.

• 에 대한 : 뒤에 오는 명사를 수식하며 앞에 오는 명사를 뒤에 오는 명사의 대상으로 함을 나타내는 표현.
Pas d'expression équivalente
Expression utilisée pour qualifier le nom qui suit et pour indiquer que le nom précédant est l'objet de celui qui suit.

• **논문 (nom)** : 어떠한 주제에 대한 학술적인 연구 결과를 일정한 형식에 맞추어 체계적으로 쓴 글.
article, mémoire, thèse
Texte organisé selon une forme bien définie, pour ranger les résultats d'une recherche scientifique sur un sujet.

• 을 : 동작이 직접적으로 영향을 미치는 대상을 나타내는 조사.
Pas d'expression équivalente
Particule indiquant un objet directement influencé par un mouvement.

• **쓰다 (verbe)** : 머릿속의 생각이나 느낌 등을 종이 등에 글로 적어 나타내다.
écrire, composer, rédiger
Exprimer par le langage écrit pensées ou sentiments sur du papier ou autre support.

• -고 계시다 : (높임말로) 앞의 말이 나타내는 행동이 계속 진행됨을 나타내는 표현.
Pas d'expression équivalente
(forme honorifique) Expression pour indiquer que l'action de la proposition précédente est en cours.

• -나 보다 : 앞의 말이 나타내는 사실을 추측함을 나타내는 표현.
Pas d'expression équivalente
Expression indiquant la supposition quant au fait mentionné dans la proposition précédente.

• -지요 : (두루높임으로) 말하는 사람이 듣는 사람에게 친근함을 나타내며 물을 때 쓰는 종결 어미.
Pas d'expression équivalente
(forme honorifique non formelle) Terminaison finale utilisée par le locuteur pour interroger amicalement un interlocuteur.

교수+님+이 울상+을 짓(지)+으면서 말하+였+다.
지으면서 말했다

• **교수 (nom)** : 대학에서 학문을 연구하고 가르치는 일을 하는 사람. 또는 그 직위.
professeur, maître de conférence
Personne qui mène des recherches dans une discipline et l'enseigne à l'université ; le poste lui-même.

• 님 : '높임'의 뜻을 더하는 접미사.
Pas d'expression équivalente
Suffixe signifiant « respect ».

• 이 : 어떤 상태나 상황의 대상이나 동작의 주체를 나타내는 조사.
Pas d'expression équivalente
Particule qui indique l'objet d'un état ou d'une situation, ou le sujet d'une action.

• **울상 (nom)** : 울려고 하는 얼굴 표정.
air pleurnicheur, air larmoyant
Visage de quelqu'un qui va bientôt pleurer.

• 을 : 동작이 직접적으로 영향을 미치는 대상을 나타내는 조사.
Pas d'expression équivalente
Particule indiquant un objet directement influencé par un mouvement.

• **짓다 (verbe)** : 어떤 표정이나 태도 등을 얼굴이나 몸에 나타내다.
disposer, avoir un air, avoir une mine
Refléter une expression ou une attitude sur son visage ou sur son corps.

• -으면서 : 두 가지 이상의 동작이나 상태가 함께 일어남을 나타내는 연결 어미.
Pas d'expression équivalente
Terminaison connective utilisée pour indiquer que deux ou plusieurs mouvements ou états se déroulent en même temps.

• **말하다 (verbe)** : 어떤 사실이나 자신의 생각 또는 느낌을 말로 나타내다.
parler, dire
Exprimer oralement un fait, sa pensée ou ses sentiments.

• -였- : 사건이 과거에 일어났음을 나타내는 어미.
Pas d'expression équivalente
Terminaison indiquant qu'un évènement s'est produit dans le passé.

• -다 : 어떤 사건이나 사실, 상태를 서술함을 나타내는 종결 어미.
Pas d'expression équivalente
Terminaison finale employée pour décrire un événement, un fait ou un état.

교수님 : 아니+에요.

실은 그것 때문+에 짜증+이 나+(아)서 미치+겠+어요.
나서

• **아니다 (adjectif)** : 어떤 사실이나 내용을 부정하는 뜻을 나타내는 말.
Pas d'expression équivalente
Terme exprimant la négation d'un fait ou d'un contenu.

• -에요 : (두루높임으로) 어떤 사실을 서술하거나 질문함을 나타내는 종결 어미.
Pas d'expression équivalente
(forme honorifique non formelle) Terminaison finale pour décrire un fait ou pour indiquer une question.

• **실은 (adverbe)** : 사실을 말하자면. 실제로는.
en fait
Pour dire la vérité ; en réalité.

- **그것 (pronom)** : 앞에서 이미 이야기한 대상을 가리키는 말.
  il, elle
  Terme désignant un objet précédemment évoqué.

- **때문 (nom)** : 어떤 일의 원인이나 이유.
  à cause de, comme, car
  Nom dépendant indiquant la raison ou la cause de quelque chose.

- 에 : 앞말이 어떤 일의 원인임을 나타내는 조사.
  à, par, pour, de
  Particule indiquant que la proposition précédente (en coréen) est la cause de quelque chose.

- **짜증 (nom)** : 마음에 들지 않아서 화를 내거나 싫은 느낌을 겉으로 드러내는 일. 또는 그런 성미.
  énervement, agacement, incommodité
  Fait d'exprimer sa colère suite à une insatisfaction ou de laisser paraître son mécontentement ; un tel tempérament.

- 이 : 어떤 상태나 상황의 대상이나 동작의 주체를 나타내는 조사.
  Pas d'expression équivalente
  Particule qui indique l'objet d'un état ou d'une situation, ou le sujet d'une action.

- **나다 (verbe)** : 어떤 감정이나 느낌이 생기다.
  Pas d'expression équivalente
  (Sentiment, impression, etc.) Surgir.

- -아서 : 이유나 근거를 나타내는 연결 어미.
  Pas d'expression équivalente
  Terminaison connective indiquant la raison ou la base.

- **미치다 (verbe)** : 어떤 상태가 너무 심해서 정신이 없어질 정도로 괴로워하다.
  Pas d'expression équivalente
  Souffrir jusqu'à perdre conscience tellement la gravité d'un état est élevée.

- -겠- : 완곡하게 말하는 태도를 나타내는 어미.
  Pas d'expression équivalente
  Terminaison indiquant le fait de s'exprimer sous forme détournée.

- -어요 : (두루높임으로) 어떤 사실을 서술하거나 질문, 명령, 권유함을 나타내는 종결 어미.
  Pas d'expression équivalente
  (forme honorifique non formelle) Terminaison finale pour décrire un fait ou pour indiquer une question, un ordre ou une recommandation.

교수님 : 파일 저장하+[ㄹ 때]+마다 '새 이름+으로 저장'+이라고 나오+는데
저장할 때

이제 생각나+는 새 이름+도 없+는데.

• **파일 (nom)** : 컴퓨터의 기억 장치에 일정한 단위로 저장된 정보의 묶음.
fichier
Groupement d'informations enregistrées dans une certaine unité sur un dispositif de mémoire d'un ordinateur.

• **저장하다 (verbe)** : 물건이나 재화 등을 모아서 보관하다.
stocker, conserver, mettre en stock, faire une réserve de quelque chose
Collecter et garder des objets, des biens, etc.

• -ㄹ 때 : 어떤 행동이나 상황이 일어나는 동안이나 그 시기 또는 그러한 일이 일어난 경우를 나타내는 표현.
Pas d'expression équivalente
Expression indiquant le moment pendant lequel une action a lieu ou une situation se produit, ou cette période, ou le cas où une telle chose arrive.

• 마다 : 하나하나 빠짐없이 모두의 뜻을 나타내는 조사.
Pas d'expression équivalente
Particule signifiant "tous les éléments sans exception" de l'objet indiqué.

• **새 (déterminant)** : 생기거나 만든 지 얼마 되지 않은.
(dét.) nouveau, neuf
Qui existe ou qui est produit depuis peu.

• **이름 (nom)** : 다른 것과 구별하기 위해 동물, 사물, 현상 등에 붙여서 부르는 말.
nom, dénomination, appellation
Terme servant à désigner un animal, un objet, un phénomène, etc. et utilisé pour les distinguer des autres.

• 으로 : 어떤 일의 방법이나 방식을 나타내는 조사.
par, à, d'une certaine manière
Particule indiquant la méthode ou la manière de faire quelque chose.

• **저장 (nom)** : 물건이나 재화 등을 모아서 보관함.
stockage, conservation, magasinage, garde, dépôt
Action de collecter et de garder des objets, des biens, etc.

• 이라고 : 앞의 말이 원래 말해진 그대로 인용됨을 나타내는 조사.
Pas d'expression équivalente
Particule montrant que la proposition précédente est une citation directe.

• **나오다 (verbe)** : 책, 신문, 방송 등에 글이나 그림 등이 실리거나 어떤 내용이 나타나다.
être publié, paraître
(Ecrits, tableaux, émission, etc.) Paraître dans un livre, dans un journal, dans une émission, etc. Ou (un certain contenu) y apparaître.

• -는데 : 뒤의 말을 하기 위하여 그 대상과 관련이 있는 상황을 미리 말함을 나타내는 연결 어미.
Pas d'expression équivalente
Terminaison connective indiquant le fait de parler à l'avance d'une situation en rapport avec l'objet des propos suivants.

• **이제 (adverbe)** : 말하고 있는 바로 이때에.
maintenant, à présent
Au moment présent où je parle.

• **생각나다 (verbe)** : 새로운 생각이 머릿속에 떠오르다.
venir à l'esprit, revenir
(Nouvelle idée) Se manifester chez quelqu'un.

• -는 : 앞의 말이 관형어의 기능을 하게 만들고 사건이나 동작이 현재 일어남을 나타내는 어미.
Pas d'expression équivalente
Terminaison attribuant la fonction de déterminant à la proposition précédente, et pour indiquer que la situation ou l'action en question se réalise au présent.

• **새 (nom)** : 몸에 깃털과 날개가 있고 날 수 있으며 다리가 둘인 동물.
oiseau
Animal à plumes et pouvant voler, muni de deux jambes et de deux ailes.

• **이름 (nom)** : 다른 것과 구별하기 위해 동물, 사물, 현상 등에 붙여서 부르는 말.
nom, dénomination, appellation
Terme servant à désigner un animal, un objet, un phénomène, etc. et utilisé pour les distinguer des autres.

• 도 : 이미 있는 어떤 것에 다른 것을 더하거나 포함함을 나타내는 조사.
Pas d'expression équivalente
Particule indiquant qu'une chose est ajoutée ou comprise dans une autre qui existe déjà.

• **없다 (adjectif)** : 어떤 물건을 가지고 있지 않거나 자격이나 능력 등을 갖추지 않은 상태이다.
Pas d'expression équivalente
Qui ne possède pas un certain objet ou qui n'a pas acquis une certaine qualification, une certaine capacité, etc.

• -는데 : (두루낮춤으로) 듣는 사람의 반응을 기대하며 어떤 일에 대해 감탄함을 나타내는 종결 어미.
Pas d'expression équivalente
(forme non honorifique non formelle) Terminaison finale indiquant une exclamation au sujet d'un fait sur lequel le locuteur s'attend à une réaction de son interlocuteur.

< 12 단원(chapitre) >

제목 : 이 늦은 시간에 여기서 뭐 하고 계세요?

● 본문 (texte primitif)

늦은 밤 담력 훈련에 참가한 두 여자가 마지막 코스인 공동묘지를 지나가고 있었다.

그녀들은 무서웠지만 애써 태연한 모습으로 걸어가고 있었는데 갑자기 '톡탁톡탁' 하는 소리가 들려오기 시작했다.

깜짝 놀란 두 여자는 공포에 질려 가까스로 천천히 발걸음을 내딛고 있었다.

그때 눈앞에 망치를 들고 정으로 묘비를 쪼고 있는 노인의 모습이 희미하게 보였다.

순간 두 여자는 안도의 한숨을 내쉬며 말했다.

여자 1 : 할아버지, 귀신인 줄 알고 깜짝 놀랐잖아요.

그런데 이 늦은 시간에 여기서 뭐 하고 계세요?

여자 2 : 내일 밝을 때 하시는 게 좋을 것 같아요.

지금은 어두워서 위험하세요.

할아버지 : 음, 오늘 안에 빨리 끝내야 돼.

여자 1 : 그런데 묘비에 무슨 문제라도 있나요?

할아버지 : 글쎄, 어떤 멍청한 녀석들이 묘비에 내 이름을 잘못 써 놨잖아.

● 발음 (prononciation)

늦은 밤 담력 훈련에 참가한 두 여자가 마지막 코스인 공동묘지를 지나가고 있었다.
느즌 밤 담녁 훌려네 참가한 두 여자가 마지막 코스인 공동묘지를 지나가고 이썯따.
neujeun bam damnyeok hullyeone chamgahan du yeojaga majimak koseuin gongdongmyojireul jinagago isseotda.

그녀들은 무서웠지만 애써 태연한 모습으로 걸어가고 있었는데 갑자기 '톡탁톡탁' 하는 소리가 들려오기
그녀드른 무서월찌만 애써 태연한 모스브로 거러가고 이썬는데 갑짜기 '톡탁톡탁' 하는 소리가 들려오기
geunyeodeureun museowotjiman aesseo taeyeonhan moseubeuro georeogago isseonneunde gapjagi 'toktaktoktak' haneun soriga deullyeoogi

시작했다.
시자캗따.
sijakaetda.

깜짝 놀란 두 여자는 공포에 질려 가까스로 천천히 발걸음을 내딛고 있었다.
깜짝 놀란 두 여자는 공포에 질려 가까스로 천천히 발꺼르믈 내딛꼬 이썯따.
kkamjjak nollan du yeojaneun gongpoe jillyeo gakkaseuro cheoncheonhi balgeoreumeul naeditgo isseotda.

그때 눈앞에 망치를 들고 정으로 묘비를 쪼고 있는 노인의 모습이 희미하게 보였다.
그때 누나페 망치를 들고 정으로 묘비를 쪼고 인는 노이네 모스비 히미하게 보엳따.
geuttae nunape mangchireul deulgo jeongeuro myobireul jjogo inneun noinui(noine) moseubi huimihage(himihage) boyeotda.

순간 두 여자는 안도의 한숨을 내쉬며 말했다.
순간 두 여자는 안도에 한수믈 내쉬며 말핻따.
sungan du yeojaneun andoui(andoe) hansumeul naeswimyeo malhaetda.

여자 1 : 할아버지, 귀신인 줄 알고 깜짝 놀랐잖아요.
여자 1 : 하라버지, 귀시닌 줄 알고 깜짝 놀랃짜나요.
yeoja 1 : harabeoji, gwisinin jul algo kkamjjak nollatjanayo.

그런데 이 늦은 시간에 여기서 뭐 하고 계세요?
그런데 이 느즌 시가네 여기서 뭐 하고 계세요?
geureonde i neujeun sigane yeogiseo mwo hago gyeseyo(geseyo)?

여자 2 : 내일 밝을 때 하시는 게 좋을 것 같아요.
여자 2 : 내일 발글 때 하시는 게 조을 껃 가타요.
yeoja 2 : naeil balgeul ttae hasineun ge joeul geot gatayo.

지금은 어두워서 위험하세요.
지그믄 어두워서 위험하세요.
jigeumeun eoduwoseo wiheomhaseyo.

할아버지 : 음, 오늘 안에 빨리 끝내야 돼.
하라버지 : 음, 오늘 아네 빨리 끈내에 돼.
harabeoji : eum, oneul ane ppalli kkeunnaeya dwae.

여자 1 : 그런데 묘비에 무슨 문제라도 있나요?
여자 1 : 그런데 묘비에 무슨 문제라도 인나요?
yeoja 1 : geureonde myobie museun munjerado innayo?

할아버지 : 글쎄, 어떤 멍청한 녀석들이 묘비에 내 이름을 잘못 써 놨잖아.
하라버지 : 글쎄, 어떤 멍청한 녀석드리 묘비에 내 이르믈 잘몯 써 놛짜나.
harabeoji : geulsse, eotteon meongcheonghan nyeoseokdeuri myobie nae ireumeul jalmot sseo nwatjana.

● 어휘 (vocabulaire) / 문법 (règle de grammaire)

늦+은 밤 담력 훈련+에 참가하+ㄴ 두 여자+가 마지막 코스+이+ㄴ 공동묘지+를 지나가+고 있+었+다.

그녀+들+은 무섭(무서우)+었+지만 애쓰(애ㅆ)+어 태연하+ㄴ 모습+으로 걸어가+고 있+었+는데 갑자기 '톡탁톡탁' 하+는 소리+가 들려오+기 시작하+였+다.

깜짝 놀라+ㄴ 두 여자+는 공포+에 질리+어 가까스로 천천히 발걸음+을 내딛+고 있+었+다.

그때 눈앞+에 망치+를 들+고 정+으로 묘비+를 쪼+고 있+는 노인+의 모습+이 희미하+게 보이+었+다.

순간 두 여자+는 안도+의 한숨+을 내쉬+며 말하+였+다.

여자 1 : 할아버지, 귀신+이+ㄴ 줄 알+고 깜짝 놀라+았+잖아요.

그런데 이 늦+은 시간+에 여기+서 뭐 하+고 계시+어요?

여자 2 : 내일 밝+을 때 하+시+는 것(거)+이 좋+을 것 같+아요.

지금+은 어둡(어두우)+어서 위험하+세요.

할아버지 : 음, 오늘 안+에 빨리 끝내+(어)야 되+어.

여자 1 : 그런데 묘비+에 무슨 문제+라도 있+나요?

할아버지 : 글쎄, 어떤 멍청하+ㄴ 녀석+들+이 묘비+에 나+의 이름+을 잘못

쓰(ㅆ)+어 놓+았+잖아.

늦+은 밤 담력 훈련+에 참가하+ㄴ 두 여자+가 마지막 코스+이+ㄴ 공동묘지+를 지나가+[고 있]+었+다.
참가한 코스인

• **늦다 (adjectif)** : 적당한 때를 지나 있다. 또는 시기가 한창인 때를 지나 있다.
tard
Qui se situe après le moment convenable ; (période) qui se trouve après.

• -은 : 앞의 말이 관형어의 기능을 하게 만들고 현재의 상태를 나타내는 어미.
Pas d'expression équivalente
Terminaison faisant fonctionner le mot précédent comme un déterminant et exprimant l'état présent.

• **밤 (nom)** : 해가 진 후부터 다음 날 해가 뜨기 전까지의 어두운 동안.
nuit, obscurité
Heures sombres depuis le coucher jusqu'au lever du soleil, le lendemain.

• **담력 (nom)** : 겁이 없고 용감한 기운.
audace, courage, intrépidité
Énergie d'une personne intrépide et courageuse.

• **훈련 (nom)** : 가르쳐서 익히게 함.
action d'entraîner
Action de faire apprendre via l'enseignement.

• 에 : 앞말이 목적지이거나 어떤 행위의 진행 방향임을 나타내는 조사.
à, en, sur, dans
Particule indiquant que la proposition précédente (en coréen) est la destination ou la direction de progression d'une action.

• **참가하다 (verbe)** : 모임이나 단체, 경기, 행사 등의 자리에 가서 함께하다.
participer
Prendre part à une réunion, une organisation, une compétition, une manifestation, etc., en s'y rendant.

• -ㄴ : 앞의 말이 관형어의 기능을 하게 만들고 사건이나 동작이 과거에 일어났음을 나타내는 어미.
Pas d'expression équivalente
Terminaison donnant la fonction de déterminant à la proposition précédente et indiquant que l'événement ou l'action en question s'est déroulé dans le passé.

• **두 (déterminant)** : 둘의.
deux
De deux.

• **여자 (nom)** : 여성으로 태어난 사람.
femme, sexe féminin, sexe faible, beau sexe, deuxième sexe
Personne née de sexe féminin.

• 가 : 어떤 상태나 상황에 놓인 대상이나 동작의 주체를 나타내는 조사.
Pas d'expression équivalente
Particule indiquant l'objet d'un état ou d'une situation, ou le sujet d'une action.

• **마지막 (nom)** : 시간이나 순서의 맨 끝.
fin, achèvement, terme, bout
Dernier point dans le temps ou dans l'ordre.

• **코스 (nom)** : 어떤 목적에 따라 정해진 길.
trajet
Chemin déterminé selon un objectif.

• 이다 : 주어가 지시하는 대상의 속성이나 부류를 지정하는 뜻을 나타내는 서술격 조사.
Pas d'expression équivalente
Particule du cas prédicatif pour indiquer la caractéristique ou la catégorie d'un objet qui se rapporte au sujet d'une phrase.

• -ㄴ : 앞의 말이 관형어의 기능을 하게 만들고 현재의 상태를 나타내는 어미.
Pas d'expression équivalente
Terminaison faisant fonctionner le mot précédent comme un déterminant et exprimant l'état présent.

• **공동묘지 (nom)** : 한 지역에 여러 사람의 무덤이 있어 공동으로 관리하는 무덤.
cimetière public
Tombes rassemblées dans un même espace et gérées collectivement.

• 를 : 동작의 도착지나 동작이 이루어지는 장소를 나타내는 조사.
Pas d'expression équivalente
Particule indiquant la destination ou le lieu de réalisation d'une action.

• **지나가다 (verbe)** : 어떤 곳을 통과하여 가다.
passer
Aller à travers un endroit.

• -고 있다 : 앞의 말이 나타내는 행동이 계속 진행됨을 나타내는 표현.
Pas d'expression équivalente
Expression pour indiquer que l'action de la proposition précédente est toujours en cours.

• -었- : 사건이 과거에 일어났음을 나타내는 어미.
Pas d'expression équivalente
Terminaison indiquant qu'un évènement s'est produit dans le passé.

• -다 : 어떤 사건이나 사실, 상태를 서술함을 나타내는 종결 어미.
Pas d'expression équivalente
Terminaison finale employée pour décrire un événement, un fait ou un état.

그녀+들+은 무섭(무서우)+었+지만 애쓰(애ㅆ)+어 태연하+ㄴ 모습+으로 걸어가+[고 있]+었+는데
무서웠지만 **애써** **태연한**

갑자기 '톡탁톡탁' 하+는 소리+가 들려오+기 시작하+였+다.
시작했다

• **그녀 (pronom)** : 앞에서 이미 이야기한 여자를 가리키는 말.
elle, la, lui
Terme indiquant une femme ou une fille mentionnée auparavant.

• 들 : '복수'의 뜻을 더하는 접미사.
Pas d'expression équivalente
Suffixe signifiant « pluriel ».

• 은 : 문장 속에서 어떤 대상이 화제임을 나타내는 조사.
Pas d'expression équivalente
Particule indiquant qu'un objet est le principal sujet (de conversation) d'une phrase.

• **무섭다 (adjectif)** : 어떤 대상이 꺼려지거나 무슨 일이 일어날까 두렵다.
effrayé, terrifié, apeuré
Qui se sent gêné face à quelque chose ou qui appréhende ce qui pourrait se passer.

• -었- : 사건이 과거에 일어났음을 나타내는 어미.
Pas d'expression équivalente
Terminaison indiquant qu'un évènement s'est produit dans le passé.

• -지만 : 앞에 오는 말을 인정하면서 그와 반대되거나 다른 사실을 덧붙일 때 쓰는 연결 어미.
Pas d'expression équivalente
Terminaison connective utilisée pour reconnaître la proposition précédente, tout en rajoutant un fait contraire ou différent.

• **애쓰다 (verbe)** : 무엇을 이루기 위해 힘을 들이다.
faire des efforts, s'efforcer de, tâcher de, chercher à, faire son possible pour, peiner, se donner de la peine, se donner du mal, se fatiguer, s'évertuer, s'échiner, se démener, se démancher, se dépenser, se remuer, faire de son mieux, essayer de
Utiliser sa force pour accomplir quelque chose.

• -어 : 앞의 말이 뒤의 말보다 먼저 일어났거나 뒤의 말에 대한 방법이나 수단이 됨을 나타내는 연결 어미.

Pas d'expression équivalente

Terminaison connective indiquant que la proposition précédente s'est réalisée avant la suivante, ou qu'elle constitue une méthode ou un moyen pour accomplir ce qui est dans la proposition suivante.

• **태연하다 (adjectif)** : 당연히 머뭇거리거나 두려워할 상황에서 태도나 얼굴빛이 아무렇지도 않다.

calme, serein, tranquille

Qui a une attitude ou une expression du visage inébranlable dans une situation où il est naturel d'hésiter ou d'avoir peur.

• -ㄴ : 앞의 말이 관형어의 기능을 하게 만들고 현재의 상태를 나타내는 어미.

Pas d'expression équivalente

Terminaison faisant fonctionner le mot précédent comme un déterminant et exprimant l'état présent.

• **모습 (nom)** : 겉으로 드러난 상태나 모양.

figure, forme, apparence, aspect, air, allure

État ou aspect présenté extérieurement.

• 으로 : 어떤 일의 방법이나 방식을 나타내는 조사.

par, à, d'une certaine manière

Particule indiquant la méthode ou la manière de faire quelque chose.

• **걸어가다 (verbe)** : 목적지를 향하여 다리를 움직여 나아가다.

marcher, aller à pied, se rendre à pied

Avancer vers une destination en faisant l'usage de ses jambes.

• -고 있다 : 앞의 말이 나타내는 행동이 계속 진행됨을 나타내는 표현.

Pas d'expression équivalente

Expression pour indiquer que l'action de la proposition précédente est toujours en cours.

• -었- : 사건이 과거에 일어났음을 나타내는 어미.

Pas d'expression équivalente

Terminaison indiquant qu'un évènement s'est produit dans le passé.

• -는데 : 뒤의 말을 하기 위하여 그 대상과 관련이 있는 상황을 미리 말함을 나타내는 연결 어미.

Pas d'expression équivalente

Terminaison connective indiquant le fait de parler à l'avance d'une situation en rapport avec l'objet des propos suivants.

• **갑자기 (adverbe)** : 미처 생각할 틈도 없이 빨리.

soudain, tout à coup, subitement, brusquement

Très rapidement, sans même avoir le temps de réfléchir.

• **톡탁톡탁 (adverbe)** : 단단한 물건을 계속해서 가볍게 두드리는 소리.
tac tac, toc toc
Onomatopée exprimant le bruit produit lorsque l'on tape répétitivement et légèrement un objet dur.

• **하다 (verbe)** : 그런 소리가 나다. 또는 그런 소리를 내다.
retentir, se faire entendre, émettre, chanter, hurler, aboyer
(Tel bruit) Se produire ; produire un tel bruit.

• -는 : 앞의 말이 관형어의 기능을 하게 만들고 사건이나 동작이 현재 일어남을 나타내는 어미.
Pas d'expression équivalente
Terminaison attribuant la fonction de déterminant à la proposition précédente, et pour indiquer que la situation ou l'action en question se réalise au présent.

• **소리 (nom)** : 물체가 진동하여 생긴 음파가 귀에 들리는 것.
son, bruit, éclat, ton
Onde sonore provoquée par la vibration d'un corps et perçue par l'ouïe.

• 가 : 어떤 상태나 상황에 놓인 대상이나 동작의 주체를 나타내는 조사.
Pas d'expression équivalente
Particule indiquant l'objet d'un état ou d'une situation, ou le sujet d'une action.

• **들려오다 (verbe)** : 어떤 소리나 소식 등이 들리다.
entendre, s'entendre, être entendu, être perceptible, frapper l'oreille de quelqu'un, circuler, se répandre
(Son, nouvelle etc.) Se faire entendre.

• -기 : 앞의 말이 명사의 기능을 하게 하는 어미.
Pas d'expression équivalente
Terminaison attribuant la fonction de nom à la proposition précédente.

• **시작하다 (verbe)** : 어떤 일이나 행동의 처음 단계를 이루거나 이루게 하다.
commencer, débuter, ouvrir, démarrer
Accomplir la première étape d'un évènement ou d'une action, ou faire accomplir cette étape par une tierce personne.

• -였- : 사건이 과거에 일어났음을 나타내는 어미.
Pas d'expression équivalente
Terminaison indiquant qu'un évènement s'est produit dans le passé.

• -다 : 어떤 사건이나 사실, 상태를 서술함을 나타내는 종결 어미.
Pas d'expression équivalente
Terminaison finale employée pour décrire un événement, un fait ou un état.

깜짝 놀라+ㄴ 두 여자+는 공포+에 질리+어 가까스로 천천히 발걸음+을 내딛+[고 있]+었+다.
놀란 질려

• **깜짝 (adverbe)** : 갑자기 놀라는 모양.
Pas d'expression équivalente
Idéophone indiquant la manière dont quelqu'un a une brusque surprise.

• **놀라다 (verbe)** : 뜻밖의 일을 당하거나 무서워서 순간적으로 긴장하거나 가슴이 뛰다.
s'étonner, être surpris, être étonné, être stupéfait
Se tendre ou avoir le coeur qui bat après avoir subi un choc ou par peur.

• -ㄴ : 앞의 말이 관형어의 기능을 하게 만들고 사건이나 동작이 과거에 일어났음을 나타내는 어미.
Pas d'expression équivalente
Terminaison donnant la fonction de déterminant à la proposition précédente et indiquant que l'événement ou l'action en question s'est déroulé dans le passé.

• **두 (déterminant)** : 둘의.
deux
De deux.

• **여자 (nom)** : 여성으로 태어난 사람.
femme, sexe féminin, sexe faible, beau sexe, deuxième sexe
Personne née de sexe féminin.

• 는 : 문장 속에서 어떤 대상이 화제임을 나타내는 조사.
Pas d'expression équivalente
Particule indiquant qu'un objet est le principal sujet (de conversation) d'une phrase.

• **공포 (nom)** : 두렵고 무서움.
frayeur, épouvante, terreur, horreur, effroi
Fait d'être effrayant et apeurant.

• 에 : 앞말이 어떤 일의 원인임을 나타내는 조사.
à, par, pour, de
Particule indiquant que la proposition précédente (en coréen) est la cause de quelque chose.

• **질리다 (verbe)** : 몹시 놀라거나 무서워서 얼굴빛이 변하다.
pâlir, blêmir, avoir apeurer, être horrifié, verdir
Changer de couleur suite à un étonnement ou à une frayeur.

• -어 : 앞에 오는 말이 뒤에 오는 말에 대한 원인이나 이유임을 나타내는 연결 어미.
Pas d'expression équivalente
Terminaison connective indiquant que les propos précédents constituent la cause ou la raison des propos suivants.

• **가까스로 (adverbe)** : 매우 어렵게 힘을 들여.
péniblement, difficilement
Très difficilement et avec beaucoup de peine.

• **천천히 (adverbe)** : 움직임이나 태도가 느리게.
lentement
(Mouvement ou attitude) de manière lente.

• **발걸음 (nom)** : 발을 옮겨 걷는 동작.
pas, démarche, allure
Mouvement consistant à faire un pas et à marcher.

• 을 : 동작이 직접적으로 영향을 미치는 대상을 나타내는 조사.
Pas d'expression équivalente
Particule indiquant un objet directement influencé par un acte.

• **내딛다 (verbe)** : 서 있다가 앞쪽으로 발을 옮기다.
faire un pas en avant, faire le premier pas, mettre les pieds sur, avancer poser, les pieds sur
Diriger ses pas vers l'avant après s'être tenu debout.

• -고 있다 : 앞의 말이 나타내는 행동이 계속 진행됨을 나타내는 표현.
Pas d'expression équivalente
Expression pour indiquer que l'action de la proposition précédente est toujours en cours.

• -었- : 사건이 과거에 일어났음을 나타내는 어미.
Pas d'expression équivalente
Terminaison indiquant qu'un évènement s'est produit dans le passé.

• -다 : 어떤 사건이나 사실, 상태를 서술함을 나타내는 종결 어미.
Pas d'expression équivalente
Terminaison finale employée pour décrire un événement, un fait ou un état.

그때 눈앞+에 망치+를 들+고 정+으로 묘비+를 쪼+[고 있]+는 노인+의 모습+이 희미하+게 보이+었+다. 보였다

• **그때 (nom)** : 앞에서 이야기한 어떤 때.
ce moment-là, cette époque, ce temps-là
Un moment mentionné auparavant.

• **눈앞 (nom)** : 눈에 바로 보이는 곳.
Pas d'expression équivalente
Lieu qui se trouve juste devant les yeux.

• 에 : 앞말이 어떤 장소나 자리임을 나타내는 조사.
à, dans, en, sur
Particule indiquant que la proposition précédente (en coréen) est un lieu ou un emplacement.

• **망치 (nom)** : 쇠뭉치에 손잡이를 달아 단단한 물건을 두드리거나 못을 박는 데 쓰는 연장.
marteau, maillet, mailloche, mail
Outil en fer, fixé à un manche et utilisé pour frapper des objets durs ou enfoncer des clous.

• 를 : 동작이 직접적으로 영향을 미치는 대상을 나타내는 조사.
Pas d'expression équivalente
Particule indiquant un objet directement influencé par un acte.

• **들다 (verbe)** : 손에 가지다.
avoir, porter, tenir
Prendre quelque chose dans ses mains.

• -고 : 앞의 말이 나타내는 행동이나 그 결과가 뒤에 오는 행동이 일어나는 동안에 그대로 지속됨을 나타내는 연결 어미.
Pas d'expression équivalente
Terminaison connective indiquant que l'action exprimée par les propos précédents ou le résultat de cette action continuent pendant que se déroule l'action suivante.

• **정 (nom)** : 돌에 구멍을 뚫거나 돌을 쪼아서 다듬는 데 쓰는 쇠로 만든 연장.
ciseau
Outil en acier servant à faire des trous dans la pierre ou à sculpter ou tailler une pierre.

• 으로 : 어떤 일의 수단이나 도구를 나타내는 조사.
à l'aide de, avec
Particule indiquant le moyen ou l'outil d'une action.

• **묘비 (nom)** : 죽은 사람의 이름, 출생일, 사망일, 행적, 신분 등을 새겨서 무덤 앞에 세우는 비석.
pierre tombale, stèle funéraire
Stèle sur laquelle sont gravés le nom, la date de naissance, la date de décès, les prouesses, le statut etc. du défunt, et posée devant sa tombe.

• 를 : 동작이 직접적으로 영향을 미치는 대상을 나타내는 조사.
Pas d'expression équivalente
Particule indiquant un objet directement influencé par un acte.

• **쪼다 (verbe)** : 뾰족한 끝으로 쳐서 찍다.
picoter, picorer, becqueter, layer
Presser en frappant avec un bout pointu.

• -고 있다 : 앞의 말이 나타내는 행동이 계속 진행됨을 나타내는 표현.
Pas d'expression équivalente
Expression pour indiquer que l'action de la proposition précédente est toujours en cours.

• -는 : 앞의 말이 관형어의 기능을 하게 만들고 사건이나 동작이 현재 일어남을 나타내는 어미.
Pas d'expression équivalente
Terminaison attribuant la fonction de déterminant à la proposition précédente, et pour indiquer que la situation ou l'action en question se réalise au présent.

• **노인 (nom)** : 나이가 들어 늙은 사람.
personne âgée, vieil homme, vieillard, vieille femme, vieux, vieillesse
Personne qui a pris de l'âge et qui a vieilli.

• 의 : 앞의 말이 뒤의 말에 대하여 소유, 소속, 소재, 관계, 기원, 주체의 관계를 가짐을 나타내는 조사.
Pas d'expression équivalente
Particule pour indiquer que la proposition précédente prend une relation de possession, d'appartenance, d'emplacement, de relation, d'origine ou de sujet d'action par rapport à la proposition suivante.

• **모습 (nom)** : 사람이나 사물의 생김새.
figure, forme, apparence
Traits d'une personne ou d'un objet.

• 이 : 어떤 상태나 상황의 대상이나 동작의 주체를 나타내는 조사.
Pas d'expression équivalente
Particule indiquant l'objet d'un état ou d'une situation, ou le sujet d'une action.

• **희미하다 (adjectif)** : 분명하지 못하고 흐릿하다.
vague, faible, trouble
Qui n'est pas net mais flou.

• -게 : 앞의 말이 뒤에서 가리키는 일의 목적이나 결과, 방식, 정도 등이 됨을 나타내는 연결 어미.
Pas d'expression équivalente
Terminaison connective indiquant que les propos précédents constituent l'objectif, le résultat, la méthode ou le degré des propos qui suivent.

• **보이다 (verbe)** : 눈으로 대상의 존재나 겉모습을 알게 되다.
se montrer, apparaître, paraître, se voir, se faire voir, se présenter aux yeux, tomber sous les yeux, entrer dans le champ visuel
(Existence ou apparence d'un objet) Être aperçu avec les yeux.

• -었- : 사건이 과거에 일어났음을 나타내는 어미.
Pas d'expression équivalente
Terminaison indiquant qu'un évènement s'est produit dans le passé.

• -다 : 어떤 사건이나 사실, 상태를 서술함을 나타내는 종결 어미.
Pas d'expression équivalente
Terminaison finale employée pour décrire un événement, un fait ou un état.

순간 두 **여자+**는 **안도+**의 **한숨+**을 **내쉬+**며 <u>말하+였+다</u>. **말했다**

• **순간 (nom)** : 어떤 일이 일어나거나 어떤 행동이 이루어지는 바로 그때.
instant, moment
Moment précis où quelque chose se passe ou une action se réalise.

• **두 (déterminant)** : 둘의.
deux
De deux.

• **여자 (nom)** : 여성으로 태어난 사람.
femme, sexe féminin, sexe faible, beau sexe, deuxième sexe
Personne née de sexe féminin.

• 는 : 문장 속에서 어떤 대상이 화제임을 나타내는 조사.
Pas d'expression équivalente
Particule indiquant qu'un objet est le principal sujet (de conversation) d'une phrase.

• **안도 (nom)** : 어떤 일이 잘되어 마음을 놓음.
soulagement
Fait de se sentir rassuré parce que quelque chose fonctionne bien.

• 의 : 앞의 말이 뒤의 말에 대하여 속성이나 수량을 한정하거나 같은 자격임을 나타내는 조사.
Pas d'expression équivalente
Particule pour indiquer que la proposition précédente a une caractéristique ou une quantité limitée, ou la même qualité que la proposition suivante.

• **한숨 (nom)** : 걱정이 있을 때나 긴장했다가 마음을 놓을 때 길게 몰아서 내쉬는 숨.
soupir
Souffle poussé longuement lorsque l'on a des soucis ou l'on se relaxe après avoir été nerveux.

• 을 : 동작이 직접적으로 영향을 미치는 대상을 나타내는 조사.
Pas d'expression équivalente
Particule indiquant un objet directement influencé par un acte.

• **내쉬다 (verbe)** : 숨을 몸 밖으로 내보내다.
expirer, pousser un soupir
Faire sortir le souffle.

• -며 : 두 가지 이상의 동작이나 상태가 함께 일어남을 나타내는 연결 어미.
Pas d'expression équivalente
Terminaison connective indiquant que plus de deux actions ou états surviennent en même temps.

• **말하다 (verbe)** : 어떤 사실이나 자신의 생각 또는 느낌을 말로 나타내다.
parler, dire
Exprimer oralement un fait, sa pensée ou ses sentiments.

• -였- : 사건이 과거에 일어났음을 나타내는 어미.
Pas d'expression équivalente
Terminaison indiquant qu'un évènement s'est produit dans le passé.

• -다 : 어떤 사건이나 사실, 상태를 서술함을 나타내는 종결 어미.
Pas d'expression équivalente
Terminaison finale employée pour décrire un événement, un fait ou un état.

여자 1 : 할아버지, 귀신+이+[ㄴ 줄] 알+고 깜짝 놀라+았+잖아요.
귀신인 줄　　　　　놀랐잖아요

• **할아버지 (nom)** : (친근하게 이르는 말로) 늙은 남자를 이르거나 부르는 말.
papy, papi, grand-père
(affectueux) Terme pour désigner ou s'adresser à un vieil homme.

• **귀신 (nom)** : 사람이 죽은 뒤에 남는다고 하는 영혼.
esprit, fantôme, revenant, spectre, démon, mânes
Âme ne disparaissant pas après la mort de l'homme.

• 이다 : 주어가 지시하는 대상의 속성이나 부류를 지정하는 뜻을 나타내는 서술격 조사.
Pas d'expression équivalente
Particule du cas prédicatif pour indiquer la caractéristique ou la catégorie d'un objet qui se rapporte au sujet d'une phrase.

• -ㄴ 줄 : 어떤 사실이나 상태에 대해 알고 있거나 모르고 있음을 나타내는 표현.
Pas d'expression équivalente
Expression indiquant le fait d'être au courant ou non d'un fait ou d'un état.

• **알다 (verbe)** : 교육이나 경험, 생각 등을 통해 사물이나 상황에 대한 정보 또는 지식을 갖추다.
savoir, connaître, apprendre
Acquérir une information ou une connaissance sur un objet ou sur une situation par l'éducation, l'expérience, la réflexion, etc.

• -고 : 앞의 말과 뒤의 말이 차례대로 일어남을 나타내는 연결 어미.
Pas d'expression équivalente
Terminaison connective indiquant que les propos précédents et les propos suivants se succèdent tour à tour.

• **깜짝 (adverbe)** : 갑자기 놀라는 모양.
Pas d'expression équivalente
Idéophone indiquant la manière dont quelqu'un a une brusque surprise.

• **놀라다 (verbe)** : 뜻밖의 일을 당하거나 무서워서 순간적으로 긴장하거나 가슴이 뛰다.
s'étonner, être surpris, être étonné, être stupéfait
Se tendre ou avoir le coeur qui bat après avoir subi un choc ou par peur.

• -았- : 어떤 사건이 과거에 완료되었거나 그 사건의 결과가 현재까지 지속되는 상황을 나타내는 어미.
Pas d'expression équivalente
Terminaison indiquant qu'un évènement a été accompli dans le passé ou que le résultat de cet évènement perdure jusqu'à présent.

• -잖아요 : (두루높임으로) 어떤 상황에 대해 말하는 사람이 상대방에게 확인하거나 정정해 주듯이 말함을 나타내는 표현.
Pas d'expression équivalente
(forme honorifique non formelle) Expression pour indiquer que le locuteur parle d'une situation en la vérifiant auprès de l'interlocuteur ou en corrigeant ce dernier.

여자 1 : 그런데 이 늦+은 시간+에 여기+서 뭐 하+[고 계시]+어요?
하고 계세요

• **그런데 (adverbe)** : 이야기를 앞의 내용과 관련시키면서 다른 방향으로 바꿀 때 쓰는 말.
en fait, alors
Terme employé pour changer la direction d'une conversation, en la reliant aux éléments énoncés auparavant.

• **이 (déterminant)** : 말하는 사람에게 가까이 있거나 말하는 사람이 생각하고 있는 대상을 가리킬 때 쓰는 말.
ce (cet, cette, ces)
Terme utilisé pour indiquer l'objet qui se trouve près du locuteur ou auquel pense ce dernier.

• **늦다 (adjectif)** : 적당한 때를 지나 있다. 또는 시기가 한창인 때를 지나 있다.
tard
Qui se situe après le moment convenable ; (période) qui se trouve après.

• -은 : 앞의 말이 관형어의 기능을 하게 만들고 현재의 상태를 나타내는 어미.
Pas d'expression équivalente
Terminaison faisant fonctionner le mot précédent comme un déterminant et exprimant l'état présent.

• **시간 (nom)** : 어떤 일을 하도록 정해진 때. 또는 하루 중의 어느 한 때.
heure, moment, instant
Moment fixé pour faire quelque chose ; un certain moment de la journée.

• 에 : 앞말이 시간이나 때임을 나타내는 조사.
à, en
Particule indiquant que la proposition précédente (en coréen) est l'heure ou le moment.

• **여기 (pronom)** : 말하는 사람에게 가까운 곳을 가리키는 말.
ici
Pronom désignant un lieu près du locuteur.

• 서 : 앞말이 행동이 이루어지고 있는 장소임을 나타내는 조사.
Pas d'expression équivalente
Particule indiquant que le mot précédent signifie l'endroit où a lieu une action.

• **뭐 (pronom)** : 모르는 사실이나 사물을 가리키는 말.
que, quoi, quelque chose
Terme désignant un fait ou un objet inconnu.

• **하다 (verbe)** : 어떤 행동이나 동작, 활동 등을 행하다.
faire, exécuter, effectuer, s'occuper de
Effectuer une action, un mouvement, une activité, etc.

• -고 계시다 : (높임말로) 앞의 말이 나타내는 행동이 계속 진행됨을 나타내는 표현.
Pas d'expression équivalente
(forme honorifique) Expression pour indiquer que l'action de la proposition précédente est en cours.

• -어요 : (두루높임으로) 어떤 사실을 서술하거나 질문, 명령, 권유함을 나타내는 종결 어미.
Pas d'expression équivalente
(forme honorifique non formelle) Terminaison finale pour décrire un fait ou pour indiquer une question, un ordre ou une recommandation.

여자 2 : 내일 밝+[을 때] 하+시+[는 것(거)]+이 좋+[을 것 같]+아요.
하시는 게

• **내일 (adverbe)** : 오늘의 다음 날에.
demain
Jour suivant aujourd'hui.

• **밝다 (adjectif)** : 빛을 많이 받아 어떤 장소가 환하다.
lumineux, clair, éclairé
(Endroit) Qui est très clair puisqu'il reçoit beaucoup de lumière.

• -을 때 : 어떤 행동이나 상황이 일어나는 동안이나 그 시기 또는 그러한 일이 일어난 경우를 나타내는 표현.
Pas d'expression équivalente
Expression utilisée pour indiquer le moment, la période ou le cas où une action est effectuée ou où il se passe quelque chose.

• **하다 (verbe)** : 어떤 행동이나 동작, 활동 등을 행하다.
faire, exécuter, effectuer, s'occuper de
Effectuer une action, un mouvement, une activité, etc.

• -시- : 어떤 동작이나 상태의 주체를 높이는 뜻을 나타내는 어미.
Pas d'expression équivalente
Terminaison signifiant le fait de montrer du respect à l'auteur d'une action ou d'un état.

• -는 것 : 명사가 아닌 것을 문장에서 명사처럼 쓰이게 하거나 '이다' 앞에 쓰일 수 있게 할 때 쓰는 표현.
Pas d'expression équivalente
Expression permettant d'utiliser un groupe non nominal comme un nom dans une phrase ou de l'utiliser avec '이다'.

• 이 : 어떤 상태나 상황의 대상이나 동작의 주체를 나타내는 조사.
Pas d'expression équivalente
Particule indiquant l'objet d'un état ou d'une situation, ou le sujet d'une action.

• **좋다 (adjectif)** : 어떤 일을 하기가 쉽거나 편하다.
agréable
(Quelque chose) Facile et aisé à faire.

• -을 것 같다 : 추측을 나타내는 표현.
Pas d'expression équivalente
Expression utilisée pour indiquer une supposition.

• -아요 : (두루높임으로) 어떤 사실을 서술하거나 질문, 명령, 권유함을 나타내는 종결 어미.
Pas d'expression équivalente
(forme honorifique non formelle) Terminaison finale pour décrire un fait ou pour indiquer une question, un ordre ou une recommandation.

여자 2 : 지금+은 어둡(어두우)+어서 위험하+세요. 어두워서

• **지금 (nom)** : 말을 하고 있는 바로 이때.
le moment présent, l'instant présent
Moment précis où l'on est en train de parler.

• 은 : 문장 속에서 어떤 대상이 화제임을 나타내는 조사.
Pas d'expression équivalente
Particule indiquant qu'un objet est le principal sujet (de conversation) d'une phrase.

• **어둡다 (adjectif)** : 빛이 없거나 약해서 밝지 않다.
sombre, obscur, ténébreux
Qui manque de clarté due à l'absence ou de la faible intensité de la lumière.

• -어서 : 이유나 근거를 나타내는 연결 어미.
Pas d'expression équivalente
Terminaison connective indiquant une raison ou une base.

• **위험하다 (adjectif)** : 해를 입거나 다칠 가능성이 있어 안전하지 못하다.
dangereux
Qui n'est pas sécurisé, avec des risques de se voir causer du tort ou se blesser.

• -세요 : (두루높임으로) 설명, 의문, 명령, 요청의 뜻을 나타내는 종결 어미.
Pas d'expression équivalente
Terminaison finale pour indiquer une explication, une interrogation, un ordre ou une demande.

할아버지 : 음, 오늘 안+에 빨리 끝내+[(어)야 되]+어.
끝내야 돼

• **음 (exclamatif)** : 마음에 들지 않거나 걱정스러울 때 하는 소리.
mmh, hmm
Exclamation prononcée pour montrer qu'une chose ne nous plaît pas ou que l'on est inquiet.

• **오늘 (nom)** : 지금 지나가고 있는 이날.
aujourd'hui, ce jour
Jour qui est en train de passer.

• **안 (nom)** : 일정한 기준이나 한계를 넘지 않은 정도.
(n.) moins de, à moins de, dans, dans un délai de
Niveau qui ne dépasse pas un critère ou une limite déterminé.

• 에 : 앞말이 시간이나 때임을 나타내는 조사.
à, en
Particule indiquant que la proposition précédente (en coréen) est l'heure ou le moment.

• **빨리 (adverbe)** : 걸리는 시간이 짧게.
vite, rapidement
(Temps nécessaire pour faire une action) Brièvement.

• **끝내다 (verbe)** : 일을 마지막까지 이루다.
terminer, finir, achever
Faire un travail jusqu'au bout.

• -어야 되다 : 반드시 그럴 필요나 의무가 있음을 나타내는 표현.
Pas d'expression équivalente
Expression indiquant qu'il y a nécessité ou obligation absolue de faire ainsi.

• -어 : (두루낮춤으로) 어떤 사실을 서술하거나 물음, 명령, 권유를 나타내는 종결 어미.
Pas d'expression équivalente
(forme non honorifique non formelle) Terminaison finale pour décrire un fait ou pour indiquer une question, un ordre, ou une recommandation.

여자 1 : 그런데 묘비+에 무슨 문제+라도 있+나요?

• **그런데 (adverbe)** : 이야기를 앞의 내용과 관련시키면서 다른 방향으로 바꿀 때 쓰는 말.
en fait, alors
Terme employé pour changer la direction d'une conversation, en la reliant aux éléments énoncés auparavant.

• **묘비 (nom)** : 죽은 사람의 이름, 출생일, 사망일, 행적, 신분 등을 새겨서 무덤 앞에 세우는 비석.
pierre tombale, stèle funéraire
Stèle sur laquelle sont gravés le nom, la date de naissance, la date de décès, les prouesses, le statut etc. du défunt, et posée devant sa tombe.

• 에 : 앞말이 어떤 장소나 자리임을 나타내는 조사.
à, dans, en, sur
Particule indiquant que la proposition précédente (en coréen) est un lieu ou un emplacement.

• **무슨 (déterminant)** : 확실하지 않거나 잘 모르는 일, 대상, 물건 등을 물을 때 쓰는 말.
Pas d'expression équivalente
Terme utilisé pour souligner ce qui est insatisfasant contre toute attente.

• **문제 (nom)** : 난처하거나 해결하기 어려운 일.
problème
Tâche embarrassante ou difficile à résoudre.

• 라도 : 불확실한 사실에 대한 말하는 이의 의심이나 의문을 나타내는 조사.
Pas d'expression équivalente
Particule exprimant le doute ou l'interrogation du locuteur sur un fait incertain.

• **있다 (adjectif)** : 어떤 사람에게 무슨 일이 생긴 상태이다.
(adj.) il y a
(Chose) Qui est arrivé à quelqu'un.

• -나요 : (두루높임으로) 앞의 내용에 대해 상대방에게 물어볼 때 쓰는 표현.
Pas d'expression équivalente
(forme honorifique non formelle) Expression pour poser une question sur la proposition précédente à l'interlocuteur.

할아버지 : 글쎄, 어떤 멍청하+ㄴ 녀석+들+이 묘비+에 나+의 이름+을 잘못
멍청한 내
쓰(ㅆ)+[어 놓]+았+잖아.
써 놨잖아

• **글쎄 (exclamatif)** : 말하는 이가 자신의 뜻이나 주장을 다시 강조하거나 고집할 때 쓰는 말.
bof, qui sait
Exclamation employée par le locuteur pour insister encore une fois ou maintenir sa volonté ou son opinion.

• **어떤 (déterminant)** : 굳이 말할 필요가 없는 대상을 뚜렷하게 밝히지 않고 나타낼 때 쓰는 말.
quelque, certain, certaine, un, une, quelqu'un
Déterminant utilisé pour ne pas présenter précisément l'objet dont on parle car on juge inutile de le mentionner.

• **멍청하다 (adjectif)** : 일을 제대로 판단하지 못할 정도로 어리석다.
sot, stupide, imbécile, débile
Qui est stupide au point de ne pas pouvoir juger une affaire correctement.

• -ㄴ : 앞의 말이 관형어의 기능을 하게 만들고 현재의 상태를 나타내는 어미.
Pas d'expression équivalente
Terminaison faisant fonctionner le mot précédent comme un déterminant et exprimant l'état présent.

• **녀석 (nom)** : (낮추는 말로) 남자.
Pas d'expression équivalente
(forme non honorifique) Nom dépendant désignant un homme.

• 들 : '복수'의 뜻을 더하는 접미사.
Pas d'expression équivalente
Suffixe signifiant « pluriel ».

• 이 : 어떤 상태나 상황의 대상이나 동작의 주체를 나타내는 조사.
Pas d'expression équivalente
Particule indiquant l'objet d'un état ou d'une situation, ou le sujet d'une action.

• **묘비 (nom)** : 죽은 사람의 이름, 출생일, 사망일, 행적, 신분 등을 새겨서 무덤 앞에 세우는 비석.
pierre tombale, stèle funéraire
Stèle sur laquelle sont gravés le nom, la date de naissance, la date de décès, les prouesses, le statut etc. du défunt, et posée devant sa tombe.

• 에 : 앞말이 어떤 장소나 자리임을 나타내는 조사.
à, dans, en, sur
Particule indiquant que la proposition précédente (en coréen) est un lieu ou un emplacement.

• **나 (pronom)** : 말하는 사람이 친구나 아랫사람에게 자기를 가리키는 말.
je, moi, me
Terme employé par le locuteur pour se désigner, lorsqu'il s'adresse à une personne du même âge ou plus jeune.

• 의 : 앞의 말이 뒤의 말에 대하여 소유, 소속, 소재, 관계, 기원, 주체의 관계를 가짐을 나타내는 조사.
Pas d'expression équivalente
Particule pour indiquer que la proposition précédente prend une relation de possession, d'appartenance, d'emplacement, de relation, d'origine ou de sujet d'action par rapport à la proposition suivante.

• **이름 (nom)** : 사람의 성과 그 뒤에 붙는 그 사람만을 부르는 말.
nom, prénom
Terme indiquant le nom d'une personne et l'appellation nommant seulement la personne en question.

• 을 : 동작이 직접적으로 영향을 미치는 대상을 나타내는 조사.
Pas d'expression équivalente
Particule indiquant un objet directement influencé par un acte.

• **잘못 (adverbe)** : 바르지 않게 또는 틀리게.
pas bien, mal
Pas de la bonne manière ou de manière erronée.

• **쓰다 (verbe)** : 연필이나 펜 등의 필기도구로 종이 등에 획을 그어서 일정한 글자를 적다.
écrire, noter, inscrire
Tracer des traits d'un certain système d'écriture sur un papier ou autre à l'aide d'un outil spécifique comme un crayon ou un stylo.

• -어 놓다 : 앞의 말이 나타내는 행동을 끝내고 그 결과를 유지함을 나타내는 표현.
Pas d'expression équivalente
Expression indiquant le fait d'avoir terminé une action exprimée par les propos précédents et d'en maintenir le résultat.

• -았- : 어떤 사건이 과거에 완료되었거나 그 사건의 결과가 현재까지 지속되는 상황을 나타내는 어미.
Pas d'expression équivalente
Terminaison indiquant qu'un évènement a été accompli dans le passé ou que le résultat de cet évènement perdure jusqu'à présent.

• -잖아 : (두루낮춤으로) 어떤 상황에 대해 말하는 사람이 상대방에게 확인하거나 정정해 주듯이 말함을 나타내는 표현.

Pas d'expression équivalente

(forme non honorifique non formelle) Expression pour indiquer que le locuteur parle d'une situation en la vérifiant auprès de l'interlocuteur ou en corrigeant ce dernier.

< 13 단원(chapitre) >

제목 : 엄마는 왜 흰머리가 있어?

● 본문 (texte primitif)

어느 날 설거지를 하고 있는 엄마에게 어린 딸이 머리를 갸우뚱거리며 질문을 했다.

딸 : 엄마 머리 앞쪽에 하얀색 머리카락이 있어.

엄마 : 이제 엄마도 흰머리가 점점 많이 생기네.

딸 : 나는 흰머리가 없는데 엄마는 왜 흰머리가 있어?

흰머리가 왜 생기는지 궁금해.

엄마 : 우리 딸이 엄마 말을 안 들어서 엄마가 속이 상하거나 슬퍼지면 흰머리가

한 개씩 생기더라고.

그러니까 앞으로 엄마가 하는 말 잘 들어야 돼.

딸은 잠시 동안 생각을 하다가 엄마에게 다시 물었다.

딸 : 엄마, 외할머니 머리는 전부 하얀색인데?

● 발음 (prononciation)

어느 날 설거지를 하고 있는 엄마에게 어린 딸이 머리를 갸우뚱거리며 질문을 했다.
어느 날 설거지를 하고 인는 엄마에게 어린 따리 머리를 갸우뚱거리며 질무늘 핻따.
eoneu nal seolgeojireul hago inneun eommaege eorin ttari meorireul gyauttunggeorimyeo jilmuneul haetda.

딸 : 엄마 머리 앞쪽에 하얀색 머리카락이 있어.
딸 : 엄마 머리 압쪼게 하얀색 머리카라기 이써.
ttal : eomma meori apjjoge hayansaek meorikaragi isseo.

엄마 : 이제 엄마도 흰머리가 점점 많이 생기네.
엄마 : 이제 엄마도 힌머리가 점점 마니 생기네.
eomma : ije eommado hinmeoriga jeomjeom mani saenggine.

딸 : 나는 흰머리가 없는데 엄마는 왜 흰머리가 있어?
딸 : 나는 힌머리가 엄는데 엄마는 왜 힌머리가 이써?
ttal : naneun hinmeoriga eomneunde eommaneun wae hinmeoriga isseo?

흰머리가 왜 생기는지 궁금해.
힌머리가 왜 생기는지 궁금해.
hinmeoriga wae saenggineunji gunggeumhae.

엄마 : 우리 딸이 엄마 말을 안 들어서 엄마가 속이 상하거나 슬퍼지면 흰머리가
엄마 : 우리 따리 엄마 마를 안 드러서 엄마가 소기 상하거나 슬퍼지면 힌머리가
eomma : uri ttari eomma mareul an deureoseo eommaga sogi sanghageona seulpeojimyeon hinmeoriga

한 개씩 생기더라고.
한 개씩 생기더라고.
han gaessik saenggideorago.

그러니까 앞으로 엄마가 하는 말 잘 들어야 돼.
그러니까 아프로 엄마가 하는 말 잘 드러야 돼.
geureonikka apeuro eommaga haneun mal jal deureoya dwae.

딸은 잠시 동안 생각을 하다가 엄마에게 다시 물었다.
따른 잠시 동안 생가글 하다가 엄마에게 다시 무럳따.
ttareun jamsi dongan saenggageul hadaga eommaege dasi mureotda.

딸 : 엄마, 외할머니 머리는 전부 하얀색인데?
딸 : 엄마, 외할머니 머리는 전부 하얀새긴데?
ttal : eomma, oehalmeoni meorineun jeonbu hayansaeginde?

● 어휘 (vocabulaire) / 문법 (règle de grammaire)

어느 날 설거지+를 하+고 있+는 엄마+에게 어리+ㄴ 딸+이 머리+를 갸우뚱거리+며 질문+을 하+였+다.

딸 : 엄마 머리 앞쪽+에 하얀색 머리카락+이 있+어.

엄마 : 이제 엄마+도 흰머리+가 점점 많이 생기+네.

딸 : 나+는 흰머리+가 없+는데 엄마+는 왜 흰머리+가 있+어?

흰머리+가 왜 생기+는지 궁금하+여.

엄마 : 우리 딸+이 엄마 말+을 안 들+어서 엄마+가 속+이 상하+거나 슬프(슬ㅍ)+어지+면

흰머리+가 한 개+씩 생기+더라고.

그러니까 앞+으로 엄마+가 하+는 말 잘 들+어야 되+어.

딸+은 잠시 동안 생각+을 하+다가 엄마+에게 다시 묻(물)+었+다.

딸 : 엄마, 외할머니 머리+는 전부 하얀색+이+ㄴ데?

어느 날 설거지+를 하+[고 있]+는 엄마+에게 어리+ㄴ 딸+이 머리+를 갸우뚱거리+며 질문+을 하+였+다.
어린 / 했다

• **어느 (déterminant)** : 확실하지 않거나 분명하게 말할 필요가 없는 사물, 사람, 때, 곳 등을 가리키는 말.
un, certain, quelque
Terme désignant un objet, une personne, un moment, un lieu, etc. incertain(e) ou que l'on n'a pas besoin de préciser.

• **날 (nom)** : 밤 열두 시에서 다음 밤 열두 시까지의 이십사 시간 동안.
jour, journée
Période de 24h, de minuit à minuit le lendemain.

• **설거지 (nom)** : 음식을 먹고 난 뒤에 그릇을 씻어서 정리하는 일.
lavage de la vaisselle, vaisselle
Fait de nettoyer et ranger la vaisselle après un repas.

• 를 : 동작이 직접적으로 영향을 미치는 대상을 나타내는 조사.
Pas d'expression équivalente
Particule indiquant un objet directement influencé par un mouvement.

• **하다 (verbe)** : 어떤 행동이나 동작, 활동 등을 행하다.
faire, exécuter, effectuer, s'occuper de
Effectuer une action, un mouvement, une activité, etc.

• -고 있다 : 앞의 말이 나타내는 행동이 계속 진행됨을 나타내는 표현.
Pas d'expression équivalente
Expression pour indiquer que l'action de la proposition précédente est toujours en cours.

• -는 : 앞의 말이 관형어의 기능을 하게 만들고 사건이나 동작이 현재 일어남을 나타내는 어미.
Pas d'expression équivalente
Terminaison attribuant la fonction de déterminant à la proposition précédente, et pour indiquer que la situation ou l'action en question se réalise au présent.

• **엄마 (nom)** : 격식을 갖추지 않아도 되는 상황에서 어머니를 이르거나 부르는 말.
maman
Terme pour désigner ou s'adresser à sa mère dans une situation informelle.

• 에게 : 어떤 행동이 미치는 대상임을 나타내는 조사.
Pas d'expression équivalente
Particule indiquant l'objet affecté par une action.

• **어리다 (adjectif)** : 나이가 적다.
petit, tout jeune
(Âge) Qui est jeune.

• -ㄴ : 앞의 말이 관형어의 기능을 하게 만들고 현재의 상태를 나타내는 어미.
Pas d'expression équivalente
Terminaison donnant la fonction de déterminant à la proposition précédente et exprimant l'état présent.

• **딸 (nom)** : 부모가 낳은 아이 중 여자. 여자인 자식.
fille
Enfant de sexe féminin parmi les enfants nés ; enfant de sexe féminin.

• 이 : 어떤 상태나 상황의 대상이나 동작의 주체를 나타내는 조사.
Pas d'expression équivalente
Particule qui indique l'objet d'un état ou d'une situation, ou le sujet d'une action.

• **머리 (nom)** : 사람이나 동물의 몸에서 얼굴과 머리털이 있는 부분을 모두 포함한 목 위의 부분.
tête, crâne, chef
Dans le corps humain ou animal, partie supérieure du cou comprenant le visage et la partie où les cheveux poussent.

• 를 : 동작이 직접적으로 영향을 미치는 대상을 나타내는 조사.
Pas d'expression équivalente
Particule indiquant un objet directement influencé par un mouvement.

• **갸우뚱거리다 (verbe)** : 물체가 자꾸 이쪽저쪽으로 기울어지며 흔들리다. 또는 그렇게 하다.
vaciller, se balancer, osciller
(Objet) Se balancer de façon répétée d'un côté et de l'autre ; rendre ainsi.

• -며 : 두 가지 이상의 동작이나 상태가 함께 일어남을 나타내는 연결 어미.
Pas d'expression équivalente
Terminaison connective indiquant que plus de deux actions ou états surviennent en même temps.

• **질문 (nom)** : 모르는 것이나 알고 싶은 것을 물음.
question
Fait de poser une question sur ce que l'on ne sait pas ou sur ce que l'on veut savoir.

• 을 : 동작이 직접적으로 영향을 미치는 대상을 나타내는 조사.
Pas d'expression équivalente
Particule indiquant un objet directement influencé par un mouvement.

• **하다 (verbe)** : 어떤 행동이나 동작, 활동 등을 행하다.
faire, exécuter, effectuer, s'occuper de
Effectuer une action, un mouvement, une activité, etc.

• -였- : 사건이 과거에 일어났음을 나타내는 어미.
Pas d'expression équivalente
Terminaison indiquant qu'un évènement s'est produit dans le passé.

• -다 : 어떤 사건이나 사실, 상태를 서술함을 나타내는 종결 어미.
Pas d'expression équivalente
Terminaison finale employée pour décrire un événement, un fait ou un état.

딸 : 엄마 머리 앞쪽+에 하얀색 머리카락+이 있+어.

• **엄마 (nom)** : 격식을 갖추지 않아도 되는 상황에서 어머니를 이르거나 부르는 말.
maman
Terme pour désigner ou s'adresser à sa mère dans une situation informelle.

• **머리 (nom)** : 사람이나 동물의 몸에서 얼굴과 머리털이 있는 부분을 모두 포함한 목 위의 부분.
tête, crâne, chef
Dans le corps humain ou animal, partie supérieure du cou comprenant le visage et la partie où les cheveux poussent.

• **앞쪽 (nom)** : 앞을 향한 방향.
devant, en face
Direction en avant.

• 에 : 앞말이 어떤 장소나 자리임을 나타내는 조사.
à, dans, en, sur
Particule indiquant que la proposition précédente (en coréen) est un lieu ou un emplacement.

• **하얀색 (nom)** : 눈이나 우유의 빛깔과 같이 밝고 선명한 흰색.
blanc
Couleur claire et nette semblable à la couleur de la neige ou du lait.

• **머리카락 (nom)** : 머리털 하나하나.
cheveu, chevelure
Chaque cheveu.

• 이 : 어떤 상태나 상황의 대상이나 동작의 주체를 나타내는 조사.
Pas d'expression équivalente
Particule qui indique l'objet d'un état ou d'une situation, ou le sujet d'une action.

• **있다 (adjectif)** : 무엇이 어떤 곳에 자리나 공간을 차지하고 존재하는 상태이다.
(adj.) il y a, y avoir
(Chose) Qui occupe une place ou un espace, et qui existe.

• -어 : (두루낮춤으로) 어떤 사실을 서술하거나 물음, 명령, 권유를 나타내는 종결 어미.
Pas d'expression équivalente
(forme non honorifique non formelle) Terminaison finale pour décrire un fait ou pour indiquer une question, un ordre, ou une recommandation.

엄마 : 이제 엄마+도 흰머리+가 점점 많이 생기+네.

• **이제 (adverbe)** : 지금의 시기가 되어.
maintenant, à présent
Maintenant que nous avons atteint cette période présente.

• **엄마 (nom)** : 격식을 갖추지 않아도 되는 상황에서 어머니를 이르거나 부르는 말.
maman
Terme pour désigner ou s'adresser à sa mère dans une situation informelle.

• 도 : 이미 있는 어떤 것에 다른 것을 더하거나 포함함을 나타내는 조사.
Pas d'expression équivalente
Particule indiquant qu'une chose est ajoutée ou comprise dans une autre qui existe déjà.

• **흰머리 (nom)** : 하얗게 된 머리카락.
cheveu blanc
Cheveu devenu blanc.

• 가 : 어떤 상태나 상황에 놓인 대상이나 동작의 주체를 나타내는 조사.
Pas d'expression équivalente
Particule qui indique l'objet d'un état ou d'une situation, ou le sujet d'une action.

• **점점 (adverbe)** : 시간이 지남에 따라 정도가 조금씩 더.
de plus en plus, par degrés, progressivement, de manière progressive, graduellement, petit à petit
(Niveau) De manière à croître peu à peu avec le temps.

• **많이 (adverbe)** : 수나 양, 정도 등이 일정한 기준보다 넘게.
beaucoup
(Nombre, quantité, degré, etc.) De manière à être au-delà d'un critère donné.

• **생기다 (verbe)** : 없던 것이 새로 있게 되다.
se créer, apparaître, se former, être formé, s'établir, être établi, se fonder, être fondé, se présenter, être présenté, se construire, être construit, être constitué, naître, surgir
(Quelque chose ou quelqu'un qui n'existait pas) Se constituer pour la première fois.

• -네 : (아주낮춤으로) 지금 깨달은 일에 대하여 말함을 나타내는 종결 어미.
Pas d'expression équivalente
(forme non honorifique très marquée) Terminaison finale pour indiquer que le locuteur parle d'une chose dont il vient de se rendre compte.

딸 : 나+는 흰머리+가 없+는데 엄마+는 왜 흰머리+가 있+어?

• **나 (pronom)** : 말하는 사람이 친구나 아랫사람에게 자기를 가리키는 말.
je, moi, me
Terme employé par le locuteur pour se désigner, lorsqu'il s'adresse à une personne du même âge ou plus jeune.

• 는 : 어떤 대상이 다른 것과 대조됨을 나타내는 조사.
Pas d'expression équivalente
Particule indiquant qu'un objet contraste avec un autre.

• **흰머리 (nom)** : 하얗게 된 머리카락.
cheveu blanc
Cheveu devenu blanc.

• 가 : 어떤 상태나 상황에 놓인 대상이나 동작의 주체를 나타내는 조사.
Pas d'expression équivalente
Particule qui indique l'objet d'un état ou d'une situation, ou le sujet d'une action.

• **없다 (adjectif)** : 사람, 사물, 현상 등이 어떤 곳에 자리나 공간을 차지하고 존재하지 않는 상태이다.
Pas d'expression équivalente
(Quelqu'un, objet, phénomène, etc.) Qui n'existe pas puisque n'étant présent nulle part.

• -는데 : 뒤의 말을 하기 위하여 그 대상과 관련이 있는 상황을 미리 말함을 나타내는 연결 어미.
Pas d'expression équivalente
Terminaison connective indiquant le fait de parler à l'avance d'une situation en rapport avec l'objet des propos suivants.

• **엄마 (nom)** : 격식을 갖추지 않아도 되는 상황에서 어머니를 이르거나 부르는 말.
maman
Terme pour désigner ou s'adresser à sa mère dans une situation informelle.

• 는 : 어떤 대상이 다른 것과 대조됨을 나타내는 조사.
Pas d'expression équivalente
Particule indiquant qu'un objet contraste avec un autre.

• **왜 (adverbe)** : 무슨 이유로. 또는 어째서.
pourquoi, dans quelle intention, à quelle fin
Pour quelle raison ; comment se fait-il que.

• **흰머리 (nom)** : 하얗게 된 머리카락.
cheveu blanc
Cheveu devenu blanc.

• 가 : 어떤 상태나 상황에 놓인 대상이나 동작의 주체를 나타내는 조사.
Pas d'expression équivalente
Particule qui indique l'objet d'un état ou d'une situation, ou le sujet d'une action.

• **있다 (adjectif)** : 무엇이 어떤 곳에 자리나 공간을 차지하고 존재하는 상태이다.
(adj.) il y a, y avoir
(Chose) Qui occupe une place ou un espace, et qui existe.

• -어 : (두루낮춤으로) 어떤 사실을 서술하거나 물음, 명령, 권유를 나타내는 종결 어미.
Pas d'expression équivalente
(forme non honorifique non formelle) Terminaison finale pour décrire un fait ou pour indiquer une question, un ordre, ou une recommandation.

딸 : 흰머리+가 왜 생기+는지 궁금하+여.
궁금해

• **흰머리 (nom)** : 하얗게 된 머리카락.
cheveu blanc
Cheveu devenu blanc.

• 가 : 어떤 상태나 상황에 놓인 대상이나 동작의 주체를 나타내는 조사.
Pas d'expression équivalente
Particule qui indique l'objet d'un état ou d'une situation, ou le sujet d'une action.

• **왜 (adverbe)** : 무슨 이유로. 또는 어째서.
pourquoi, dans quelle intention, à quelle fin
Pour quelle raison ; comment se fait-il que.

• **생기다 (verbe)** : 없던 것이 새로 있게 되다.
se créer, apparaître, se former, être formé, s'établir, être établi, se fonder, être fondé, se présenter, être présenté, se construire, être construit, être constitué, naître, surgir
(Quelque chose ou quelqu'un qui n'existait pas) Se constituer pour la première fois.

• -는지 : 뒤에 오는 말의 내용에 대한 막연한 이유나 판단을 나타내는 연결 어미.
Pas d'expression équivalente
Terminaison connective indiquant une raison vague ou un jugement vague sur le contenu des propos suivants.

• **궁금하다 (adjectif)** : 무엇이 무척 알고 싶다.
curieux, intéressé
Qui est désireux d'apprendre quelque chose.

• -여 : (두루낮춤으로) 어떤 사실을 서술하거나 물음, 명령, 권유를 나타내는 종결 어미.
Pas d'expression équivalente
(forme non honorifique non formelle) Terminaison finale pour décrire un fait ou pour indiquer une question, un ordre, ou une recommandation.

엄마 : 우리 딸+이 엄마 말+을 안 듣(들)+어서 엄마+가 속+이 상하+거나 **들어서** **슬프(슬ㅍ)+어지+면 흰머리+가 한 개+씩 생기+더라고.** **슬퍼지면**

• **우리 (pronom)** : 말하는 사람이 자기보다 높지 않은 사람에게 자기와 관련된 것을 친근하게 나타낼 때 쓰는 말.
(pro.) notre, nos, mon, ma, mes
Terme utilisé par le locuteur pour désigner affectueusement quelque chose lié à lui-même, lorsqu'il s'adresse à quelqu'un qui occupe une position moins élevée que lui.

• **딸 (nom)** : 부모가 낳은 아이 중 여자. 여자인 자식.
fille
Enfant de sexe féminin parmi les enfants nés ; enfant de sexe féminin.

• 이 : 어떤 상태나 상황의 대상이나 동작의 주체를 나타내는 조사.
Pas d'expression équivalente
Particule qui indique l'objet d'un état ou d'une situation, ou le sujet d'une action.

• **엄마 (nom)** : 격식을 갖추지 않아도 되는 상황에서 어머니를 이르거나 부르는 말.
maman
Terme pour désigner ou s'adresser à sa mère dans une situation informelle.

• **말 (nom)** : 생각이나 느낌을 표현하고 전달하는 사람의 소리.
Pas d'expression équivalente
Son d'un homme exprimant ou transmettant ses pensées ou ses sentiments.

• 을 : 동작이 직접적으로 영향을 미치는 대상을 나타내는 조사.
Pas d'expression équivalente
Particule indiquant un objet directement influencé par un mouvement.

• **안 (adverbe)** : 부정이나 반대의 뜻을 나타내는 말.
Pas d'expression équivalente
Terme désignant une négation ou une opposition.

• **듣다 (verbe)** : 다른 사람이 말하는 대로 따르다.
écouter, obéir à
Suivre ce que disent les autres.

• -어서 : 이유나 근거를 나타내는 연결 어미.
Pas d'expression équivalente
Terminaison connective indiquant une raison ou une base.

• **엄마 (nom)** : 격식을 갖추지 않아도 되는 상황에서 어머니를 이르거나 부르는 말.
maman
Terme pour désigner ou s'adresser à sa mère dans une situation informelle.

• 가 : 어떤 상태나 상황에 놓인 대상이나 동작의 주체를 나타내는 조사.
Pas d'expression équivalente
Particule qui indique l'objet d'un état ou d'une situation, ou le sujet d'une action.

• **속 (nom)** : 품고 있는 마음이나 생각.
cœur, âme, esprit, pensée, intention, sentiment
Sentiment ou pensée entretenu(e).

• 이 : 어떤 상태나 상황의 대상이나 동작의 주체를 나타내는 조사.
Pas d'expression équivalente
Particule qui indique l'objet d'un état ou d'une situation, ou le sujet d'une action.

• **상하다 (verbe)** : 싫은 일을 당하여 기분이 안 좋아지거나 마음이 불편해지다.
se blesser, être blessé, être offensé, être vexé, se froisser, être froissé, être peiné
Se sentir mal ou gêné face à quelque chose de désagréable.

• -거나 : 앞에 오는 말과 뒤에 오는 말 중에서 하나가 선택될 수 있음을 나타내는 연결 어미.
Pas d'expression équivalente
Terminaison connective indiquant qu'un choix peut être fait entre les propos de la proposition qui précède et de celle qui suit.

• **슬프다 (adjectif)** : 눈물이 날 만큼 마음이 아프고 괴롭다.
triste, affligé, chagriné
(Cœur) Douloureux et en peine, au point d'en avoir les larmes aux yeux.

• -어지다 : 앞에 오는 말이 나타내는 대로 행동하게 되거나 그 상태로 됨을 나타내는 표현.
Pas d'expression équivalente
Expression indiquant que l'on est amené à agir comme indiqué dans le propos précédent, ou qu'un tel état survient.

• -면 : 뒤에 오는 말에 대한 근거나 조건이 됨을 나타내는 연결 어미.
Pas d'expression équivalente
Terminaison connective indiquant une chose qui constitue le fondement ou la condition des propos suivants.

• **흰머리 (nom)** : 하얗게 된 머리카락.
cheveu blanc
Cheveu devenu blanc.

• 가 : 어떤 상태나 상황에 놓인 대상이나 동작의 주체를 나타내는 조사.
Pas d'expression équivalente
Particule qui indique l'objet d'un état ou d'une situation, ou le sujet d'une action.

• **한 (déterminant)** : 하나의.
un
D'un.

• **개 (nom)** : 낱으로 떨어진 물건을 세는 단위.
Pas d'expression équivalente
Nom dépendant, quantificateur d'objets séparés en unités distinctes.

• 씩 : '그 수량이나 크기로 나뉨'의 뜻을 더하는 접미사.
Pas d'expression équivalente
Suffixe signifiant « le fait d'être divisé par ce chiffre ou par cette valeur ».

• **생기다 (verbe)** : 없던 것이 새로 있게 되다.
se créer, apparaître, se former, être formé, s'établir, être établi, se fonder, être fondé, se présenter, être présenté, se construire, être construit, être constitué, naître, surgir
(Quelque chose ou quelqu'un qui n'existait pas) Se constituer pour la première fois.

• -더라고 : (두루낮춤으로) 과거에 경험하여 새로 알게 된 사실에 대해 지금 상대방에게 옮겨 전할 때 쓰는 표현.
Pas d'expression équivalente
(forme non honorifique non formelle) Expression utilisée pour rapporter maintenant à l'interlocuteur un fait que l'on a appris pour la première fois en en faisant l'expérience dans le passé.

엄마 : 그러니까 앞+으로 엄마+가 하+는 말 잘 듣(들)+[어야 되]+어. 들어야 돼

• **그러니까 (adverbe)** : 그런 이유로. 또는 그런 까닭에.
pour cette raison
Pour cette cause ; à cause de cela.

• **앞 (nom)** : 다가올 시간.
avant, devant, tête, proue, face
Temps qui approche.

• 으로 : 시간을 나타내는 조사.
depuis, à
Particule indiquant un moment ou un temps donné.

• **엄마 (nom)** : 격식을 갖추지 않아도 되는 상황에서 어머니를 이르거나 부르는 말.
maman
Terme pour désigner ou s'adresser à sa mère dans une situation informelle.

• 가 : 어떤 상태나 상황에 놓인 대상이나 동작의 주체를 나타내는 조사.
Pas d'expression équivalente
Particule qui indique l'objet d'un état ou d'une situation, ou le sujet d'une action.

• **하다 (verbe)** : 어떤 행동이나 동작, 활동 등을 행하다.
faire, exécuter, effectuer, s'occuper de
Effectuer une action, un mouvement, une activité, etc.

• -는 : 앞의 말이 관형어의 기능을 하게 만들고 사건이나 동작이 현재 일어남을 나타내는 어미.
Pas d'expression équivalente
Terminaison attribuant la fonction de déterminant à la proposition précédente, et pour indiquer que la situation ou l'action en question se réalise au présent.

• **말 (nom)** : 생각이나 느낌을 표현하고 전달하는 사람의 소리.
Pas d'expression équivalente
Son d'un homme exprimant ou transmettant ses pensées ou ses sentiments.

• **잘 (adverbe)** : 관심을 집중해서 주의 깊게.
bien
Attentivement, en concentrant son attention.

• **듣다 (verbe)** : 다른 사람이 말하는 대로 따르다.
écouter, obéir à
Suivre ce que disent les autres.

• -어야 되다 : 반드시 그럴 필요나 의무가 있음을 나타내는 표현.
Pas d'expression équivalente
Expression indiquant qu'il y a nécessité ou obligation absolue de faire ainsi.

• -어 : (두루낮춤으로) 어떤 사실을 서술하거나 물음, 명령, 권유를 나타내는 종결 어미.
Pas d'expression équivalente
(forme non honorifique non formelle) Terminaison finale pour décrire un fait ou pour indiquer une question, un ordre, ou une recommandation.

딸+은 잠시 동안 생각+을 하+다가 엄마+에게 다시 묻(물)+었+다. 물었다

• **딸 (nom)** : 부모가 낳은 아이 중 여자. 여자인 자식.
fille
Enfant de sexe féminin parmi les enfants nés ; enfant de sexe féminin.

• 은 : 문장 속에서 어떤 대상이 화제임을 나타내는 조사.
Pas d'expression équivalente
Particule indiquant qu'un objet est le principal sujet (de conversation) d'une phrase.

• **잠시 (nom)** : 잠깐 동안.
un instant
Pendant un temps très court.

• **동안 (nom)** : 한때에서 다른 때까지의 시간의 길이.
intervalle, laps de temps, pendant, durant
Longueur de temps s'étendant d'un moment à un autre.

• **생각 (nom)** : 사람이 머리를 써서 판단하거나 인식하는 것.
pensée, réflexion, idée
Fait que l'homme juge ou comprend en faisant travailler son cerveau.

• 을 : 동작이 직접적으로 영향을 미치는 대상을 나타내는 조사.
Pas d'expression équivalente
Particule indiquant un objet directement influencé par un mouvement.

• **하다 (verbe)** : 어떤 행동이나 동작, 활동 등을 행하다.
faire, exécuter, effectuer, s'occuper de
Effectuer une action, un mouvement, une activité, etc.

• -다가 : 어떤 행동이나 상태 등이 중단되고 다른 행동이나 상태로 바뀜을 나타내는 연결 어미.
Pas d'expression équivalente
Terminaison connective indiquant que l'action, l'état, etc., du sujet prend fin et se transforme en une autre action ou en un autre état.

• **엄마 (nom)** : 격식을 갖추지 않아도 되는 상황에서 어머니를 이르거나 부르는 말.
maman
Terme pour désigner ou s'adresser à sa mère dans une situation informelle.

• 에게 : 어떤 행동이 미치는 대상임을 나타내는 조사.
Pas d'expression équivalente
Particule indiquant l'objet affecté par une action.

• **다시 (adverbe)** : 같은 말이나 행동을 반복해서 또.
encore, de nouveau, à nouveau, encore une fois, une fois de plus, derechef
Encore, en répétant le même propos ou la même action.

• **묻다 (verbe)** : 대답이나 설명을 요구하며 말하다.
interroger quelqu'un, demander quelque chose à quelqu'un
Parler en exigeant une réponse ou une explication.

• -었- : 사건이 과거에 일어났음을 나타내는 어미.
Pas d'expression équivalente
Terminaison indiquant qu'un évènement s'est produit dans le passé.

• -다 : 어떤 사건이나 사실, 상태를 서술함을 나타내는 종결 어미.
Pas d'expression équivalente
Terminaison finale employée pour décrire un événement, un fait ou un état.

딸 : 엄마, 외할머니 머리+는 전부 하얀색+이+ㄴ데?
하얀색인데

• **엄마 (nom)** : 격식을 갖추지 않아도 되는 상황에서 어머니를 이르거나 부르는 말.
maman
Terme pour désigner ou s'adresser à sa mère dans une situation informelle.

• **외할머니 (nom)** : 어머니의 친어머니를 이르거나 부르는 말.
grand-mère (maternelle)
Terme pour désigner ou s'adresser à la mère de sa mère.

• **머리 (nom)** : 머리에 난 털.
cheveu, chevelure, mèche, mèche de cheveux, tête
Poil poussant sur la tête.

• 는 : 문장 속에서 어떤 대상이 화제임을 나타내는 조사.
Pas d'expression équivalente
Particule indiquant qu'un objet est le principal sujet (de conversation) d'une phrase.

• **전부 (adverbe)** : 빠짐없이 다.
Pas d'expression équivalente
Tout sans exception.

• **하얀색 (nom)** : 눈이나 우유의 빛깔과 같이 밝고 선명한 흰색.
blanc
Couleur claire et nette semblable à la couleur de la neige ou du lait.

• 이다 : 주어가 지시하는 대상의 속성이나 부류를 지정하는 뜻을 나타내는 서술격 조사.
Pas d'expression équivalente
Particule du cas prédicatif pour indiquer la caractéristique ou la catégorie d'un objet qui se rapporte au sujet d'une phrase.

• -ㄴ데 : (두루낮춤으로) 듣는 사람의 반응을 기대하며 어떤 일에 대해 감탄함을 나타내는 종결 어미.
Pas d'expression équivalente
(forme non honorifique non formelle) Terminaison finale indiquant l'admiration devant un fait en s'attendant à une réaction de la part de l'interlocuteur.

< 14 단원(chapitre) >

제목 : 혹시 그 여자가 이 아이였습니까?

● 본문 (texte primitif)

한 택시 기사가 젊은 여자 손님을 태우게 되었다.

그 여자는 집으로 가는 내내 창백한 얼굴로 멍하니 창밖을 바라보고 있었다.

이윽고 택시는 여자의 집에 도착했다.

여자 : 기사님, 잠시만 기다려 주세요.

집에 들어가서 택시비 금방 가지고 나올게요.

하지만 한참을 기다려도 여자가 돌아오지 않자 화가 난 택시 기사는 그 집 문을 두드렸고, 잠시 후 안에서 중년의 남자가 나왔다.

택시 기사가 자초지종을 얘기하자 남자는 깜짝 놀라며 안으로 들어갔다가 사진 한 장을 들고 나와 택시 기사한테 물었다.

남자 : 혹시 그 여자가 이 아이였습니까?

택시 기사 : 네, 맞아요.

남자 : 아이고, 오늘이 네 제삿날인 줄 알고 왔구나.

흐느끼는 남자의 모습을 본 택시 기사는 순간 무서웠는지 그냥 도망가 버렸다.

그때 여자가 나오며 하는 말.

여자 : 아빠, 나 잘했지?

남자 : 오냐, 다음부터는 모범택시를 타도록 해라.

● 발음 (prononciation)

한 택시 기사가 젊은 여자 손님을 태우게 되었다.
한 택씨 기사가 절믄 여자 손니믈 태우게 되얻따.
han taeksi gisaga jeolmeun yeoja sonnimeul taeuge doeeotda.

그 여자는 집으로 가는 내내 창백한 얼굴로 멍하니 창밖을 바라보고 있었다.
그 여자는 지브로 가는 내내 창배칸 얼굴로 멍하니 창바끌 바라보고 이썯따.
geu yeojaneun jibeuro ganeun naenae changbaekan eolgullo meonghani changbakkeul barabogo isseotda.

이윽고 택시는 여자의 집에 도착했다.
이윽꼬 택씨는 여자에 지베 도차캗따.
ieukgo taeksineun yeojaui(yeojae) jibe dochakaetda.

여자 : 기사님, 잠시만 기다려 주세요.
여자 : 기사님, 잠시만 기다려 주세요.
yeoja : gisanim, jamsiman gidaryeo juseyo.

집에 들어가서 택시비 금방 가지고 나올게요.
지베 드러가서 택씨비 금방 가지고 나올께요.
jibe deureogaseo taeksibi geumbang gajigo naolgeyo.

하지만 한참을 기다려도 여자가 돌아오지 않자 화가 난 택시 기사는 그 집 문을 두드렸고, 잠시 후
하지만 한차믈 기다려도 여자가 도라오지 안차 화가 난 택씨 기사는 그 집 무늘 두드렫꼬, 잠시 후
hajiman hanchameul gidaryeodo yeojaga doraoji ancha hwaga nan taeksi gisaneun geu jip muneul dudeuryeotgo, jamsi hu

안에서 중년의 남자가 나왔다.
아네서 중녀네 남자가 나왇따.
aneseo jungnyeonui(jungnyeone) namjaga nawatda.

택시 기사가 자초지종을 얘기하자 남자는 깜짝 놀라며 안으로 들어갔다가 사진 한 장을 들고 나와
택씨 기사가 자초지종을 얘기하자 남자는 깜짝 놀라며 아느로 드러갇따가 사진 한 장을 들고 나와
taeksi gisaga jachojijongeul yaegihaja namjaneun kkamjjak nollamyeo aneuro deureogatdaga sajin han jangeul deulgo nawa

택시 기사한테 물었다.
택씨 기사한테 무럳따.
taeksi gisahante mureotda.

남자 : 혹시 그 여자가 이 아이였습니까?
남자 : 혹씨 그 여자가 이 아이엳씀니까?
namja : hoksi geu yeojaga i aiyeotseumnikka?

택시 기사 : 네, 맞아요.
택씨 기사 : 네, 마자요.
taeksi gisa : ne, majayo.

남자 : 아이고, 오늘이 네 제삿날인 줄 알고 왔구나.
남자 : 아이고, 오느리 네 제산나린 줄 알고 왇꾸나.
namja : aigo, oneuri ne jesannarin jul algo watguna.

흐느끼는 남자의 모습을 본 택시 기사는 순간 무서웠는지 그냥 도망가 버렸다.
흐느끼는 남자에 모스블 본 택씨 기사는 순간 무서원는지 그냥 도망가 버렫따.
heuneukkineun namjaui(namjae) moseubeul bon taeksi gisaneun sungan museowonneunji geunyang domangga beoryeotda.

그때 여자가 나오며 하는 말.
그때 여자가 나오며 하는 말.
geuttae yeojaga naomyeo haneun mal.

여자 : 아빠, 나 잘했지?
여자 : 아빠, 나 잘핻찌?
yeoja : appa, na jalhaetji?

남자 : 오냐, 다음부터는 모범택시를 타도록 해라.
남자 : 오냐, 다음부터는 모범택씨를 타도록 해라.
namja : onya, daeumbuteoneun mobeomtaeksireul tadorok haera.

● 어휘 (vocabulaire) / 문법 (règle de grammaire)

한 택시 기사+가 젊+은 여자 손님+을 태우+게 되+었+다.

그 여자+는 집+으로 가+는 내내 창백하+ㄴ 얼굴+로 멍하니 창밖+을 바라보+고 있+었+다.

이윽고 택시+는 여자+의 집+에 도착하+였+다.

여자 : 기사+님, 잠시+만 기다리+어 주+세요.

집+에 들어가+(아)서 택시+비 금방 가지+고 나오+ㄹ게요.

하지만 한참+을 기다리+어도 여자+가 돌아오+지 않+자 화+가 나+ㄴ 택시 기사+는 그 집 문+을

두드리+었+고, 잠시 후 안+에서 중년+의 남자+가 나오+았+다.

택시 기사+가 자초지종+을 얘기하+자 남자+는 깜짝 놀라+며 안+으로 들어가+았+다가 사진 한 장+을

들+고 나오+아 택시 기사+한테 묻(물)+었+다.

남자 : 혹시 그 여자+가 이 아이+이+었+습니까?

택시 기사 : 네, 맞+아요.

남자 : 아이고, 오늘+이 너+의 제삿날+이+ㄴ 줄 알+고 오+았+구나.

흐느끼+는 남자+의 모습+을 보+ㄴ 택시 기사+는 순간 무섭(무서우)+었+는지 그냥 도망가+(아) 버리+었+다.

그때 여자+가 나오+며 하+는 말.

여자 : 아빠, 나 잘하+였+지?

남자 : 오냐, 다음+부터+는 모범택시+를 타+도록 하+여라.

한 택시 기사+가 젊+은 여자 손님+을 태우+[게 되]+었+다.

• **한 (déterminant)** : 여럿 중 하나인 어떤.
quelconque, un, certain
Un parmi plusieurs.

• **택시 (nom)** : 돈을 받고 손님이 원하는 곳까지 태워 주는 일을 하는 승용차.
taxi
Véhicule dont le travail est de conduire un client jusqu'à l'endroit désiré, moyennant rémunération.

• **기사 (nom)** : 직업적으로 자동차나 기계 등을 운전하는 사람.
chauffeur, conducteur(trice), routier
Personne dont le métier est de conduire une voiture, une machine, etc.

• 가 : 어떤 상태나 상황에 놓인 대상이나 동작의 주체를 나타내는 조사.
Pas d'expression équivalente
Particule indiquant l'objet d'un état ou d'une situation, ou le sujet d'une action.

• **젊다 (adjectif)** : 나이가 한창때에 있다.
jeune
(Âge) Qui est à son meilleur moment.

• -은 : 앞의 말이 관형어의 기능을 하게 만들고 현재의 상태를 나타내는 어미.
Pas d'expression équivalente
Terminaison faisant fonctionner le mot précédent comme un déterminant et exprimant l'état présent.

• **여자 (nom)** : 여성으로 태어난 사람.
femme, sexe féminin, sexe faible, beau sexe, deuxième sexe
Personne née de sexe féminin.

• **손님 (nom)** : 버스나 택시 등과 같은 교통수단을 이용하는 사람.
client(e), usager(ère), passager(ère)
Personne qui a recours à un service de transport comme le bus ou le taxi.

• 을 : 동작이 직접적으로 영향을 미치는 대상을 나타내는 조사.
Pas d'expression équivalente
Particule indiquant un objet directement influencé par un acte.

• **태우다 (verbe)** : 차나 배와 같은 탈것이나 짐승의 등에 타게 하다.
prendre (à bord)
Faire monter dans une voiture, un navire, sur le dos d'un animal, etc.

• -게 되다 : 앞의 말이 나타내는 상태나 상황이 됨을 나타내는 표현.
Pas d'expression équivalente
Expression indiquant que l'état ou la situation exprimé(e) par les propos précédents se produit.

• -었- : 어떤 사건이 과거에 완료되었거나 그 사건의 결과가 현재까지 지속되는 상황을 나타내는 어미.
Pas d'expression équivalente
Terminaison indiquant qu'un évènement a été accompli dans le passé ou que le résultat de cet évènement perdure jusqu'à présent.

• -다 : 어떤 사건이나 사실, 상태를 서술함을 나타내는 종결 어미.
Pas d'expression équivalente
Terminaison finale employée pour décrire un événement, un fait ou un état.

그 여자+는 집+으로 가+는 내내 창백하+ㄴ 얼굴+로 멍하니 창밖+을 바라보+[고 있]+었+다. 창백한

• **그 (déterminant)** : 앞에서 이미 이야기한 대상을 가리킬 때 쓰는 말.
ce, cette, ces
Terme désignant un objet précédemment évoqué.

• **여자 (nom)** : 여성으로 태어난 사람.
femme, sexe féminin, sexe faible, beau sexe, deuxième sexe
Personne née de sexe féminin.

• 는 : 문장 속에서 어떤 대상이 화제임을 나타내는 조사.
Pas d'expression équivalente
Particule indiquant qu'un objet est le principal sujet d'une phrase.

• **집 (nom)** : 사람이나 동물이 추위나 더위 등을 막고 그 속에 들어 살기 위해 지은 건물.
maison, foyer, demeure, habitation, domicile, résidence, logis, pavillon, lotissement, appartement, logement, immeuble
Bâtiment construit pour servir de lieu d'habitation et protéger des personnes ou des animaux du froid, du chaud, etc.

• 으로 : 움직임의 방향을 나타내는 조사.
à, vers, pour, en, à destination de, en direction de
Particule indiquant la direction d'un mouvement.

• **가다 (verbe)** : 한 곳에서 다른 곳으로 장소를 이동하다.
aller, se rendre, s'en aller, passer, partir
Se déplacer d'un endroit à un autre.

• -는 : 앞의 말이 관형어의 기능을 하게 만들고 사건이나 동작이 현재 일어남을 나타내는 어미.
Pas d'expression équivalente
Terminaison attribuant la fonction de déterminant à la proposition précédente, et pour indiquer que la situation ou l'action en question se réalise au présent.

• **내내 (adverbe)** : 처음부터 끝까지 계속해서.
toujours, constamment, de façon ininterrompue, en continu
En continu, du début jusqu'à la fin.

• **창백하다 (adjectif)** : 얼굴이나 피부가 푸른빛이 돌 만큼 핏기 없이 하얗다.
pâle, blême, livide, blafard
(Visage, peau) Qui a le teint blanc et exsangue au point d'avoir la peau bleutée.

• -ㄴ : 앞의 말이 관형어의 기능을 하게 만들고 현재의 상태를 나타내는 어미.
Pas d'expression équivalente
Terminaison faisant fonctionner le mot précédent comme un déterminant et exprimant l'état présent.

• **얼굴 (nom)** : 어떠한 심리 상태가 겉으로 드러난 표정.
Pas d'expression équivalente
Expression du visage à travers laquelle un certain état psychologique se manifeste.

• 로 : 어떤 일의 방법이나 방식을 나타내는 조사.
par, à
Particule indiquant la méthode ou la manière de faire quelque chose.

• **멍하니 (adverbe)** : 정신이 나간 것처럼 가만히.
distraitement, rêveusement
D'un air vague donnant l'impression de ne pas avoir tous ses esprits.

• **창밖 (nom)** : 창문의 밖.
en-dehors de la fenêtre, au-delà de la fenêtre
Côté extérieur d'une fenêtre.

• 을 : 동작이 직접적으로 영향을 미치는 대상을 나타내는 조사.
Pas d'expression équivalente
Particule indiquant un objet directement influencé par un acte.

• **바라보다 (verbe)** : 바로 향해 보다.
voir, porter le regard sur, contempler, observer, scruter
Regarder droit devant.

• -고 있다 : 앞의 말이 나타내는 행동이 계속 진행됨을 나타내는 표현.
Pas d'expression équivalente
Expression pour indiquer que l'action de la proposition précédente est toujours en cours.

• -었- : 어떤 사건이 과거에 완료되었거나 그 사건의 결과가 현재까지 지속되는 상황을 나타내는 어미.
Pas d'expression équivalente
Terminaison indiquant qu'un évènement a été accompli dans le passé ou que le résultat de cet évènement perdure jusqu'à présent.

• -다 : 어떤 사건이나 사실, 상태를 서술함을 나타내는 종결 어미.
Pas d'expression équivalente
Terminaison finale employée pour décrire un événement, un fait ou un état.

이윽고 택시+는 여자+의 집+에 도착하+였+다. **도착했다**

• **이윽고 (adverbe)** : 시간이 얼마쯤 흐른 뒤에 드디어.
finalement, peu de temps après, quelque temps après, avec le temps
Au final, après qu'il se soit écoulé un certain temps.

• **택시 (nom)** : 돈을 받고 손님이 원하는 곳까지 태워 주는 일을 하는 승용차.
taxi
Véhicule dont le travail est de conduire un client jusqu'à l'endroit désiré, moyennant rémunération.

• 는 : 문장 속에서 어떤 대상이 화제임을 나타내는 조사.
Pas d'expression équivalente
Particule indiquant qu'un objet est le principal sujet d'une phrase.

• **여자 (nom)** : 여성으로 태어난 사람.
femme, sexe féminin, sexe faible, beau sexe, deuxième sexe
Personne née de sexe féminin.

• 의 : 앞의 말이 뒤의 말에 대하여 소유, 소속, 소재, 관계, 기원, 주체의 관계를 가짐을 나타내는 조사.
Pas d'expression équivalente
Particule pour indiquer que la proposition précédente prend une relation de possession, d'appartenance, d'emplacement, de relation, d'origine ou de sujet d'action par rapport à la proposition suivante.

• **집 (nom)** : 사람이나 동물이 추위나 더위 등을 막고 그 속에 들어 살기 위해 지은 건물.
maison, foyer, demeure, habitation, domicile, résidence, logis, pavillon, lotissement, appartement, logement, immeuble
Bâtiment construit pour servir de lieu d'habitation et protéger des personnes ou des animaux du froid, du chaud, etc.

• 에 : 앞말이 목적지이거나 어떤 행위의 진행 방향임을 나타내는 조사.
à, en, sur, dans
Particule indiquant que la proposition précédente (en coréen) est la destination ou la direction de progression d'une action.

• **도착하다 (verbe)** : 목적지에 다다르다.
arriver à, atteindre, parvenir à
Parvenir à destination.

• -였- : 어떤 사건이 과거에 완료되었거나 그 사건의 결과가 현재까지 지속되는 상황을 나타내는 어미.
Pas d'expression équivalente
Terminaison indiquant qu'un évènement a été accompli dans le passé ou que le résultat de cet évènement perdure jusqu'à présent.

• -다 : 어떤 사건이나 사실, 상태를 서술함을 나타내는 종결 어미.
Pas d'expression équivalente
Terminaison finale employée pour décrire un événement, un fait ou un état.

여자 : 기사+님, 잠시+만 기다리+[어 주]+세요. **기다려 주세요**

• **기사 (nom)** : 직업적으로 자동차나 기계 등을 운전하는 사람.
chauffeur, conducteur(trice), routier
Personne dont le métier est de conduire une voiture, une machine, etc.

• 님 : '높임'의 뜻을 더하는 접미사.
Pas d'expression équivalente
Suffixe signifiant « respect ».

• **잠시 (adverbe)** : 잠깐 동안에.
un instant, quelques temps
Pendant un court moment.

• 만 : 무엇을 강조하는 뜻을 나타내는 조사.
Pas d'expression équivalente
Particule utilisée pour souligner la signification de quelque chose.

• **기다리다 (verbe)** : 사람, 때가 오거나 어떤 일이 이루어질 때까지 시간을 보내다.
attendre, patienter, temporiser, espérer, prévoir
Faire passer le temps jusqu'à ce qu'une personne ou le moment vienne, ou que quelque chose se réalise.

• -어 주다 : 남을 위해 앞의 말이 나타내는 행동을 함을 나타내는 표현.
Pas d'expression équivalente
Expression indiquant le fait d'effectuer pour autrui une action exprimée par les propos précédents.

• -세요 : (두루높임으로) 설명, 의문, 명령, 요청의 뜻을 나타내는 종결 어미.
Pas d'expression équivalente
(forme honorifique non formelle) Terminaison finale pour indiquer une explication, une interrogation, un ordre ou une demande.

여자 : 집+에 들어가+(아)서 택시+비 금방 가지+고 나오+ㄹ게요.
들어가서 나올게요

• **집 (nom)** : 사람이나 동물이 추위나 더위 등을 막고 그 속에 들어 살기 위해 지은 건물.
maison, foyer, demeure, habitation, domicile, résidence, logis, pavillon, lotissement, appartement, logement, immeuble
Bâtiment construit pour servir de lieu d'habitation et protéger des personnes ou des animaux du froid, du chaud, etc.

• 에 : 앞말이 목적지이거나 어떤 행위의 진행 방향임을 나타내는 조사.
à, en, sur, dans
Particule indiquant que la proposition précédente (en coréen) est la destination ou la direction de progression d'une action.

• **들어가다 (verbe)** : 밖에서 안으로 향하여 가다.
entrer, pénétrer, arriver, s'engager, s'enfoncer
Passer de l'extérieur à l'intérieur d'un lieu.

• -아서 : 앞의 말과 뒤의 말이 순차적으로 일어남을 나타내는 연결 어미.
Pas d'expression équivalente
Terminaison connective indiquant que les propos précédents et les propos suivants se succèdent.

• **택시 (nom)** : 돈을 받고 손님이 원하는 곳까지 태워 주는 일을 하는 승용차.
taxi
Véhicule dont le travail est de conduire un client jusqu'à l'endroit désiré, moyennant rémunération.

• 비 : '비용', '돈'의 뜻을 더하는 접미사.
Pas d'expression équivalente
Suffixe signifiant « coût » ou « argent » .

• **금방 (adverbe)** : 시간이 얼마 지나지 않아 곧바로.
en un instant, en un clin d'oeil, en un rien de temps, bientôt, d'ici peu
Dans peu de temps.

• **가지다 (verbe)** : 무엇을 손에 쥐거나 몸에 지니다.
avoir, porter, tenir
Tenir quelque chose dans ses mains ou le porter sur le corps.

• -고 : 앞의 말과 뒤의 말이 차례대로 일어남을 나타내는 연결 어미.
Pas d'expression équivalente
Terminaison connective indiquant que les propos précédents et les propos suivants se succèdent tour à tour.

• **나오다 (verbe)** : 안에서 밖으로 오다.
sortir dehors, sortir de
Aller de l'intérieur à l'extérieur.

• -ㄹ게요 : (두루높임으로) 말하는 사람이 어떤 행동을 할 것을 듣는 사람에게 약속하거나 의지를 나타내는 표현.
Pas d'expression équivalente
(forme honorifique non formelle) Expression indiquant que le locuteur promet à son interlocuteur de faire une action ou lui montre sa volonté de le faire.

하지만 한참+을 기다리+어도 여자+가 돌아오+[지 않]+자 화+가 나+ㄴ 택시 기사+는 그 집 문+을
기다려도 / 난
두드리+었+고, 잠시 후 안+에서 중년+의 남자+가 나오+았+다.
두드렸고 / 나왔다

• **하지만 (adverbe)** : 내용이 서로 반대인 두 개의 문장을 이어 줄 때 쓰는 말.
mais, cependant
Terme utilisé pour relier deux phrases contraires.

• **한참 (nom)** : 시간이 꽤 지나는 동안.
longtemps, un bon moment
Durée de temps assez longue.

• 을 : 동작 대상의 수량이나 동작의 순서를 나타내는 조사.
Pas d'expression équivalente
Particule indiquant la quantité ou le nombre d'objets ou l'ordre d'une action.

• **기다리다 (verbe)** : 사람, 때가 오거나 어떤 일이 이루어질 때까지 시간을 보내다.
attendre, patienter, temporiser, espérer, prévoir
Faire passer le temps jusqu'à ce qu'une personne ou le moment vienne, ou que quelque chose se réalise.

• -어도 : 앞에 오는 말을 가정하거나 인정하지만 뒤에 오는 말에는 관계가 없거나 영향을 끼치지 않음을 나타내는 연결 어미.
Pas d'expression équivalente
Terminaison connective indiquant que bien que l'on suppose ou reconnaisse les propos précédents, ceux-ci n'ont aucun rapport ou n'exercent aucune influence sur les propos suivants.

• **여자 (nom)** : 여성으로 태어난 사람.
femme, sexe féminin, sexe faible, beau sexe, deuxième sexe
Personne née de sexe féminin.

• 가 : 어떤 상태나 상황에 놓인 대상이나 동작의 주체를 나타내는 조사.
Pas d'expression équivalente
Particule indiquant l'objet d'un état ou d'une situation, ou le sujet d'une action.

• **돌아오다 (verbe)** : 원래 있던 곳으로 다시 오거나 다시 그 상태가 되다.
evenir à, retomber, se retrouver, rentrer, se retourner
Regagner le lieu où l'on était ou retrouver l'état dans lequel on était.

• -지 않다 : 앞의 말이 나타내는 행위나 상태를 부정하는 뜻을 나타내는 표현.
Pas d'expression équivalente
Expression pour indiquer la négation d'une action ou d'un état précisé dans la proposition précédente.

• -자 : 앞에 오는 말이 뒤에 오는 말의 원인이나 동기가 됨을 나타내는 연결 어미.
Pas d'expression équivalente
Terminaison connective pour indiquer que la proposition précédente est une cause ou une motivation de la proposition suivante.

• **화 (nom)** : 몹시 못마땅하거나 노여워하는 감정.
irritation, colère, rage, ire
Sentiment de grand insatisfaction ou de colère.

• 가 : 어떤 상태나 상황에 놓인 대상이나 동작의 주체를 나타내는 조사.
Pas d'expression équivalente
Particule indiquant l'objet d'un état ou d'une situation, ou le sujet d'une action.

• **나다 (verbe)** : 어떤 감정이나 느낌이 생기다.
Pas d'expression équivalente
(Sentiment, impression, etc.) Surgir.

• -ㄴ : 앞의 말이 관형어의 기능을 하게 만들고 사건이나 동작이 완료되어 그 상태가 유지되고 있음을 나타내는 어미.

Pas d'expression équivalente

Terminaison donnant la fonction de déterminant à la proposition précédente et indiquant que l'événement ou l'action en question est achevé et que cet état est maintenu.

• **택시 (nom)** : 돈을 받고 손님이 원하는 곳까지 태워 주는 일을 하는 승용차.

taxi

Véhicule dont le travail est de conduire un client jusqu'à l'endroit désiré, moyennant rémunération.

• **기사 (nom)** : 직업적으로 자동차나 기계 등을 운전하는 사람.

chauffeur, conducteur(trice), routier

Personne dont le métier est de conduire une voiture, une machine, etc.

• 는 : 문장 속에서 어떤 대상이 화제임을 나타내는 조사.

Pas d'expression équivalente

Particule indiquant qu'un objet est le principal sujet d'une phrase.

• **그 (déterminant)** : 앞에서 이미 이야기한 대상을 가리킬 때 쓰는 말.

ce, cette, ces

Terme désignant un objet précédemment évoqué.

• **집 (nom)** : 사람이나 동물이 추위나 더위 등을 막고 그 속에 들어 살기 위해 지은 건물.

maison, foyer, demeure, habitation, domicile, résidence, logis, pavillon, lotissement, appartement, logement, immeuble

Bâtiment construit pour servir de lieu d'habitation et protéger des personnes ou des animaux du froid, du chaud, etc.

• **문 (nom)** : 사람이 안과 밖을 드나들거나 물건을 넣고 꺼낼 수 있게 하기 위해 열고 닫을 수 있도록 만든 시설.

porte, entrée, portière

Installation conçue pour qu'on puisse l'ouvrir ou la fermer pour que l'homme puisse entrer à l'intérieur d'un lieu et en sortir ou bien y mettre un objet ou l'en sortir.

• 을 : 동작이 직접적으로 영향을 미치는 대상을 나타내는 조사.

Pas d'expression équivalente

Particule indiquant un objet directement influencé par un acte.

• **두드리다 (verbe)** : 소리가 나도록 잇따라 치거나 때리다.

frapper, battre, cogner, taper

Donner à plusieurs reprises des coups sur quelque chose ou à quelqu'un au point de faire un bruit.

• -었- : 어떤 사건이 과거에 완료되었거나 그 사건의 결과가 현재까지 지속되는 상황을 나타내는 어미.
Pas d'expression équivalente
Terminaison indiquant qu'un évènement a été accompli dans le passé ou que le résultat de cet évènement perdure jusqu'à présent.

• -고 : 앞의 말과 뒤의 말이 차례대로 일어남을 나타내는 연결 어미.
Pas d'expression équivalente
Terminaison connective indiquant que les propos précédents et les propos suivants se succèdent tour à tour.

• **잠시 (nom)** : 잠깐 동안.
un instant
Pendant un temps très court.

• **후 (nom)** : 얼마만큼 시간이 지나간 다음.
(n.) après
Après qu'une certaine durée est passée.

• **안 (nom)** : 어떤 물체나 공간의 둘레에서 가운데로 향한 쪽. 또는 그러한 부분.
(n.) intérieur, à l'intérieur de, au dedans de, dedans, dans
Côté interne de la limite d'un objet ou d'un espace ; une telle partie.

• 에서 : 앞말이 출발점의 뜻을 나타내는 조사.
de, depuis, à partir de
Particule pour indiquer que la proposition précédente est le point de départ.

• **중년 (nom)** : 마흔 살 전후의 나이. 또는 그 나이의 사람.
âge moyen
Âge autour de quarante ans ; personne d'un tel âge.

• 의 : 앞의 말이 뒤의 말에 대하여 속성이나 수량을 한정하거나 같은 자격임을 나타내는 조사.
Pas d'expression équivalente
Particule pour indiquer que la proposition précédente a une caractéristique ou une quantité limitée, ou la même qualité que la proposition suivante.

• **남자 (nom)** : 남성으로 태어난 사람.
homme, garçon, jeune homme
Être humain du sexe masculin.

• 가 : 어떤 상태나 상황에 놓인 대상이나 동작의 주체를 나타내는 조사.
Pas d'expression équivalente
Particule indiquant l'objet d'un état ou d'une situation, ou le sujet d'une action.

• **나오다 (verbe)** : 안에서 밖으로 오다.
sortir dehors, sortir de
Aller de l'intérieur à l'extérieur.

• -았- : 어떤 사건이 과거에 완료되었거나 그 사건의 결과가 현재까지 지속되는 상황을 나타내는 어미.
Pas d'expression équivalente
Terminaison indiquant qu'un évènement a été accompli dans le passé ou que le résultat de cet évènement perdure jusqu'à présent.

• -다 : 어떤 사건이나 사실, 상태를 서술함을 나타내는 종결 어미.
Pas d'expression équivalente
Terminaison finale employée pour décrire un événement, un fait ou un état.

택시 기사+가 자초지종+을 얘기하+자 남자+는 깜짝 놀라+며 안+으로 들어가+았+다가 (**들어갔다가**) 사진 한 장+을 들+고 나오+아 (**나와**) 택시 기사+한테 묻(물)+었+다 (**물었다**).

• **택시 (nom)** : 돈을 받고 손님이 원하는 곳까지 태워 주는 일을 하는 승용차.
taxi
Véhicule dont le travail est de conduire un client jusqu'à l'endroit désiré, moyennant rémunération.

• **기사 (nom)** : 직업적으로 자동차나 기계 등을 운전하는 사람.
chauffeur, conducteur(trice), routier
Personne dont le métier est de conduire une voiture, une machine, etc.

• 가 : 어떤 상태나 상황에 놓인 대상이나 동작의 주체를 나타내는 조사.
Pas d'expression équivalente
Particule indiquant l'objet d'un état ou d'une situation, ou le sujet d'une action.

• **자초지종 (nom)** : 처음부터 끝까지의 모든 과정.
toute l'histoire, fin mot de l'histoire
Tout le processus, du début jusqu'à la fin.

• 을 : 동작이 직접적으로 영향을 미치는 대상을 나타내는 조사.
Pas d'expression équivalente
Particule indiquant un objet directement influencé par un acte.

• **얘기하다 (verbe)** : 어떠한 사실이나 상태, 현상, 경험, 생각 등에 관해 누군가에게 말을 하다.
raconter, conter, dire, parler
Transmettre par la parole à quelqu'un une information portant sur un fait, un état, un phénomène, une expérience, une pensée, etc.

• -자 : 앞에 오는 말이 뒤에 오는 말의 원인이나 동기가 됨을 나타내는 연결 어미.
Pas d'expression équivalente
Terminaison connective pour indiquer que la proposition précédente est une cause ou une motivation de la proposition suivante.

• **남자 (nom)** : 남성으로 태어난 사람.
homme, garçon, jeune homme
Être humain du sexe masculin.

• 는 : 문장 속에서 어떤 대상이 화제임을 나타내는 조사.
Pas d'expression équivalente
Particule indiquant qu'un objet est le principal sujet d'une phrase.

• **깜짝 (adverbe)** : 갑자기 놀라는 모양.
Pas d'expression équivalente
Idéophone indiquant la manière dont quelqu'un a une brusque surprise.

• **놀라다 (verbe)** : 뜻밖의 일을 당하거나 무서워서 순간적으로 긴장하거나 가슴이 뛰다.
s'étonner, être surpris, être étonné, être stupéfait
Se tendre ou avoir le coeur qui bat après avoir subi un choc ou par peur.

• -며 : 두 가지 이상의 동작이나 상태가 함께 일어남을 나타내는 연결 어미.
Pas d'expression équivalente
Terminaison connective indiquant que plus de deux actions ou états surviennent en même temps.

• **안 (nom)** : 어떤 물체나 공간의 둘레에서 가운데로 향한 쪽. 또는 그러한 부분.
(n.) intérieur, à l'intérieur de, au dedans de, dedans, dans
Côté interne de la limite d'un objet ou d'un espace ; une telle partie.

• 으로 : 움직임의 방향을 나타내는 조사.
à, vers, pour, en, à destination de, en direction de
Particule indiquant la direction d'un mouvement.

• **들어가다 (verbe)** : 밖에서 안으로 향하여 가다.
entrer, pénétrer, arriver, s'engager, s'enfoncer
Passer de l'extérieur à l'intérieur d'un lieu.

• -았- : 어떤 사건이 과거에 완료되었거나 그 사건의 결과가 현재까지 지속되는 상황을 나타내는 어미.
Pas d'expression équivalente
Terminaison indiquant qu'un évènement a été accompli dans le passé ou que le résultat de cet évènement perdure jusqu'à présent.

• -다가 : 어떤 행동이나 상태 등이 중단되고 다른 행동이나 상태로 바뀜을 나타내는 연결 어미.
Pas d'expression équivalente
Terminaison connective indiquant que l'action, l'état, etc., du sujet prend fin et se transforme en une autre action ou en un autre état.

• **사진 (nom)** : 사물의 모습을 오래 보존할 수 있도록 사진기로 찍어 종이나 컴퓨터 등에 나타낸 영상.
photographie, photo, cliché
Image prise à l'aide d'un appareil photo et reproduite sur papier ou ordinateur pour être conservée.

• **한 (déterminant)** : 하나의.
un
D'un.

• **장 (nom)** : 종이나 유리와 같이 얇고 넓적한 물건을 세는 단위.
Pas d'expression équivalente
Nom dépendant, quantificateur pour compter le nombre de feuilles, de verres ou autres objets fins et plats.

• 을 : 동작이 직접적으로 영향을 미치는 대상을 나타내는 조사.
Pas d'expression équivalente
Particule indiquant un objet directement influencé par un acte.

• **들다 (verbe)** : 손에 가지다.
avoir, porter, tenir
Prendre quelque chose dans ses mains.

• -고 : 앞의 말이 나타내는 행동이나 그 결과가 뒤에 오는 행동이 일어나는 동안에 그대로 지속됨을 나타내는 연결 어미.
Pas d'expression équivalente
Terminaison connective indiquant que l'action exprimée par les propos précédents ou le résultat de cette action continuent pendant que se déroule l'action suivante.

• **나오다 (verbe)** : 안에서 밖으로 오다.
sortir dehors, sortir de
Aller de l'intérieur à l'extérieur.

• -아 : 앞의 말이 뒤의 말보다 먼저 일어났거나 뒤의 말에 대한 방법이나 수단이 됨을 나타내는 연결 어미.

Pas d'expression équivalente

Terminaison connective indiquant que la proposition précédente s'est réalisée avant la suivante, ou qu'elle constitue une méthode ou un moyen pour accomplir ce qui est dans la proposition suivante.

• **택시 (nom)** : 돈을 받고 손님이 원하는 곳까지 태워 주는 일을 하는 승용차.

taxi

Véhicule dont le travail est de conduire un client jusqu'à l'endroit désiré, moyennant rémunération.

• **기사 (nom)** : 직업적으로 자동차나 기계 등을 운전하는 사람.

chauffeur, conducteur(trice), routier

Personne dont le métier est de conduire une voiture, une machine, etc.

• 한테 : 어떤 행동이 미치는 대상임을 나타내는 조사.

à quelqu'un

Particule exprimant que le mot précédent est l'objet d'une action.

• **묻다 (verbe)** : 대답이나 설명을 요구하며 말하다.

interroger quelqu'un, demander quelque chose à quelqu'un

Parler en exigeant une réponse ou une explication.

• -었- : 어떤 사건이 과거에 완료되었거나 그 사건의 결과가 현재까지 지속되는 상황을 나타내는 어미.

Pas d'expression équivalente

Terminaison indiquant qu'un évènement a été accompli dans le passé ou que le résultat de cet évènement perdure jusqu'à présent.

• -다 : 어떤 사건이나 사실, 상태를 서술함을 나타내는 종결 어미.

Pas d'expression équivalente

Terminaison finale employée pour décrire un événement, un fait ou un état.

남자 : 혹시 그 여자+가 이 아이+이+었+습니까?
아이였습니까

• **혹시 (adverbe)** : 그러리라 생각하지만 분명하지 않아 말하기를 망설일 때 쓰는 말.

par hasard

Terme utilisé quand on hésite à parler du fait que quelque chose se passera ainsi mais que cela n'est pas clair.

• **그 (déterminant)** : 앞에서 이미 이야기한 대상을 가리킬 때 쓰는 말.
ce, cette, ces
Terme désignant un objet précédemment évoqué.

• **여자 (nom)** : 여성으로 태어난 사람.
femme, sexe féminin, sexe faible, beau sexe, deuxième sexe
Personne née de sexe féminin.

• 가 : 어떤 상태나 상황에 놓인 대상이나 동작의 주체를 나타내는 조사.
Pas d'expression équivalente
Particule indiquant l'objet d'un état ou d'une situation, ou le sujet d'une action.

• **이 (déterminant)** : 말하는 사람에게 가까이 있거나 말하는 사람이 생각하고 있는 대상을 가리킬 때 쓰는 말.
ce (cet, cette, ces)
Terme utilisé pour indiquer l'objet qui se trouve près du locuteur ou auquel pense ce dernier.

• **아이 (nom)** : (낮추는 말로) 자기의 자식.
fils, fille, petit
(forme non honorifique) Son enfant.

• 이다 : 주어가 지시하는 대상의 속성이나 부류를 지정하는 뜻을 나타내는 서술격 조사.
Pas d'expression équivalente
Particule du cas prédicatif pour indiquer la caractéristique ou la catégorie d'un objet qui se rapporte au sujet d'une phrase.

• -었- : 어떤 사건이 과거에 완료되었거나 그 사건의 결과가 현재까지 지속되는 상황을 나타내는 어미.
Pas d'expression équivalente
Terminaison indiquant qu'un évènement a été accompli dans le passé ou que le résultat de cet évènement perdure jusqu'à présent.

• -습니까 : (아주높임으로) 말하는 사람이 듣는 사람에게 정중하게 물음을 나타내는 종결 어미.
Pas d'expression équivalente
(forme honorifique très marquée) Terminaison finale indiquant que le locuteur pose poliment une question à un interlocuteur.

택시 기사 : 네, 맞+아요.

• **네 (exclamatif)** : 윗사람의 물음이나 명령 등에 긍정하여 대답할 때 쓰는 말.
oui, très bien
Exclamation utilisée pour répondre positivement à une demande ou à un ordre d'une personne supérieure, etc.

• **맞다 (verbe)** : 그렇거나 옳다.
avoir raison
Être le cas ou correct.

• -아요 : (두루높임으로) 어떤 사실을 서술하거나 질문, 명령, 권유함을 나타내는 종결 어미.
Pas d'expression équivalente
(forme honorifique non formelle) Terminaison finale pour décrire un fait ou pour indiquer une question, un ordre ou une recommandation.

남자 : 아이고, 오늘+이 너+의 제삿날+이+[ㄴ 줄] 알+고 오+았+구나!
네 제삿날인 줄 왔구나

• **아이고 (exclamatif)** : 절망하거나 매우 속상하여 한숨을 쉬면서 내는 소리.
ah, rôh, oh là là
Soupir émis lorsque l'on est déçu ou vexé.

• **오늘 (nom)** : 지금 지나가고 있는 이날.
aujourd'hui, ce jour
Jour qui est en train de passer.

• 이 : 어떤 상태나 상황에 놓인 대상이나 동작의 주체를 나타내는 조사.
Pas d'expression équivalente
Particule indiquant l'objet d'un état ou d'une situation, ou le sujet d'une action.

• **너 (pronom)** : 듣는 사람이 친구나 아랫사람일 때, 그 사람을 가리키는 말.
tu, toi
Terme designant l'interlocuteur, quand celui-ci est un ami ou une personne de rang inférieur.

• 의 : 앞의 말이 뒤의 말에 대하여 소유, 소속, 소재, 관계, 기원, 주체의 관계를 가짐을 나타내는 조사.
Pas d'expression équivalente
Particule pour indiquer que la proposition précédente prend une relation de possession, d'appartenance, d'emplacement, de relation, d'origine ou de sujet d'action par rapport à la proposition suivante.

• **제삿날 (nom)** : 제사를 지내는 날.
jour des sacrifices, jour des offrandes
Jour où l'on rend un culte à la mémoire d'une personne décédée.

• 이다 : 주어가 지시하는 대상의 속성이나 부류를 지정하는 뜻을 나타내는 서술격 조사.
Pas d'expression équivalente
Particule du cas prédicatif pour indiquer la caractéristique ou la catégorie d'un objet qui se rapporte au sujet d'une phrase.

• -ㄴ 줄 : 어떤 사실이나 상태에 대해 알고 있거나 모르고 있음을 나타내는 표현.
Pas d'expression équivalente
Expression indiquant le fait d'être au courant ou non d'un fait ou d'un état.

• **알다 (verbe)** : 교육이나 경험, 생각 등을 통해 사물이나 상황에 대한 정보 또는 지식을 갖추다.
savoir, connaître, apprendre
Acquérir une information ou une connaissance sur un objet ou sur une situation par l'éducation, l'expérience, la réflexion, etc.

• -고 : 앞의 말이 나타내는 행동이나 그 결과가 뒤에 오는 행동이 일어나는 동안에 그대로 지속됨을 나타내는 연결 어미.
Pas d'expression équivalente
Terminaison connective indiquant que l'action exprimée par les propos précédents ou le résultat de cette action continuent pendant que se déroule l'action suivante.

• **오다 (verbe)** : 무엇이 다른 곳에서 이곳으로 움직이다.
venir, arriver, apparaître
(Quelque chose) Bouger d'un lieu à celui où l'on se trouve.

• -았- : 어떤 사건이 과거에 완료되었거나 그 사건의 결과가 현재까지 지속되는 상황을 나타내는 어미.
Pas d'expression équivalente
Terminaison indiquant qu'un évènement a été accompli dans le passé ou que le résultat de cet évènement perdure jusqu'à présent.

• -구나 : (아주낮춤으로) 새롭게 알게 된 사실에 어떤 느낌을 실어 말함을 나타내는 종결 어미.
Pas d'expression équivalente
(forme non honorifique très marquée) Terminaison finale pour parler avec un certain sentiment d'un fait nouveau dont on a pris connaissance.

흐느끼+는 남자+의 모습+을 보+ㄴ 택시 기사+는 순간 무섭(무서우)+었+는지 그냥
본 **무서웠는지**

도망가+[(아) 버리]+었+다.
도망가 버렸다

• **흐느끼다 (verbe)** : 몹시 슬프거나 감격에 겨워 흑흑 소리를 내며 울다.
sangloter
Pleurer en éclatant en sanglots de tristesse ou d'émotion.

• -는 : 앞의 말이 관형어의 기능을 하게 만들고 사건이나 동작이 현재 일어남을 나타내는 어미.
Pas d'expression équivalente
Terminaison attribuant la fonction de déterminant à la proposition précédente, et pour indiquer que la situation ou l'action en question se réalise au présent.

• **남자 (nom)** : 남성으로 태어난 사람.
homme, garçon, jeune homme
Être humain du sexe masculin.

• 의 : 앞의 말이 뒤의 말에 대하여 소유, 소속, 소재, 관계, 기원, 주체의 관계를 가짐을 나타내는 조사.
Pas d'expression équivalente
Particule pour indiquer que la proposition précédente prend une relation de possession, d'appartenance, d'emplacement, de relation, d'origine ou de sujet d'action par rapport à la proposition suivante.

• **모습 (nom)** : 겉으로 드러난 상태나 모양.
figure, forme, apparence, aspect, air, allure
État ou aspect présenté extérieurement.

• 을 : 동작이 직접적으로 영향을 미치는 대상을 나타내는 조사.
Pas d'expression équivalente
Particule indiquant un objet directement influencé par un acte.

• **보다 (verbe)** : 눈으로 대상의 존재나 겉모습을 알다.
voir, regarder, distinguer, apercevoir, percevoir, remarquer, repérer, constater
Reconnaître visuellement l'existence, l'apparence d'un objet.

• -ㄴ : 앞의 말이 관형어의 기능을 하게 만들고 사건이나 동작이 완료되어 그 상태가 유지되고 있음을 나타내는 어미.
Pas d'expression équivalente
Terminaison donnant la fonction de déterminant à la proposition précédente et indiquant que l'événement ou l'action en question est achevé et que cet état est maintenu.

• **택시 (nom)** : 돈을 받고 손님이 원하는 곳까지 태워 주는 일을 하는 승용차.
taxi
Véhicule dont le travail est de conduire un client jusqu'à l'endroit désiré, moyennant rémunération.

• **기사 (nom)** : 직업적으로 자동차나 기계 등을 운전하는 사람.
chauffeur, conducteur(trice), routier
Personne dont le métier est de conduire une voiture, une machine, etc.

• 는 : 문장 속에서 어떤 대상이 화제임을 나타내는 조사.
Pas d'expression équivalente
Particule indiquant qu'un objet est le principal sujet d'une phrase.

• **순간 (nom)** : 어떤 일이 일어나거나 어떤 행동이 이루어지는 바로 그때.
instant, moment
Moment précis où quelque chose se passe ou une action se réalise.

• **무섭다 (adjectif)** : 어떤 사람이나 상황이 대하기 어렵거나 피하고 싶다.
féroce, méchant
(Personne ou situation) Qui met mal à l'aise ou qu'il est préférable d'éviter.

• -었- : 어떤 사건이 과거에 완료되었거나 그 사건의 결과가 현재까지 지속되는 상황을 나타내는 어미.
Pas d'expression équivalente
Terminaison indiquant qu'un évènement a été accompli dans le passé ou que le résultat de cet évènement perdure jusqu'à présent.

• -는지 : 뒤에 오는 말의 내용에 대한 막연한 이유나 판단을 나타내는 연결 어미.
Pas d'expression équivalente
Terminaison connective indiquant une raison vague ou un jugement vague sur le contenu des propos suivants.

• **그냥 (adverbe)** : 아무 것도 하지 않고 있는 그대로.
tel quel, tel qu'il est
Sans rien changer et dans l'état tel qu'il est.

• **도망가다 (verbe)** : 피하거나 쫓기어 달아나다.
fuir, s'enfuir, s'échapper, s'évader, se sauver, déserter, décamper, filer, prendre la fuite, se détacher
Quitter un lieu pour éviter d'être retrouvé par quelqu'un, ou parce que poursuivi par quelqu'un.

• -아 버리다 : 앞의 말이 나타내는 행동이 완전히 끝났음을 나타내는 표현.
Pas d'expression équivalente
Expression indiquant qu'une action exprimée par les propos précédents s'est complètement terminée.

• -었- : 어떤 사건이 과거에 완료되었거나 그 사건의 결과가 현재까지 지속되는 상황을 나타내는 어미.
Pas d'expression équivalente
Terminaison indiquant qu'un évènement a été accompli dans le passé ou que le résultat de cet évènement perdure jusqu'à présent.

• -다 : 어떤 사건이나 사실, 상태를 서술함을 나타내는 종결 어미.
Pas d'expression équivalente
Terminaison finale employée pour décrire un événement, un fait ou un état.

그때 여자+가 나오+며 하+는 말.

• **그때 (nom)** : 앞에서 이야기한 어떤 때.
ce moment-là, cette époque, ce temps-là
Un moment mentionné auparavant.

• **여자 (nom)** : 여성으로 태어난 사람.
femme, sexe féminin, sexe faible, beau sexe, deuxième sexe
Personne née de sexe féminin.

• 가 : 어떤 상태나 상황에 놓인 대상이나 동작의 주체를 나타내는 조사.
Pas d'expression équivalente
Particule indiquant l'objet d'un état ou d'une situation, ou le sujet d'une action.

• **나오다 (verbe)** : 안에서 밖으로 오다.
sortir dehors, sortir de
Aller de l'intérieur à l'extérieur.

• -며 : 두 가지 이상의 동작이나 상태가 함께 일어남을 나타내는 연결 어미.
Pas d'expression équivalente
Terminaison connective indiquant que plus de deux actions ou états surviennent en même temps.

• **하다 (verbe)** : 다른 사람의 말이나 생각 등을 나타내는 문장을 받아 뒤에 오는 단어를 꾸미는 말.
dire, mentionner
Terme utilisé pour qualifier le mot qui suit et qui succéde à une phrase contenant les propos ou les pensées de quelqu'un.

• -는 : 앞의 말이 관형어의 기능을 하게 만들고 사건이나 동작이 현재 일어남을 나타내는 어미.
Pas d'expression équivalente
Terminaison attribuant la fonction de déterminant à la proposition précédente, et pour indiquer que la situation ou l'action en question se réalise au présent.

• **말 (nom)** : 생각이나 느낌을 표현하고 전달하는 사람의 소리.
Pas d'expression équivalente
Son d'un homme exprimant ou transmettant ses pensées ou ses sentiments.

여자 : 아빠, 나 잘하+였+지?
잘했지

• **아빠 (nom)** : 격식을 갖추지 않아도 되는 상황에서 아버지를 이르거나 부르는 말.
papa
Terme pour désigner ou s'adresser au père dans une situation informelle.

• **나 (pronom)** : 말하는 사람이 친구나 아랫사람에게 자기를 가리키는 말.
je, moi, me
Terme employé par le locuteur pour se désigner, lorsqu'il s'adresse à une personne du même âge ou plus jeune.

• **잘하다 (verbe)** : 좋고 훌륭하게 하다.
bien faire
Faire une chose de la bonne manière et de manière excellente.

• -였- : 어떤 사건이 과거에 완료되었거나 그 사건의 결과가 현재까지 지속되는 상황을 나타내는 어미.
Pas d'expression équivalente
Terminaison indiquant qu'un évènement a été accompli dans le passé ou, que le résultat de cet évènement perdure jusqu'à présent.

• -지 : (두루낮춤으로) 말하는 사람이 듣는 사람에게 친근함을 나타내며 물을 때 쓰는 종결 어미.
Pas d'expression équivalente
(forme non honorifique non formelle) Terminaison finale utilisée par le locuteur pour interroger amicalement un interlocuteur.

남자 : 오냐, 다음+부터+는 모범택시+를 <u>타+[도록 하]+여라</u>. **타도록 해라**

• **오냐 (exclamatif)** : 아랫사람의 물음이나 부탁에 긍정하여 대답할 때 하는 말.
oui!, bien!, entendu!, ok! bien sûr!
Exclamation exprimant une réponse positive à l'interrogation ou la demande d'une personne plus jeune que soi ou d'un subordonné.

• **다음 (nom)** : 이번 차례의 바로 뒤.
suivant, prochain
Juste après ce tour.

• 부터 : 어떤 일의 시작이나 처음을 나타내는 조사.
Pas d'expression équivalente
Particule servant à exprimer le début ou l'origine d'une chose.

• 는 : 문장 속에서 어떤 대상이 화제임을 나타내는 조사.
Pas d'expression équivalente
Particule indiquant qu'un objet est le principal sujet d'une phrase.

• **모범택시 (nom)** : 일반 택시보다 시설이 좋고 더 나은 서비스를 제공하며 요금이 비싼 택시.
taxi de luxe
Taxi mieux équipé qui fournit un service meilleur qu'un taxi ordinaire, dont le prix de la course est majoré par rapport à ce dernier.

• 를 : 동작이 직접적으로 영향을 미치는 대상을 나타내는 조사.
Pas d'expression équivalente
Particule indiquant un objet directement influencé par un acte.

- **타다 (verbe)** : 탈것이나 탈것으로 이용하는 짐승의 몸 위에 오르다
prendre
Monter dans un véhicule ou sur un animal servant au transport.

- -도록 하다 : 듣는 사람에게 어떤 행동을 명령하거나 권유할 때 쓰는 표현.
Pas d'expression équivalente
Expression pour donner un ordre ou faire une recommandation à son interlocuteur pour qu'il effectue une action.

- -여라 : (아주낮춤으로) 명령을 나타내는 종결 어미.
Pas d'expression équivalente
(forme non honorifique très marquée) Terminaison finale indiquant un ordre.

< 15 단원(chapitre) >

제목 : 왜 아무런 응답이 없으신가요?

● 본문 (texte primitif)

한 남자가 퇴근한 후에 매일 교회에 가서 눈물을 흘리며 기도를 했다.

남자 : 하나님, 복권에 당첨되게 해 주세요.

하나님, 제발 복권에 한 번만 당첨되게 해 주세요.

그렇게 기도한 지 육 개월이 되었지만 남자의 소원은 이뤄지지 않았다.

남자는 너무나 지쳐서 하나님이 원망스러워지기 시작했다.

남자 : 이렇게까지 기도하는데 못 들은 척하시는 무심한 하나님, 정말 너무하세요.

제가 매일 밤 애원하며 기도했는데 왜 아무런 응답이 없으신가요?

그러자 보다 못해 답답한 하나님께서 남자에게 이렇게 말씀하셨다.

하나님 : 일단 복권을 사란 말이야.

● 발음 (prononciation)

한 남자가 퇴근한 후에 매일 교회에 가서 눈물을 흘리며 기도를 했다.
한 남자가 퇴근한 후에 매일 교회에 가서 눈무를 흘리며 기도를 핻따.
han namjaga toegeunhan hue maeil gyohoee gaseo nunmureul heullimyeo gidoreul haetda.

남자 : 하나님, 복권에 당첨되게 해 주세요.
남자 : 하나님, 복꿔네 당첨되게 해 주세요.
namja : hananim, bokgwone dangcheomdoege hae juseyo.

하나님, 제발 복권에 한 번만 당첨되게 해 주세요.
하나님, 제발 복꿔네 한 번만 당첨되게 해 주세요.
hananim, jebal bokgwone han beonman dangcheomdoege hae juseyo.

그렇게 기도한 지 육 개월이 되었지만 남자의 소원은 이뤄지지 않았다.
그러케 기도한 지 육 개워리 되얻찌만 남자에 소워는 이뤄지지 아낟따.
geureoke gidohan ji yuk gaewori doeeotjiman namjaui(namjauie) sowoneun irwojiji anatda.

남자는 너무나 지쳐서 하나님이 원망스러워지기 시작했다.
남자는 너무나 지처서 하나니미 원망스러워지기 시자캗따.
namjaneun neomuna jicheoseo hananimi wonmangseureowojigi sijakaetda.

남자 : 이렇게까지 기도하는데 못 들은 척하시는 무심한 하나님, 정말 너무하세요.
남자 : 이러케까지 기도하는데 몯 드른 처카시는 무심한 하나님, 정말 너무하세요.
namja : ireokekkaji gidohaneunde mot deureun cheokasineun musimhan hananim, jeongmal neomuhaseyo.

제가 매일 밤 애원하며 기도했는데 왜 아무런 응답이 없으신가요?
제가 매일 밤 애원하며 기도핸는데 왜 아무런 응다비 업쓰신가요?
jega maeil bam aewonhamyeo gidohaenneunde wae amureon eungdabi eopseusingayo?

그러자 보다 못해 답답한 하나님께서 남자에게 이렇게 말씀하셨다.
그러자 보다 모태 답따판 하나님께서 남자에게 이러케 말씀하셛따.
geureoja boda motae dapdapan hananimkkeseo namjaege ireoke malsseumhasyeotda.

하나님 : 일단 복권을 사란 말이야.

하나님 : 일딴 복꿔늘 사란 마리야.

hananim : ildan bokgwoneul saran mariya.

● 어휘 (vocabulaire) / 문법 (règle de grammaire)

한 남자+가 퇴근하+ㄴ 후에 매일 교회+에 가+(아)서 눈물+을 흘리+며 기도+를 하+였+다.

남자 : 하나님, 복권+에 당첨되+게 하+여 주+세요.

하나님, 제발 복권+에 한 번+만 당첨되+게 하+여 주+세요.

그렇+게 기도하+ㄴ 지 육 개월+이 되+었+지만 남자+의 소원+은 이루어지+지 않+았+다.

남자+는 너무나 지치+어서 하나님+이 원망스럽(원망스러우)+어지+기 시작하+였+다.

남자 : 이렇+게+까지 기도하+는데 못 듣(들)+은 척하+시+는 무심하+ㄴ 하나님,

정말 너무하+세요.

제+가 매일 밤 애원하+며 기도하+였+는데 왜 아무런 응답+이 없+으시+ㄴ가요?

그리하+자 보+다 못하+여 답답하+ㄴ 하나님+께서 남자+에게 이렇+게 말씀하+시+었+다.

하나님 : 일단 복권+을 사+라는 말+이+야.

한 남자+가 퇴근하+[ㄴ 후에] 매일 교회+에 가+(아)서 눈물+을 흘리+며 기도+를 하+였+다.
퇴근한 후에 가서 했다

• **한 (déterminant)** : 여럿 중 하나인 어떤.
quelconque, un, certain
Un parmi plusieurs.

• **남자 (nom)** : 남성으로 태어난 사람.
homme, garçon, jeune homme
Être humain du sexe masculin.

• 가 : 어떤 상태나 상황에 놓인 대상이나 동작의 주체를 나타내는 조사.
Pas d'expression équivalente
Particule indiquant l'objet d'un état ou d'une situation, ou le sujet d'une action.

• **퇴근하다 (verbe)** : 일터에서 일을 끝내고 집으로 돌아가거나 돌아오다.
Pas d'expression équivalente
Rentrer chez soi de son lieu de travail, à la fin de la journée.

• -ㄴ 후에 : 앞에 오는 말이 나타내는 행동을 하고 시간적으로 뒤에 다른 행동을 함을 나타내는 표현.
Pas d'expression équivalente
Expression indiquant qu'une action est réalisée après une l'action réalisée antérieurement de la proposition précédente.

• **매일 (adverbe)** : 하루하루마다 빠짐없이.
tous les jours
Chaque jour sans exception.

• **교회 (nom)** : 예수 그리스도를 구세주로 믿고 따르는 사람들의 공동체. 또는 그런 사람들이 모여 종교 활동을 하는 장소.
église
Communauté de ceux qui croient en Jésus-Christ et qui le considèrent comme le Messie ; lieu où ces personnes se rassemblent et mènent des activités religieuses.

• 에 : 앞말이 목적지이거나 어떤 행위의 진행 방향임을 나타내는 조사.
à, en, sur, dans
Particule indiquant que la proposition précédente (en coréen) est la destination ou la direction de progression d'une action.

• **가다 (verbe)** : 한 곳에서 다른 곳으로 장소를 이동하다.
aller, se rendre, s'en aller, passer, partir
Se déplacer d'un endroit à un autre.

• -아서 : 앞의 말과 뒤의 말이 순차적으로 일어남을 나타내는 연결 어미.
Pas d'expression équivalente
Terminaison connective indiquant que les propos précédents et les propos suivants se succèdent.

• **눈물 (nom)** : 사람이나 동물의 눈에서 흘러나오는 맑은 액체.
larme, pleurs
Liquide clair qui coule des yeux d'un homme ou d'un animal.

• 을 : 동작이 직접적으로 영향을 미치는 대상을 나타내는 조사.
Pas d'expression équivalente
Particule indiquant un objet directement influencé par un acte.

• **흘리다 (verbe)** : 몸에서 땀, 눈물, 콧물, 피, 침 등의 액체를 밖으로 내다.
évacuer
Expulser du liquide comme la sueur, les larmes, les sécrétions nasales, le sang, la salive, etc. à l'extérieur du corps.

• -며 : 두 가지 이상의 동작이나 상태가 함께 일어남을 나타내는 연결 어미.
Pas d'expression équivalente
Terminaison connective indiquant que plus de deux actions ou états surviennent en même temps.

• **기도 (nom)** : 바라는 바가 이루어지도록 절대적 존재 혹은 신앙의 대상에게 비는 것.
prière
Fait pour quelqu'un de prier un être absolu ou le sujet de sa croyance pour que son souhait se réalise.

• 를 : 동작이 직접적으로 영향을 미치는 대상을 나타내는 조사.
Pas d'expression équivalente
Particule indiquant un objet directement influencé par un acte.

• **하다 (verbe)** : 어떤 행동이나 동작, 활동 등을 행하다.
faire, exécuter, effectuer, s'occuper de
Effectuer une action, un mouvement, une activité, etc.

• -였- : 어떤 사건이 과거에 완료되었거나 그 사건의 결과가 현재까지 지속되는 상황을 나타내는 어미.
Pas d'expression équivalente
Terminaison indiquant qu'un évènement a été accompli dans le passé ou que le résultat de cet évènement perdure jusqu'à présent.

• -다 : 어떤 사건이나 사실, 상태를 서술함을 나타내는 종결 어미.
Pas d'expression équivalente
Terminaison finale employée pour décrire un événement, un fait ou un état.

남자 : 하나님, 복권+에 당첨되+[게 하]+[여 주]+세요. 당첨되게 해 주세요

• **하나님 (nom)** : 기독교에서 믿는 신을 개신교에서 부르는 이름.
Dieu
Nom par lequel on désigne la divinité chrétienne, dans le protestantisme.

• **복권 (nom)** : 적혀 있는 숫자나 기호가 추첨한 것과 일치하면 상금이나 상품을 받을 수 있게 만든 표.
billet de loterie
Billet qui permet de gagner un prix en espèces, ou un objet, si les chiffres ou les signes qui figurent dessus correspondent à ceux qui sont tirés au sort.

• 에 : 앞말이 어떤 행위나 작용이 미치는 대상임을 나타내는 조사.
à, dans, sur, en
Particule indiquant que la proposition précédente (en coréen) est l'objet influencé par une action ou un effet.

• **당첨되다 (verbe)** : 여럿 가운데 어느 하나를 골라잡는 추첨에서 뽑히다.
être gagnant, être le (la) gagnant(e), gagner le gros lot
Être sélectionné dans un tirage au sort où on choisit une chose parmi plusieurs.

• -게 하다 : 다른 사람의 어떤 행동을 허용하거나 허락함을 나타내는 표현.
Pas d'expression équivalente
Expression indiquant le fait d'autoriser ou d'approuver l'action d'une autre personne.

• -여 주다 : 남을 위해 앞의 말이 나타내는 행동을 함을 나타내는 표현.
Pas d'expression équivalente
Expression indiquant le fait d'effectuer l'action exprimée par les propos précédents pour autrui.

• -세요 : (두루높임으로) 설명, 의문, 명령, 요청의 뜻을 나타내는 종결 어미.
Pas d'expression équivalente
(forme honorifique non formelle) Terminaison finale pour indiquer une explication, une interrogation, un ordre ou une demande.

남자 : 하나님, 제발 복권+에 한 번+만 당첨되+[게 하]+[여 주]+세요. 당첨되게 해 주세요

• **하나님 (nom)** : 기독교에서 믿는 신을 개신교에서 부르는 이름.
Dieu
Nom par lequel on désigne la divinité chrétienne, dans le protestantisme.

• **제발 (adverbe)** : 간절히 부탁하는데.
s'il vous plait, s'il te plait, je vous en prie, je t'en prie, je vous en supplie, je t'en supplie
Je vous(te) en conjure.

• **복권 (nom)** : 적혀 있는 숫자나 기호가 추첨한 것과 일치하면 상금이나 상품을 받을 수 있게 만든 표.
billet de loterie
Billet qui permet de gagner un prix en espèces, ou un objet, si les chiffres ou les signes qui figurent dessus correspondent à ceux qui sont tirés au sort.

• 에 : 앞말이 어떤 행위나 작용이 미치는 대상임을 나타내는 조사.
à, dans, sur, en
Particule indiquant que la proposition précédente (en coréen) est l'objet influencé par une action ou un effet.

• **한 (déterminant)** : 하나의.
un
D'un.

• **번 (nom)** : 일의 횟수를 세는 단위.
Pas d'expression équivalente
Nom dépendant, quantificateur pour compter le nombre de fois.

• 만 : 다른 것은 제외하고 어느 것을 한정함을 나타내는 조사.
Pas d'expression équivalente
Particule exprimant la limitation à une certaine chose en éliminant les autres.

• **당첨되다 (verbe)** : 여럿 가운데 어느 하나를 골라잡는 추첨에서 뽑히다.
être gagnant, être le (la) gagnant(e), gagner le gros lot
Être sélectionné dans un tirage au sort où on choisit une chose parmi plusieurs.

• -게 하다 : 다른 사람의 어떤 행동을 허용하거나 허락함을 나타내는 표현.
Pas d'expression équivalente
Expression indiquant le fait d'autoriser ou d'approuver l'action d'une autre personne.

• -여 주다 : 남을 위해 앞의 말이 나타내는 행동을 함을 나타내는 표현.
Pas d'expression équivalente
Expression indiquant le fait d'effectuer l'action exprimée par les propos précédents pour autrui.

• -세요 : (두루높임으로) 설명, 의문, 명령, 요청의 뜻을 나타내는 종결 어미.
Pas d'expression équivalente
(forme honorifique non formelle) Terminaison finale pour indiquer une explication, une interrogation, un ordre ou une demande.

그렇+게 기도하+[ㄴ 지] 육 개월+이 되+었+지만 남자+의 소원+은 이루어지+[지 않]+았+다.
기도한 지 이뤄지지 않았다

• **그렇다 (adjectif)** : 상태, 모양, 성질 등이 그와 같다.
ainsi, comme celui-ci
(État, forme, caractère, etc.) Qui est comme cela.

• -게 : 앞의 말이 뒤에서 가리키는 일의 목적이나 결과, 방식, 정도 등이 됨을 나타내는 연결 어미.
Pas d'expression équivalente
Terminaison connective indiquant que les propos précédents constituent l'objectif, le résultat, la méthode ou le degré des propos qui suivent.

• **기도하다 (verbe)** : 바라는 바가 이루어지도록 절대적 존재 혹은 신앙의 대상에게 빌다.
Prier, adjurer, invoquer, supplier, implorer, solliciter
S'adresser à un être absolu ou à un objet de croyance pour qu'un souhait se réalise.

• -ㄴ 지 : 앞의 말이 나타내는 행동을 한 후 시간이 얼마나 지났는지를 나타내는 표현.
Pas d'expression équivalente
Expression indiquant combien de temps a passé après avoir fait l'action exprimée par les propos précédents.

• **육 (déterminant)** : 여섯의.
Pas d'expression équivalente
(De) six.

• **개월 (nom)** : 달을 세는 단위.
Pas d'expression équivalente
Nom dépendant, quantificateur pour compter les mois de l'année.

• 이 : 바뀌게 되는 대상이나 부정하는 대상임을 나타내는 조사.
Pas d'expression équivalente
Particule qui indique une personne ou une chose qui change ou qui est niée.

• **되다 (verbe)** : 어떤 때나 시기, 상태에 이르다.
atteindre, il est temps de, il est l'heure de
Arriver à un moment, à une période ou à un état.

• -었- : 어떤 사건이 과거에 완료되었거나 그 사건의 결과가 현재까지 지속되는 상황을 나타내는 어미.
Pas d'expression équivalente
Terminaison indiquant qu'un évènement a été accompli dans le passé ou que le résultat de cet évènement perdure jusqu'à présent.

• -지만 : 앞에 오는 말을 인정하면서 그와 반대되거나 다른 사실을 덧붙일 때 쓰는 연결 어미.
Pas d'expression équivalente
Terminaison connective utilisée pour reconnaître la proposition précédente, tout en rajoutant un fait contraire ou différent.

• **남자 (nom)** : 남성으로 태어난 사람.
homme, garçon, jeune homme
Être humain du sexe masculin.

• 의 : 앞의 말이 뒤의 말에 대하여 소유, 소속, 소재, 관계, 기원, 주체의 관계를 가짐을 나타내는 조사.
Pas d'expression équivalente
Particule pour indiquer que la proposition précédente prend une relation de possession, d'appartenance, d'emplacement, de relation, d'origine ou de sujet d'action par rapport à la proposition suivante.

• **소원 (nom)** : 어떤 일이 이루어지기를 바람. 또는 바라는 그 일.
voeu, souhait, désir
Fait d'espérer l'accomplissement de quelque chose ; cette chose espérée.

• 은 : 문장 속에서 어떤 대상이 화제임을 나타내는 조사.
Pas d'expression équivalente
Particule indiquant qu'un objet est le principal sujet (de conversation) d'une phrase.

• **이루어지다 (verbe)** : 원하거나 뜻하는 대로 되다.
se réaliser, être réalisé, être atteint
(Souhait) Devenir réalité.

• -지 않다 : 앞의 말이 나타내는 행위나 상태를 부정하는 뜻을 나타내는 표현.
Pas d'expression équivalente
Expression pour indiquer la négation d'une action ou d'un état précisé dans la proposition précédente.

• -았- : 어떤 사건이 과거에 완료되었거나 그 사건의 결과가 현재까지 지속되는 상황을 나타내는 어미.
Pas d'expression équivalente
Terminaison indiquant qu'un évènement a été accompli dans le passé ou que le résultat de cet évènement perdure jusqu'à présent.

• -다 : 어떤 사건이나 사실, 상태를 서술함을 나타내는 종결 어미.
Pas d'expression équivalente
Terminaison finale employée pour décrire un événement, un fait ou un état.

남자+는 너무나 지치+어서 하나님+이 원망스럽(원망스러우)+어지+기 시작하+였+다. 지쳐서 원망스러워지기 시작했다

• **남자 (nom)** : 남성으로 태어난 사람.
homme, garçon, jeune homme
Être humain du sexe masculin.

• 는 : 문장 속에서 어떤 대상이 화제임을 나타내는 조사.
Pas d'expression équivalente
Particule indiquant qu'un objet est le principal sujet (de conversation) d'une phrase.

• **너무나 (adverbe)** : (강조하는 말로) 너무.
vraiment trop
(emphatique) Trop.

• **지치다 (verbe)** : 힘든 일을 하거나 어떤 일에 시달려서 힘이 없다.
être fatigué
Ne plus avoir de force après avoir effectué un travail dur ou être épuisé par une tâche.

• -어서 : 이유나 근거를 나타내는 연결 어미.
Pas d'expression équivalente
Terminaison connective indiquant une raison ou une base.

• **하나님 (nom)** : 기독교에서 믿는 신을 개신교에서 부르는 이름.
Dieu
Nom par lequel on désigne la divinité chrétienne, dans le protestantisme.

• 이 : 어떤 상태나 상황의 대상이나 동작의 주체를 나타내는 조사.
Pas d'expression équivalente
Particule indiquant l'objet d'un état ou d'une situation, ou le sujet d'une action.

• **원망스럽다 (adjectif)** : 마음에 들지 않아서 탓하거나 미워하는 마음이 있다.
en vouloir à quelqu'un, reprocher quelqu'un de quelque chose
Garder de la rancune envers quelqu'un ou le détester, parce que quelque chose ne plaît pas.

• -어지다 : 앞에 오는 말이 나타내는 상태로 점점 되어 감을 나타내는 표현.
Pas d'expression équivalente
Expression pour indiquer que l'état de la proposition précédente est atteint petit à petit.

• -기 : 앞의 말이 명사의 기능을 하게 하는 어미.
Pas d'expression équivalente
Terminaison attribuant la fonction de nom à la proposition précédente.

• **시작하다 (verbe)** : 어떤 일이나 행동의 처음 단계를 이루거나 이루게 하다.
commencer, débuter, ouvrir, démarrer
Accomplir la première étape d'un évènement ou d'une action, ou faire accomplir cette étape par une tierce personne.

• -였- : 어떤 사건이 과거에 완료되었거나 그 사건의 결과가 현재까지 지속되는 상황을 나타내는 어미.
Pas d'expression équivalente
Terminaison indiquant qu'un évènement a été accompli dans le passé ou que le résultat de cet évènement perdure jusqu'à présent.

• -다 : 어떤 사건이나 사실, 상태를 서술함을 나타내는 종결 어미.
Pas d'expression équivalente
Terminaison finale employée pour décrire un événement, un fait ou un état.

남자 : 이렇+게+까지 기도하+는데 못 듣(들)+[은 척하]+시+는 무심하+ㄴ 들은 척하시는 무심한 하나님, 정말 너무하+세요.

• **이렇다 (adjectif)** : 상태, 모양, 성질 등이 이와 같다.
ainsi, comme celui-ci
(État, forme, caractère, etc.) Qui est comme cela.

• -게 : 앞의 말이 뒤에서 가리키는 일의 목적이나 결과, 방식, 정도 등이 됨을 나타내는 연결 어미.
Pas d'expression équivalente
Terminaison connective indiquant que les propos précédents constituent l'objectif, le résultat, la méthode ou le degré des propos qui suivent.

• 까지 : 정상적인 정도를 지나침을 나타내는 조사.
Pas d'expression équivalente
Particule indiquant le fait de dépasser un degré normal.

• **기도하다 (verbe)** : 바라는 바가 이루어지도록 절대적 존재 혹은 신앙의 대상에게 빌다.
Prier, adjurer, invoquer, supplier, implorer, solliciter
S'adresser à un être absolu ou à un objet de croyance pour qu'un souhait se réalise.

• -는데 : 뒤의 말을 하기 위하여 그 대상과 관련이 있는 상황을 미리 말함을 나타내는 연결 어미.
Pas d'expression équivalente
Terminaison connective indiquant le fait de parler à l'avance d'une situation en rapport avec l'objet des propos suivants.

- **못 (adverbe)** : 동사가 나타내는 동작을 할 수 없게.
Pas d'expression équivalente
De façon à ce que l'action exprimée par le verbe ne puisse pas s'effectuer.

- **듣다 (verbe)** : 다른 사람의 말이나 소리 등에 귀를 기울이다.
écouter
Prêter l'oreille aux propos de quelqu'un, à un son, etc.

- -은 척하다 : 실제로 그렇지 않은데도 어떤 행동이나 상태를 거짓으로 꾸밈을 나타내는 표현.
Pas d'expression équivalente
Expression indiquant qu'un comportement ou un état est décrit comme vrai, alors qu'il ne l'est pas en réalité.

- -시- : 어떤 동작이나 상태의 주체를 높이는 뜻을 나타내는 어미.
Pas d'expression équivalente
Terminaison signifiant le fait de montrer du respect à l'auteur d'une action ou d'un état.

- -는 : 앞의 말이 관형어의 기능을 하게 만들고 사건이나 동작이 현재 일어남을 나타내는 어미.
Pas d'expression équivalente
Terminaison attribuant la fonction de déterminant à la proposition précédente, et pour indiquer que la situation ou l'action en question se réalise au présent.

- **무심하다 (adjectif)** : 어떤 일이나 사람에 대하여 걱정하는 마음이나 관심이 없다.
indifférent, négligent
Qui n'a pas de cœur ou d'intérêt à l'égard d'une tâche ou d'une personne.

- -ㄴ : 앞의 말이 관형어의 기능을 하게 만들고 현재의 상태를 나타내는 어미.
Pas d'expression équivalente
Terminaison donnant la fonction de déterminant à la proposition précédente et exprimant l'état présent.

- **하나님 (nom)** : 기독교에서 믿는 신을 개신교에서 부르는 이름.
Dieu
Nom par lequel on désigne la divinité chrétienne, dans le protestantisme.

- **정말 (adverbe)** : 거짓이 없이 진짜로.
véritablement, en vérité, tout à fait, réellement, très
Vraiment et sans fausseté.

- **너무하다 (adjectif)** : 일정한 정도나 한계를 넘어서 지나치다.
(adj.) qui est excessif, exagéré
(Attitude) Excessif, qui dépasse un certain degré ou une limite.

• -세요 : (두루높임으로) 설명, 의문, 명령, 요청의 뜻을 나타내는 종결 어미.
Pas d'expression équivalente
(forme honorifique non formelle) Terminaison finale pour indiquer une explication, une interrogation, un ordre ou une demande.

남자 : 제+가 매일 밤 애원하+며 기도하+였+는데 왜 아무런 응답+이
기도했는데

없+으시+ㄴ가요?
없으신가요

• **제 (pronom)** : 말하는 사람이 자신을 낮추어 가리키는 말인 '저'에 조사 '가'가 붙을 때의 형태.
Pas d'expression équivalente
Forme issue de l'ajout de la particule '가' au terme '저', utilisé par le locuteur qui se désigne lui-même en s'abaissant.

• 가 : 어떤 상태나 상황에 놓인 대상이나 동작의 주체를 나타내는 조사.
Pas d'expression équivalente
Particule indiquant l'objet d'un état ou d'une situation, ou le sujet d'une action.

• **매일 (adverbe)** : 하루하루마다 빠짐없이.
tous les jours
Chaque jour sans exception.

• **밤 (nom)** : 해가 진 후부터 다음 날 해가 뜨기 전까지의 어두운 동안.
nuit, obscurité
Heures sombres depuis le coucher jusqu'au lever du soleil, le lendemain.

• **애원하다 (verbe)** : 요청이나 소원을 들어 달라고 애처롭게 사정하여 간절히 부탁하다.
implorer, supplier, faire appel à quelqu'un de façon pressante
Demander avec insistance en implorant pitoyablement d'exaucer sa demande ou son souhait.

• -며 : 두 가지 이상의 동작이나 상태가 함께 일어남을 나타내는 연결 어미.
Pas d'expression équivalente
Terminaison connective indiquant que plus de deux actions ou états surviennent en même temps.

• **기도하다 (verbe)** : 바라는 바가 이루어지도록 절대적 존재 혹은 신앙의 대상에게 빌다.
Prier, adjurer, invoquer, supplier, implorer, solliciter
S'adresser à un être absolu ou à un objet de croyance pour qu'un souhait se réalise.

• -였- : 어떤 사건이 과거에 완료되었거나 그 사건의 결과가 현재까지 지속되는 상황을 나타내는 어미.
Pas d'expression équivalente
Terminaison indiquant qu'un évènement a été accompli dans le passé ou que le résultat de cet évènement perdure jusqu'à présent.

• -는데 : 뒤의 말을 하기 위하여 그 대상과 관련이 있는 상황을 미리 말함을 나타내는 연결 어미.
Pas d'expression équivalente
Terminaison connective indiquant le fait de parler à l'avance d'une situation en rapport avec l'objet des propos suivants.

• **왜 (adverbe)** : 무슨 이유로. 또는 어째서.
pourquoi, dans quelle intention, à quelle fin
Pour quelle raison ; comment se fait-il que.

• **아무런 (déterminant)** : 전혀 어떠한.
aucun, nul
Vraiment aucun.

• **응답 (nom)** : 부름이나 물음에 답함.
réponse
Fait de répondre à un appel ou à une question.

• 이 : 어떤 상태나 상황의 대상이나 동작의 주체를 나타내는 조사.
Pas d'expression équivalente
Particule indiquant l'objet d'un état ou d'une situation, ou le sujet d'une action.

• **없다 (adjectif)** : 어떤 사실이나 현상이 현실로 존재하지 않는 상태이다.
Pas d'expression équivalente
(Certain fait ou certain phénomène) Qui n'existe pas réellement.

• -으시- : 높이고자 하는 인물과 관계된 소유물이나 신체의 일부가 문장의 주어일 때 그 인물을 높이는 뜻을 나타내는 어미.
Pas d'expression équivalente
Terminaison signifiant le fait de montrer du respect à un personnage lorsqu'une possession liée à ce personnage à qui on veut montrer du respect ou une partie du corps est le sujet de la phrase en question.

• -ㄴ가요 : (두루높임으로) 현재의 사실에 대한 물음을 나타내는 종결 어미.
Pas d'expression équivalente
(forme honorifique non formelle) Terminaison finale indiquant que le locuteur s'interroge sur un fait présent.

그리하+자 보+[다 못하]+여 답답하+ㄴ 하나님+께서 남자+에게 이렇+게 말씀하+시+었+다.
그러자 보다 못해 답답한 말씀하셨다

• **그리하다 (verbe)** : 앞에서 일어난 일이나 말한 것과 같이 그렇게 하다.
rendre ainsi, faire devenir ainsi
Faire comme il a été fait ou dit avant.

• -자 : 앞의 말이 나타내는 동작이 끝난 뒤 곧 뒤의 말이 나타내는 동작이 잇따라 일어남을 나타내는 연결 어미.
Pas d'expression équivalente
Terminaison connective indiquant que l'action suivante se réalise juste après la précédente.

• **보다 (verbe)** : 눈으로 대상의 존재나 겉모습을 알다.
voir, regarder, distinguer, apercevoir, percevoir, remarquer, repérer, constater
Reconnaître visuellement l'existence, l'apparence d'un objet.

• -다 못하다 : 앞의 말이 나타내는 행동을 더 이상 계속할 수 없음을 나타내는 표현.
Pas d'expression équivalente
Expression indiquant le fait de ne plus pouvoir continuer à faire l'action exprimée par les propos précédents.

• -여 : 앞에 오는 말이 뒤에 오는 말에 대한 원인이나 이유임을 나타내는 연결 어미.
Pas d'expression équivalente
Terminaison connective indiquant que les propos précédents constituent la cause ou la raison des propos suivants.

• **답답하다 (adjectif)** : 다른 사람의 태도나 상황이 마음에 차지 않아 안타깝다.
affligeant, pitoyable,déplorable
(Attitude d'une autre personne ou situation) Qui n'est pas à la hauteur de ce qu'on attendait et qui inquiète.

• -ㄴ : 앞의 말이 관형어의 기능을 하게 만들고 현재의 상태를 나타내는 어미.
Pas d'expression équivalente
Terminaison donnant la fonction de déterminant à la proposition précédente et exprimant l'état présent.

• **하나님 (nom)** : 기독교에서 믿는 신을 개신교에서 부르는 이름.
Dieu
Nom par lequel on désigne la divinité chrétienne, dans le protestantisme.

• 께서 : (높임말로) 가. 이. 어떤 동작의 주체가 높여야 할 대상임을 나타내는 조사.
Pas d'expression équivalente
(forme honorifique) 가. 이. Particule indiquant que le sujet d'une action doit être traité avec déférence.

• **남자 (nom)** : 남성으로 태어난 사람.
homme, garçon, jeune homme
Être humain du sexe masculin.

• 에게 : 어떤 행동이 미치는 대상임을 나타내는 조사.
Pas d'expression équivalente
Particule indiquant l'objet affecté par une action.

• **이렇다 (adjectif)** : 상태, 모양, 성질 등이 이와 같다.
ainsi, comme celui-ci
(État, forme, caractère, etc.) Qui est comme cela.

• -게 : 앞의 말이 뒤에서 가리키는 일의 목적이나 결과, 방식, 정도 등이 됨을 나타내는 연결 어미.
Pas d'expression équivalente
Terminaison connective indiquant que les propos précédents constituent l'objectif, le résultat, la méthode ou le degré des propos qui suivent.

• **말씀하다 (verbe)** : (높임말로) 말하다.
parler, s'exprimer
(forme honorifique) Dire quelque chose.

• -시- : 어떤 동작이나 상태의 주체를 높이는 뜻을 나타내는 어미.
Pas d'expression équivalente
Terminaison signifiant le fait de montrer du respect à l'auteur d'une action ou d'un état.

• -었- : 어떤 사건이 과거에 완료되었거나 그 사건의 결과가 현재까지 지속되는 상황을 나타내는 어미.
Pas d'expression équivalente
Terminaison indiquant qu'un évènement a été accompli dans le passé ou que le résultat de cet évènement perdure jusqu'à présent.

• -다 : 어떤 사건이나 사실, 상태를 서술함을 나타내는 종결 어미.
Pas d'expression équivalente
Terminaison finale employée pour décrire un événement, un fait ou un état.

하나님 : 일단 복권+을 사+라는 말+이+야.
사란

• **일단 (adverbe)** : 우선 먼저.
Pas d'expression équivalente
D'abord.

• **복권 (nom)** : 적혀 있는 숫자나 기호가 추첨한 것과 일치하면 상금이나 상품을 받을 수 있게 만든 표.
billet de loterie
Billet qui permet de gagner un prix en espèces, ou un objet, si les chiffres ou les signes qui figurent dessus correspondent à ceux qui sont tirés au sort.

• 을 : 동작이 직접적으로 영향을 미치는 대상을 나타내는 조사.
Pas d'expression équivalente
Particule indiquant un objet directement influencé par un acte.

• **사다 (verbe)** : 돈을 주고 어떤 물건이나 권리 등을 자기 것으로 만들다.
acheter
Donner de l'argent pour s'approprier un objet, un droit, etc.

• -라는 : 명령이나 요청 등의 말을 인용하여 전달하면서 그 뒤에 오는 명사를 꾸며 줄 때 쓰는 표현.
Pas d'expression équivalente
Expression utilisée quand le locuteur qualifie un nom qui suit un ordre, une demande, etc. en le (la) transmettant en le (la) citant.

• **말 (nom)** : 다시 강조하거나 확인하는 뜻을 나타내는 말.
Pas d'expression équivalente
Terme désignant le fait d'insister de nouveau ou de confirmer.

• 이다 : 주어가 지시하는 대상의 속성이나 부류를 지정하는 뜻을 나타내는 서술격 조사.
Pas d'expression équivalente
Particule du cas prédicatif pour indiquer la caractéristique ou la catégorie d'un objet qui se rapporte au sujet d'une phrase.

• -야 : (두루낮춤으로) 어떤 사실에 대하여 서술하거나 물음을 나타내는 종결 어미.
Pas d'expression équivalente
(forme non honorifique non formelle) Terminaison finale indiquant une description ou une interrogation sur un fait.

< 16 단원(chapitre) >

제목 : 왜 먹지 못하지요?

● 본문 (texte primitif)

요즘 국내에 반려동물을 키우는 사람들이 많아지면서 건강에 좋은 사료를 개발하는 회사들도 점점 늘어나고 있다.

올해 한 사료 회사에서 유기농 원료를 사용한 신제품 개발에 성공하여 투자자를 위한 모임을 개최하게 되었다.

직원 : 이것으로 신제품 사료에 대한 설명을 마치도록 하겠습니다.

지금부터는 투자자분들의 질문을 받도록 하겠습니다.

투자자 : 자세한 설명 잘 들었습니다.

그런데 혹시 그거 사람도 먹을 수 있습니까?

직원 : 사람은 못 먹습니다.

투자자 : 아니, 유기농 원료에 영양가 높고 위생적으로 만든 개 사료라면서

왜 먹지 못하지요?

직원 : 비싸서 절대 못 먹습니다.

● 발음 (prononciation)

요즘 국내에 반려동물을 키우는 사람들이 많아지면서 건강에 좋은 사료를 개발하는 회사들도 점점
요즘 궁내에 발려동무를 키우는 사람드리 마나지면서 건강에 조은 사료를 개발하는 회사들도 점점
yojeum gungnaee ballyeodongmureul kiuneun saramdeuri manajimyeonseo geongange joeun saryoreul gaebalhaneun hoesadeuldo jeomjeom

늘어나고 있다.
느러나고 읻따.
neureonago itda.

올해 한 사료 회사에서 유기농 원료를 사용한 신제품 개발에 성공하여 투자자를 위한 모임을 개최하게
올해 한 사료 회사에서 유기농 월료를 사용한 신제품 개바레 성공하여 투자자를 위한 모이믈 개최하게
olhae han saryo hoesaeseo yuginong wollyoreul sayonghan sinjepum gaebare seonggonghayeo tujajareul wihan moimeul gaechoehage

되었다.
되얻따.
doeeotda.

직원 : 이것으로 신제품 사료에 대한 설명을 마치도록 하겠습니다.
지권 : 이거스로 신제품 사료에 대한 설명을 마치도록 하겓씀니다.
jigwon : igeoseuro sinjepum saryoe daehan seolmyeongeul machidorok hagetseumnida.

지금부터는 투자자분들의 질문을 받도록 하겠습니다.
지금부터는 투자자분드릐 질무늘 받또록 하겓씀니다.
jigeumbuteoneun tujajabundeurui(bundeure) jilmuneul batdorok hagetseumnida.

투자자 : 자세한 설명 잘 들었습니다.
투자자 : 자세한 설명 잘 드럳씀니다.
tujaja : jasehan seolmyeong jal deureotseumnida.

그런데 혹시 그거 사람도 먹을 수 있습니까?
그런데 혹씨 그거 사람도 머글 쑤 읻씀니까?
geureonde hoksi geugeo saramdo meogeul su itseumnikka?

직원 : 사람은 못 먹습니다.
지권 : 사라믄 몯 먹씀니다.
jigwon : sarameun mot meokseumnida.

투자자 : 아니, 유기농 원료에 영양가 높고 위생적으로 만든 개 사료라면서
투자자 : 아니, 유기농 월료에 영양까 놉꼬 위생저그로 만든 개 사료라면서
tujaja : ani, yuginong wollyoe yeongyangga nopgo wisaengjeogeuro mandeun gae saryoramyeonseo

왜 먹지 못하지요?
왜 먹찌 모타지요?
wae meokji motajiyo?

직원 : 비싸서 절대 못 먹습니다.
지권 : 비싸서 절때 몯 먹씀니다.
jigwon : bissaseo jeoldae mot meokseumnida.

● 어휘 (vocabulaire) / 문법 (règle de grammaire)

요즘 국내+에 반려동물+을 키우+는 사람+들+이 많아지+면서 건강+에 좋+은 사료+를 개발하+는 회사+들+도 점점 늘어나+고 있+다.

올해 한 사료 회사+에서 유기농 원료+를 사용하+ㄴ 신제품 개발+에 성공하+여 투자자+를 위하+ㄴ 모임+을 개최하+게 되+었+다.

직원 : 이것+으로 신제품 사료+에 대한 설명+을 마치+도록 하+겠+습니다.

지금+부터+는 투자자+분+들+의 질문+을 받+도록 하+겠+습니다.

투자자 : 자세하+ㄴ 설명 잘 듣(들)+었+습니다.

그런데 혹시 그거 사람+도 먹+을 수 있+습니까?

직원 : 사람+은 못 먹+습니다.

투자자 : 아니, 유기농 원료+에 영양가 높+고 위생적+으로 만들(만드)+ㄴ 개 사료+(이)+라면서 왜 먹+지 못하+지요?

직원 : 비싸+(아)서 절대 못 먹+습니다.

요즘 국내+에 반려동물+을 키우+는 사람+들+이 많아지+면서 건강+에 좋+은 사료+를 개발하+는 회사+들+도 점점 늘어나+[고 있]+다.

• **요즘 (nom)** : 아주 가까운 과거부터 지금까지의 사이.
aujourd'hui, maintenant
Période entre le passé très proche et le présent.

• **국내 (nom)** : 나라의 안.
(n.) national, domestique, local, dans le pays
Intérieur du pays.

• 에 : 앞말이 어떤 장소나 자리임을 나타내는 조사.
à, dans, en, sur
Particule indiquant que la proposition précédente (en coréen) est un lieu ou un emplacement.

• **반려동물 (nom)**
반려 (nom) : 짝이 되는 사람이나 동물.
compagnon(compagne)
Personne ou animal qui accompagne quelqu'un.
동물 (nom) : 사람을 제외한 길짐승, 날짐승, 물짐승 등의 움직이는 생물.
animal, bête
Être vivant, excepté l'être humain, capable de se déplacer comme un animal rampant, ailé, aquatique, etc.

• 을 : 동작이 직접적으로 영향을 미치는 대상을 나타내는 조사.
Pas d'expression équivalente
Particule indiquant un objet directement influencé par un acte.

• **키우다 (verbe)** : 동식물을 보살펴 자라게 하다.
élever, cultiver
Faire grandir des animaux ou des plantes avec soin.

• -는 : 앞의 말이 관형어의 기능을 하게 만들고 사건이나 동작이 현재 일어남을 나타내는 어미.
Pas d'expression équivalente
Terminaison attribuant la fonction de déterminant à la proposition précédente, et pour indiquer que la situation ou l'action en question se réalise au présent.

• **사람 (nom)** : 생각할 수 있으며 언어와 도구를 만들어 사용하고 사회를 이루어 사는 존재.
homme, personne, gens, monsieur
Être pouvant penser, créer des langues, fabriquer des outils et vivre en société.

• 들 : '복수'의 뜻을 더하는 접미사.
Pas d'expression équivalente
Suffixe signifiant « pluriel ».

• 이 : 어떤 상태나 상황의 대상이나 동작의 주체를 나타내는 조사.
Pas d'expression équivalente
Particule qui indique l'objet d'un état ou d'une situation, ou le sujet d'une action.

• **많아지다 (verbe)** : 수나 양 등이 적지 아니하고 일정한 기준을 넘게 되다.
devenir nombreux, devenir abondant
(Nombre, quantité, degré, etc.) Dépasser un critère donné.

• -면서 : 두 가지 이상의 동작이나 상태가 함께 일어남을 나타내는 연결 어미.
Pas d'expression équivalente
Terminaison connective indiquant que plus de deux actions ou états surviennent en même temps.

• **건강 (nom)** : 몸이나 정신이 이상이 없이 튼튼한 상태.
santé
Bon état physique et moral, qui ne présente pas d'anomalie.

• 에 : 앞말이 무엇의 목적이나 목표임을 나타내는 조사.
Pas d'expression équivalente
Particule indiquant que la proposition précédente est l'objectif ou le but de quelque chose.

• **좋다 (adjectif)** : 어떤 것이 몸이나 건강을 더 나아지게 하는 성질이 있다.
bon, efficace
(Nature d'une chose) Qui améliore davantage l'état du corps ou la santé.

• -은 : 앞의 말이 관형어의 기능을 하게 만들고 현재의 상태를 나타내는 어미.
Pas d'expression équivalente
Terminaison faisant fonctionner le mot précédent comme un déterminant et exprimant l'état présent.

• **사료 (nom)** : 집이나 농장 등에서 기르는 동물에게 주는 먹이.
aliments des animaux, fourrage, foin
Aliments donnés aux animaux élevés à la maison ou à la ferme, etc.

• 를 : 동작이 직접적으로 영향을 미치는 대상을 나타내는 조사.
Pas d'expression équivalente
Particule indiquant un objet directement influencé par un acte.

• **개발하다 (verbe)** : 새로운 물건을 만들거나 새로운 생각을 내놓다.
développer, mettre au point
Produire un nouvel objet, élaborer une idée nouvelle.

• -는 : 앞의 말이 관형어의 기능을 하게 만들고 사건이나 동작이 현재 일어남을 나타내는 어미.
Pas d'expression équivalente
Terminaison attribuant la fonction de déterminant à la proposition précédente, et pour indiquer que la situation ou l'action en question se réalise au présent.

• **회사 (nom)** : 사업을 통해 이익을 얻기 위해 여러 사람이 모여 만든 법인 단체.
Entreprise, société, firme, compagnie
Personne morale réunissant plusieurs personnes en vue de réaliser des bénéfices grâce à une affaire.

• 들 : '복수'의 뜻을 더하는 접미사.
Pas d'expression équivalente
Suffixe signifiant « pluriel ».

• 도 : 이미 있는 어떤 것에 다른 것을 더하거나 포함함을 나타내는 조사.
Pas d'expression équivalente
Particule indiquant qu'une chose est ajoutée ou comprise dans une autre qui existe déjà.

• **점점 (adverbe)** : 시간이 지남에 따라 정도가 조금씩 더.
de plus en plus, par degrés, progressivement, de manière progressive, graduellement, petit à petit
(Niveau) De manière à croître peu à peu avec le temps.

• **늘어나다 (verbe)** : 부피나 수량이나 정도가 원래보다 점점 커지거나 많아지다.
s'élargir, s'étendre, s'agrandir, augmenter, s'accroître
(Volume, nombre, degré) Grandir de plus en plus ou devenir de plus en plus nombreux.

• -고 있다 : 앞의 말이 나타내는 행동이 계속 진행됨을 나타내는 표현.
Pas d'expression équivalente
Expression pour indiquer que l'action de la proposition précédente est toujours en cours.

• -다 : 어떤 사건이나 사실, 상태를 서술함을 나타내는 종결 어미.
Pas d'expression équivalente
Terminaison finale employée pour décrire un événement, un fait ou un état.

올해 한 사료 회사+에서 유기농 원료+를 사용하+ㄴ (사용한) 신제품 개발+에 성공하+여 투자자+를 위하+ㄴ (위한) 모임+을 개최하+[게 되]+었+다.

• **올해 (nom)** : 지금 지나가고 있는 이 해.
cette année
Année en cours.

• **한 (déterminant)** : 여럿 중 하나인 어떤.
quelconque, un, certain
Un parmi plusieurs.

• **사료 (nom)** : 집이나 농장 등에서 기르는 동물에게 주는 먹이.
aliments des animaux, fourrage, foin
Aliments donnés aux animaux élevés à la maison ou à la ferme, etc.

• **회사 (nom)** : 사업을 통해 이익을 얻기 위해 여러 사람이 모여 만든 법인 단체.
Entreprise, société, firme, compagnie
Personne morale réunissant plusieurs personnes en vue de réaliser des bénéfices grâce à une affaire.

• 에서 : 앞말이 주어임을 나타내는 조사.
Pas d'expression équivalente
Particule indiquant que la proposition précédente est le sujet de la phrase.

• **유기농 (nom)** : 화학 비료나 농약을 쓰지 않고 생물의 작용으로 만들어진 것만을 사용하는 방식의 농업.
agriculture biologique
Méthode d'agriculture qui n'utilise pas d'engrais chimique ou de pesticide, mais uniquement des produits issus d'une interaction biologique.

• **원료 (nom)** : 어떤 것을 만드는 데 들어가는 재료.
matière première, matière brute, ingrédient de base, ingrédient
Matériaux nécessaires pour fabriquer quelque chose.

• 를 : 동작이 직접적으로 영향을 미치는 대상을 나타내는 조사.
Pas d'expression équivalente
Particule indiquant un objet directement influencé par un acte.

• **사용하다 (verbe)** : 무엇을 필요한 일이나 기능에 맞게 쓰다.
utiliser, faire usage, employer
Appliquer une chose là où il le faut ou là où sa fonction est demandée.

• -ㄴ : 앞의 말이 관형어의 기능을 하게 만들고 사건이나 동작이 완료되어 그 상태가 유지되고 있음을 나타내는 어미.
Pas d'expression équivalente
Terminaison donnant la fonction de déterminant à la proposition précédente et indiquant que l'événement ou l'action en question est achevé et que cet état est maintenu.

• **신제품 (nom)** : 새로 만든 제품.
nouveau produit
Produit nouveau qui est sorti récemment.

• **개발 (nom)** : 새로운 물건을 만들거나 새로운 생각을 내놓음.
développement, mise au point
Action de fabriquer un nouvel objet, d'élaborer une idée nouvelle.

• 에 : 앞말이 어떤 행위나 감정 등의 대상임을 나타내는 조사.
Pas d'expression équivalente
Particule indiquant que la proposition précédente est l'objet d'une action ou d'un sentiment.

• **성공하다 (verbe)** : 원하거나 목적하는 것을 이루다.
réussir, avoir du succès, être couronné de succès
Réaliser ce que l'on veut ou ce qu'on a fixé comme objectif.

• -여 : 앞에 오는 말이 뒤에 오는 말에 대한 원인이나 이유임을 나타내는 연결 어미.
Pas d'expression équivalente
Terminaison connective indiquant que les propos précédents constituent la cause ou la raison des propos suivants.

• **투자자 (nom)** : 이익을 얻기 위해 어떤 일이나 사업에 돈을 대거나 시간이나 정성을 쏟는 사람.
investisseur(euse)
Personne qui fournit de l'argent, de son temps ou des efforts dans un travail ou un projet pour obtenir du profit.

• 를 : 동작이 직접적으로 영향을 미치는 대상을 나타내는 조사.
Pas d'expression équivalente
Particule indiquant un objet directement influencé par un acte.

• **위하다 (verbe)** : 무엇을 이롭게 하거나 도우려 하다.
(v.) pour
Essayer d'améliorer ou d'aider quelqu'un ou quelque chose.

• -ㄴ : 앞의 말이 관형어의 기능을 하게 만들고 사건이나 동작이 완료되어 그 상태가 유지되고 있음을 나타내는 어미.
Pas d'expression équivalente
Terminaison donnant la fonction de déterminant à la proposition précédente et indiquant que l'événement ou l'action en question est achevé et que cet état est maintenu.

• **모임 (nom)** : 어떤 일을 하기 위하여 여러 사람이 모이는 일.
réunion
Action de se rassembler à plusieurs pour faire quelque chose.

• 을 : 동작이 직접적으로 영향을 미치는 대상을 나타내는 조사.
Pas d'expression équivalente
Particule indiquant un objet directement influencé par un acte.

• **개최하다 (verbe)** : 모임, 행사, 경기 등을 조직적으로 계획하여 열다.
tenir, organiser, donner
Prévoir et organiser systématiquement une réunion, un événement, un jeu etc.

• -게 되다 : 앞의 말이 나타내는 상태나 상황이 됨을 나타내는 표현.
Pas d'expression équivalente
Expression indiquant que l'état ou la situation exprimé(e) par les propos précédents se produit.

• -었- : 어떤 사건이 과거에 완료되었거나 그 사건의 결과가 현재까지 지속되는 상황을 나타내는 어미.
Pas d'expression équivalente
Terminaison indiquant qu'un évènement a été accompli dans le passé ou que le résultat de cet évènement perdure jusqu'à présent.

• -다 : 어떤 사건이나 사실, 상태를 서술함을 나타내는 종결 어미.
Pas d'expression équivalente
Terminaison finale employée pour décrire un événement, un fait ou un état.

직원 : 이것+으로 신제품 사료+[에 대한] 설명+을 마치+[도록 하]+겠+습니다.

• **이것 (pronom)** : 바로 앞에서 이야기한 대상을 가리키는 말.
ce, cela
Terme indiquant l'objet venant d'être énoncé.

• 으로 : 어떤 일의 방법이나 방식을 나타내는 조사.
par, à, d'une certaine manière
Particule indiquant la méthode ou la manière de faire quelque chose.

• **신제품 (nom)** : 새로 만든 제품.
nouveau produit
Produit nouveau qui est sorti récemment.

• **사료 (nom)** : 집이나 농장 등에서 기르는 동물에게 주는 먹이.
aliments des animaux, fourrage, foin
Aliments donnés aux animaux élevés à la maison ou à la ferme, etc.

• 에 대한 : 뒤에 오는 명사를 수식하며 앞에 오는 명사를 뒤에 오는 명사의 대상으로 함을 나타내는 표현.
Pas d'expression équivalente
Expression utilisée pour qualifier le nom qui suit et pour indiquer que le nom précédant est l'objet de celui qui suit.

• **설명 (nom)** : 어떤 것을 남에게 알기 쉽게 풀어 말함. 또는 그런 말.
explication, éclaircissement, justification, exégèse, interprétation
Action d'expliquer quelque chose avec des mots simples pour que les autres comprennent mieux ; un tel propos.

• 을 : 동작이 직접적으로 영향을 미치는 대상을 나타내는 조사.
Pas d'expression équivalente
Particule indiquant un objet directement influencé par un acte.

• **마치다 (verbe)** : 하던 일이나 과정이 끝나다. 또는 그렇게 하다.
finir, terminer, achever
(Ce qui était en cours) Être terminé ; terminer ce qui était en cours.

• -도록 하다 : 말하는 사람이 어떤 행위를 할 것이라는 의지나 다짐을 나타내는 표현.
Pas d'expression équivalente
Expression indiquant la volonté ou la détermination du locuteur pour effectuer une action.

• -겠- : 완곡하게 말하는 태도를 나타내는 어미.
Pas d'expression équivalente
Terminaison indiquant le fait de s'exprimer sous forme détournée.

• -습니다 : (아주높임으로) 현재의 동작이나 상태, 사실을 정중하게 설명함을 나타내는 종결 어미.
Pas d'expression équivalente
(forme honorifique très marquée) Terminaison finale indiquant que l'on explique poliment l'action, l'état ou un fait présent.

직원 : 지금+부터+는 투자자+분+들+의 질문+을 받+[도록 하]+겠+습니다.

• **지금 (nom)** : 말을 하고 있는 바로 이때.
le moment présent, l'instant présent
Moment précis où l'on est en train de parler.

• 부터 : 어떤 일의 시작이나 처음을 나타내는 조사.
Pas d'expression équivalente
Particule servant à exprimer le début ou l'origine d'une chose.

• 는 : 문장 속에서 어떤 대상이 화제임을 나타내는 조사.
Pas d'expression équivalente
Particule indiquant qu'un objet est le principal sujet d'une phrase.

• **투자자 (nom)** : 이익을 얻기 위해 어떤 일이나 사업에 돈을 대거나 시간이나 정성을 쏟는 사람.
investisseur(euse)
Personne qui fournit de l'argent, de son temps ou des efforts dans un travail ou un projet pour obtenir du profit.

• 분 : '높임'의 뜻을 더하는 접미사.
Pas d'expression équivalente
Suffixe signifiant « respect ».

• 들 : '복수'의 뜻을 더하는 접미사.
Pas d'expression équivalente
Suffixe signifiant « pluriel ».

• 의 : 앞의 말이 뒤의 말에 대하여 소유, 소속, 소재, 관계, 기원, 주체의 관계를 가짐을 나타내는 조사.
Pas d'expression équivalente
Particule pour indiquer que la proposition précédente prend une relation de possession, d'appartenance, d'emplacement, de relation, d'origine ou de sujet d'action par rapport à la proposition suivante.

• **질문 (nom)** : 모르는 것이나 알고 싶은 것을 물음.
question
Fait de poser une question sur ce que l'on ne sait pas ou sur ce que l'on veut savoir.

• 을 : 동작이 직접적으로 영향을 미치는 대상을 나타내는 조사.
Pas d'expression équivalente
Particule indiquant un objet directement influencé par un acte.

• **받다 (verbe)** : 요구나 신청, 질문, 공격, 신호 등과 같은 작용을 당하거나 그에 응하다.
recevoir, accepter
Subir une action comme une demande, une question, une attaque, un signal, etc. ou y répondre.

• -도록 하다 : 말하는 사람이 어떤 행위를 할 것이라는 의지나 다짐을 나타내는 표현.
Pas d'expression équivalente
Expression indiquant la volonté ou la détermination du locuteur pour effectuer une action.

• -겠- : 완곡하게 말하는 태도를 나타내는 어미.
Pas d'expression équivalente
Terminaison indiquant le fait de s'exprimer sous forme détournée.

• -습니다 : (아주높임으로) 현재의 동작이나 상태, 사실을 정중하게 설명함을 나타내는 종결 어미.
Pas d'expression équivalente
(forme honorifique très marquée) Terminaison finale indiquant que l'on explique poliment l'action, l'état ou un fait présent.

투자자 : 자세하+ㄴ 설명 잘 듣(들)+었+습니다.
자세한 들었습니다

• **자세하다 (adjectif)** : 아주 사소한 부분까지 구체적이고 분명하다.
détaillé, minutieux, circonstancié
Très concret et clair, jusqu'au moindre détail.

• -ㄴ : 앞의 말이 관형어의 기능을 하게 만들고 현재의 상태를 나타내는 어미.
Pas d'expression équivalente
Terminaison donnant la fonction de déterminant à la proposition précédente et exprimant l'état présent.

• **설명 (nom)** : 어떤 것을 남에게 알기 쉽게 풀어 말함. 또는 그런 말.
explication, éclaircissement, justification, exégèse, interprétation
Action d'expliquer quelque chose avec des mots simples pour que les autres comprennent mieux ; un tel propos.

• **잘 (adverbe)** : 관심을 집중해서 주의 깊게.
bien
Attentivement, en concentrant son attention.

• **듣다 (verbe)** : 다른 사람의 말이나 소리 등에 귀를 기울이다.
écouter
Prêter l'oreille aux propos de quelqu'un, à un son, etc.

• -었- : 어떤 사건이 과거에 완료되었거나 그 사건의 결과가 현재까지 지속되는 상황을 나타내는 어미.
Pas d'expression équivalente
Terminaison indiquant qu'un évènement a été accompli dans le passé ou que le résultat de cet évènement perdure jusqu'à présent.

• -습니다 : (아주높임으로) 현재의 동작이나 상태, 사실을 정중하게 설명함을 나타내는 종결 어미.
Pas d'expression équivalente
(forme honorifique très marquée) Terminaison finale indiquant que l'on explique poliment l'action, l'état ou un fait présent.

투자자 : 그런데 혹시 그거 사람+도 먹+[을 수 있]+습니까?

• **그런데 (adverbe)** : 이야기를 앞의 내용과 관련시키면서 다른 방향으로 바꿀 때 쓰는 말.
en fait, alors
Terme employé pour changer la direction d'une conversation, en la reliant aux éléments énoncés auparavant.

• **혹시 (adverbe)** : 그러리라 생각하지만 분명하지 않아 말하기를 망설일 때 쓰는 말.
par hasard
Terme utilisé quand on hésite à parler du fait que quelque chose se passera ainsi mais que cela n'est pas clair.

• **그거 (pronom)** : 앞에서 이미 이야기한 대상을 가리키는 말.
Pas d'expression équivalente
Terme désignant un objet précédemment énoncé, ou terme désignant un objet précédemment évoqué.

• **사람 (nom)** : 생각할 수 있으며 언어와 도구를 만들어 사용하고 사회를 이루어 사는 존재.
homme, personne, gens, monsieur
Être pouvant penser, créer des langues, fabriquer des outils et vivre en société.

• 도 : 이미 있는 어떤 것에 다른 것을 더하거나 포함함을 나타내는 조사.
Pas d'expression équivalente
Particule indiquant qu'une chose est ajoutée ou comprise dans une autre qui existe déjà.

• **먹다 (verbe)** : 음식 등을 입을 통하여 배 속에 들여보내다.
manger, prendre
Mettre de la nourriture dans sa bouche et l'avaler.

• -을 수 있다 : 어떤 행동이나 상태가 가능함을 나타내는 표현.
Pas d'expression équivalente
Expression indiquant qu'une action ou un état est possible.

• -습니까 : (아주높임으로) 말하는 사람이 듣는 사람에게 정중하게 물음을 나타내는 종결 어미.
Pas d'expression équivalente
(forme honorifique très marquée) Terminaison finale indiquant que le locuteur pose poliment une question à un interlocuteur.

직원 : 사람+은 못 먹+습니다.

• **사람 (nom)** : 생각할 수 있으며 언어와 도구를 만들어 사용하고 사회를 이루어 사는 존재.
homme, personne, gens, monsieur
Être pouvant penser, créer des langues, fabriquer des outils et vivre en société.

• 은 : 문장 속에서 어떤 대상이 화제임을 나타내는 조사.
Pas d'expression équivalente
Particule indiquant qu'un objet est le principal sujet (de conversation) d'une phrase.

• **못 (adverbe)** : 동사가 나타내는 동작을 할 수 없게.
Pas d'expression équivalente
De façon à ce que l'action exprimée par le verbe ne puisse pas s'effectuer.

• **먹다 (verbe)** : 음식 등을 입을 통하여 배 속에 들여보내다.
manger, prendre
Mettre de la nourriture dans sa bouche et l'avaler.

• -습니다 : (아주높임으로) 현재의 동작이나 상태, 사실을 정중하게 설명함을 나타내는 종결 어미.
Pas d'expression équivalente
(forme honorifique très marquée) Terminaison finale indiquant que l'on explique poliment l'action, l'état ou un fait présent.

투자자 : 아니, 유기농 원료+에 영양가 높+고 위생적+으로 만들(만드)+ㄴ **만든** **개 사료+(이)+라면서 왜 먹+[지 못하]+지요?** **개 사료라면서**

• **아니 (exclamatif)** : 놀라거나 감탄스러울 때, 또는 의심스럽고 이상할 때 하는 말.
hein ?, quoi ?
Exclamation utilisée quand on est surpris ou saisi d'admiration, ou quand quelque chose est douteux et étrange.

• **유기농 (nom)** : 화학 비료나 농약을 쓰지 않고 생물의 작용으로 만들어진 것만을 사용하는 방식의 농업.
agriculture biologique
Méthode d'agriculture qui n'utilise pas d'engrais chimique ou de pesticide, mais uniquement des produits issus d'une interaction biologique.

• **원료 (nom)** : 어떤 것을 만드는 데 들어가는 재료.
matière première, matière brute, ingrédient de base, ingrédient
Matériaux nécessaires pour fabriquer quelque chose.

• 에 : 앞말에 무엇이 더해짐을 나타내는 조사.
Pas d'expression équivalente
Particule indiquant que quelque chose est rajouté à la proposition précédente.

• **영양가 (nom)** : 식품이 가진 영양의 가치.
valeur nutritive
Valeur nutritive contenue dans les aliments.

• **높다 (adjectif)** : 품질이나 수준 또는 능력이나 가치가 보통보다 위에 있다.
élevé
(Qualité, niveau, capacité ou valeur) Supérieur à la moyenne.

• -고 : 두 가지 이상의 대등한 사실을 나열할 때 쓰는 연결 어미.
Pas d'expression équivalente
Terminaison connective utilisée pour énumérer deux faits égaux ou plus.

• **위생적 (nom)** : 건강에 이롭거나 도움이 되도록 조건을 갖춘 것.
(n.) hygiénique, sanitaire
Ce qui a les conditions bénéfiques ou utiles pour rester en bonne santé.

• 으로 : 어떤 일의 방법이나 방식을 나타내는 조사.
par, à, d'une certaine manière
Particule indiquant la méthode ou la manière de faire quelque chose.

• **만들다 (verbe)** : 힘과 기술을 써서 없던 것을 생기게 하다.
produire, fabriquer
Faire apparaître ce qui n'existait pas, à l'aide d'une force ou d'une technique.

• -ㄴ : 앞의 말이 관형어의 기능을 하게 만들고 사건이나 동작이 완료되어 그 상태가 유지되고 있음을 나타내는 어미.
Pas d'expression équivalente
Terminaison donnant la fonction de déterminant à la proposition précédente et indiquant que l'événement ou l'action en question est achevé et que cet état est maintenu.

• **개 (nom)** : 냄새를 잘 맡고 귀가 매우 밝으며 영리하고 사람을 잘 따라 사냥이나 애완 등의 목적으로 기르는 동물.
chien
Animal intelligent, ayant un bon nez et l'ouïe fine, se prenant facilement d'affection pour l'homme et étant élevé pour la chasse, la domestication, etc.

• **사료 (nom)** : 집이나 농장 등에서 기르는 동물에게 주는 먹이.
aliments des animaux, fourrage, foin
Aliments donnés aux animaux élevés à la maison ou à la ferme, etc.

• 이다 : 주어가 지시하는 대상의 속성이나 부류를 지정하는 뜻을 나타내는 서술격 조사.
Pas d'expression équivalente
Particule du cas prédicatif pour indiquer la caractéristique ou la catégorie d'un objet qui se rapporte au sujet d'une phrase.

• -라면서 : 듣는 사람이나 다른 사람이 이전에 했던 말이 예상이나 지금의 상황과 다름을 따져 물을 때 쓰는 표현.
Pas d'expression équivalente
Expression pour interroger en objectant que la situation prévue ou présente est différente de ce qu'avait dit l'interlocuteur ou une autre personne.

• **왜 (adverbe)** : 무슨 이유로. 또는 어째서.
pourquoi, dans quelle intention, à quelle fin
Pour quelle raison ; comment se fait-il que.

• **먹다 (verbe)** : 음식 등을 입을 통하여 배 속에 들여보내다.
manger, prendre
Mettre de la nourriture dans sa bouche et l'avaler.

• -지 못하다 : 앞의 말이 나타내는 행동을 할 능력이 없거나 주어의 의지대로 되지 않음을 나타내는 표현.
Pas d'expression équivalente
Expression pour indiquer qu'on n'a pas la capacité à faire l'action de la proposition précédente ou que les choses ne se passent pas comme le voulait le sujet.

• -지요 : (두루높임으로) 말하는 사람이 듣는 사람에게 친근함을 나타내며 물을 때 쓰는 종결 어미.
Pas d'expression équivalente
(forme honorifique non formelle) Terminaison finale utilisée par le locuteur pour interroger amicalement un interlocuteur.

직원 : 비싸+(아)서 절대 못 먹+습니다.
비싸서

• **비싸다 (adjectif)** : 물건값이나 어떤 일을 하는 데 드는 비용이 보통보다 높다.
cher, coûteux, onéreux
(Prix d'un objet ou coût pour faire quelque chose) Être plus élevé que la normale.

• -아서 : 이유나 근거를 나타내는 연결 어미.
Pas d'expression équivalente
Terminaison connective indiquant la raison ou la base.

• **절대 (adverbe)** : 어떤 경우라도 반드시.
(ne) jamais, sans doute, sûrement, certainement, sans faute
Quoi qu'il arrive, à tout prix.

- **못 (adverbe)** : 동사가 나타내는 동작을 할 수 없게.
  Pas d'expression équivalente
  De façon à ce que l'action exprimée par le verbe ne puisse pas s'effectuer.

- **먹다 (verbe)** : 음식 등을 입을 통하여 배 속에 들여보내다.
  manger, prendre
  Mettre de la nourriture dans sa bouche et l'avaler.

- -습니다 : (아주높임으로) 현재의 동작이나 상태, 사실을 정중하게 설명함을 나타내는 종결 어미.
  Pas d'expression équivalente
  (forme honorifique très marquée) Terminaison finale indiquant que l'on explique poliment l'action, l'état ou un fait présent.

● 숫자 (chiffre)

- 0 (영, 공) : zéro
- 1 (일, 하나) : un
- 2 (이, 둘) : deux
- 3 (삼, 셋) : trois
- 4 (사, 넷) : quatre
- 5 (오, 다섯) : cinq
- 6 (육, 여섯) : six
- 7 (칠, 일곱) : sept
- 8 (팔, 여덟) : huit
- 9 (구, 아홉) : neuf
- 10 (십, 열) : dix
- 20 (이십, 스물) : vingt
- 30 (삼십, 서른) : trente
- 40 (사십, 마흔) : quarante
- 50 (오십, 쉰) : cinquante
- 60 (육십, 예순) : soixante
- 70 (칠십, 일흔) : soixante-dix
- 80 (팔십, 여든) : quatre-vingt
- 90 (구십, 아흔) : quatre-vingt-dix
- 100 (백) : cent
- 1,000 (천) : mille, millier
- 10,000 (만) : dix mille, dix milliers
- 100,000 (십만) : cent mille
- 1,000,000 (백만) : million
- 10,000,000 (천만) : dix millions
- 100,000,000 (억) : (adj.) cent millions
- 1,000,000,000,000 (조) : mille milliards

● 시간 (temps)

• **시 (nom)** : 하루를 스물넷으로 나누었을 때 그 하나를 나타내는 시간의 단위.
heure
Nom dépendant servant d'unité de temps indiquant l'une des vingt-quatre divisions qui forment un jour.

• **분 (nom)** : 한 시간의 60분의 1을 나타내는 시간의 단위.
minute
Nom dépendant, unité pour représenter un soixantième d'heure.

• **초 (nom)** : 일 분의 60분의 1을 나타내는 시간의 단위.
seconde
Unité de temps équivalent au soixantième d'une minute.

• **새벽 (nom)**
1) 해가 뜰 즈음.
aube, aurore, point du jour, naissance du jour, début du jour, commencement du jour, potron-minet
Moment vers lequel le soleil se lève.
2) 아주 이른 오전 시간을 가리키는 말.
aube, aurore, point du jour, naissance du jour, début du jour, commencement du jour, potron-minet
Terme indiquant le moment le plus tôt de la matinée.

• **아침 (nom)** : 날이 밝아올 때부터 해가 떠올라 하루의 일이 시작될 때쯤까지의 시간.
matin, matinée
Période entre le moment où le jour se lève et celui où la journée commence, après le lever du soleil.

• **점심 (nom)** : 하루 중에 해가 가장 높이 떠 있는, 아침과 저녁의 중간이 되는 시간.
midi, entre midi et deux heures
Moment du jour compris entre le matin et le soir et pendant lequel le soleil est à son plus haut.

• **저녁 (nom)** : 해가 지기 시작할 때부터 밤이 될 때까지의 동안.
soir, soirée
Période qui se situe entre la tombée du jour et le début de la nuit.

• **낮 (nom)**

1) 해가 뜰 때부터 질 때까지의 동안.

jour, journée

Partie de la journée comprise entre le midi et le soir

2) 오후 열두 시가 지나고 저녁이 되기 전까지의 동안.

après-midi

Période de temps s'etendant d'après-midi jusqu'avant le soir.

• **밤 (nom)** : 해가 진 후부터 다음 날 해가 뜨기 전까지의 어두운 동안.

nuit, obscurité

Heures sombres depuis le coucher jusqu'au lever du soleil, le lendemain.

• **오전 (nom)**

1) 아침부터 낮 열두 시까지의 동안.

matinée, matin

Partie du jour comprise entre le lever du jour et midi.

2) 밤 열두 시부터 낮 열두 시까지의 동안.

Pas d'expression équivalente

Partie du jour comprise entre minuit et midi.

• **오후 (nom)**

1) 정오부터 해가 질 때까지의 동안.

après-midi

Partie du jour comprise entre midi et le coucher du jour.

2) 정오부터 밤 열두 시까지의 시간.

Pas d'expression équivalente

Heure comprise entre midi et minuit.

• **정오 (nom)** : 낮 열두 시.

midi

Douze heures.

• **자정 (nom)** : 밤 열두 시.

minuit

Douze heures de la nuit.

• **그저께 (nom)** : 어제의 전날. 즉 오늘로부터 이틀 전.

(n.) avant-hier

Jour qui précède celui d'hier, à savoir deux jours avant celui d'aujourd'hui.

• **어제 (nom)** : 오늘의 하루 전날.

hier

Jour qui précéde aujourd'hui.

• **오늘 (nom)** : 지금 지나가고 있는 이날.
aujourd'hui, ce jour
Jour qui est en train de passer.

• **내일 (nom)** : 오늘의 다음 날.
demain
Jour suivant aujourd'hui.

• **모레 (nom)** : 내일의 다음 날.
après-demain
Jour venant immédiatement après demain.

• **하루 (nom)** : 밤 열두 시부터 다음 날 밤 열두 시까지의 스물네 시간.
un jour, une journée
24 heures allant de minuit un certain jour jusqu'à minuit le lendemain.

• **이틀 (nom)** : 두 날.
Pas d'expression équivalente
Deux jours.

• **사흘 (nom)** : 세 날.
Pas d'expression équivalente
Trois jours.

• **나흘 (nom)** : 네 날.
Pas d'expression équivalente
Quatre jours.

• **닷새 (nom)** : 다섯 날.
Pas d'expression équivalente
Cinq jours.

• **엿새 (nom)** : 여섯 날.
six jours
Six jours.

• **이레 (nom)** : 일곱 날.
Pas d'expression équivalente
Sept jours.

• **여드레 (nom)** : 여덟 날.
Pas d'expression équivalente
Huit jours.

• **아흐레 (nom)** : 아홉 날.
Pas d'expression équivalente
Neuf jours.

• **열흘 (nom)** : 열 날.
dix jours
Dix jours.

• **월요일 (nom)** : 한 주가 시작되는 첫 날.
lundi
Premier jour de la semaine.

• **화요일 (nom)** : 월요일을 기준으로 한 주의 둘째 날.
mardi
Deuxième jour de la semaine sur la base de lundi.

• **수요일 (nom)** : 월요일을 기준으로 한 주의 셋째 날.
mercredi
Troisième jour d'une semaine quand elle commence à partir du lundi.

• **목요일 (nom)** : 월요일을 기준으로 한 주의 넷째 날.
jeudi
Quatrième jour de la semaine commençant le lundi.

• **금요일 (nom)** : 월요일을 기준으로 한 주의 다섯째 날.
vendredi
Cinquième jour de la semaine si l'on considère que la semaine commence le lundi.

• **토요일 (nom)** : 월요일을 기준으로 한 주의 여섯째 날.
samedi
Sixième jour de la semaine commençant le lundi.

• **일요일 (nom)** : 월요일을 기준으로 한 주의 마지막 날.
dimanche
Dernier jour de la semaine commençant le lundi.

• **일주일 (nom)** : 월요일부터 일요일까지 칠 일. 또는 한 주일.
semaine
Période de sept jours (allant) du lundi au dimanche ; durée de sept jours.

• **일월 (nom)** : 일 년 열두 달 가운데 첫째 달.
janvier
Premier des douze mois de l'année.

• **이월 (nom)** : 일 년 열두 달 가운데 둘째 달.
février
Deuxième des douze mois de l'année.

• **삼월 (nom)** : 일 년 열두 달 가운데 셋째 달.
mars
Troisième des douze mois de l'année.

• **사월 (nom)** : 일 년 열두 달 가운데 넷째 달.
avril
Quatrième des douze mois de l'année.

• **오월 (nom)** : 일 년 열두 달 가운데 다섯째 달.
mai
Cinquième des douze mois de l'année.

• **유월 (nom)** : 일 년 열두 달 가운데 여섯째 달.
juin
Sixième mois des douze de l'année.

• **칠월 (nom)** : 일 년 열두 달 가운데 일곱째 달.
juillet
Septième mois parmi les douze mois de l'année.

• **팔월 (nom)** : 일 년 열두 달 가운데 여덟째 달.
août
Huitième des douze mois de l'année.

• **구월 (nom)** : 일 년 열두 달 가운데 아홉째 달.
septembre
Neuvième des douze mois de l'année.

• **시월 (nom)** : 일 년 열두 달 중 열 번째 달.
octobre
Dixième des douze mois de l'année.

• **십일월 (nom)** : 일 년 열두 달 가운데 열한째 달.
novembre
Onzième des douze mois de l'année.

• **십이월 (nom)** : 일 년 열두 달 가운데 마지막 달.
décembre
Dernier des douze mois de l'année.

• **봄 (nom)** : 네 계절 중의 하나로 겨울과 여름 사이의 계절.
printemps
Une des quatre saisons se situant entre l'hiver et l'été.

• **여름 (nom)** : 네 계절 중의 하나로 봄과 가을 사이의 더운 계절.
été
Saison la plus chaude parmi les quatre saisons, située entre le printemps et l'automne.

• **가을 (nom)** : 네 계절 중의 하나로 여름과 겨울 사이의 계절.
automne
Une des quatre saisons, qui succède à l'été et précède l'hiver.

• **겨울 (nom)** : 네 계절 중의 하나로 가을과 봄 사이의 추운 계절.
hiver
Saison la plus froide des quatre saisons de l'année, succédant à l'automne et précédant le printemps.

• **작년 (nom)** : 지금 지나가고 있는 해의 바로 전 해.
an dernier, année passée, année dernière
Année précédant celle en cours.

• **올해 (nom)** : 지금 지나가고 있는 이 해.
cette année
Année en cours.

• **내년 (nom)** : 올해의 바로 다음 해.
année prochaine, an prochain
Année qui vient après celle de cette année.

• **과거 (nom)** : 지나간 때.
passé
Temps passé.

• **현재 (nom)** : 지금 이때.
(n.) présent, maintenant, aujourd'hui
Moment présent.

• **미래 (nom)** : 앞으로 올 때.
futur, avenir
Moment à venir.

< 참고(prise en compte) 문헌(bibliographie) >

고려대학교 한국어대사전, 고려대학교 민족문화연구원, 2009
우리말샘, 국립국어원, 2016
표준국어대사전, 국립국어원, 1999
한국어교육 문법 자료편, 한글파크, 2016
한국어 교육학 사전, 하우, 2014
한국어기초사전, 국립국어원, 2016
한국어 문법 총론 Ⅰ, 집문당, 2015

유머로 배우는 한국어 français(프랑스어) traduction(번역)

발　행 | 2024년 7월 16일
저　자 | 주식회사 한글2119연구소
펴낸이 | 한건희
펴낸곳 | 주식회사 부크크
출판사등록 | 2014.07.15.(제2014-16호)
주　소 | 서울특별시 금천구 가산디지털1로 119 SK트윈타워 A동 305호
전　화 | 1670-8316
이메일 | info@bookk.co.kr

ISBN | 979-11-410-9544-4
www.bookk.co.kr